北京科学技术出版社

图书在版编目（CIP）数据

燕山医话 / 陈彤云主编. —北京：北京科学技术出版社，2014.12（2021.10 重印）
ISBN 978-7-5304-7500-3

Ⅰ. ①燕… Ⅱ. ①陈… Ⅲ. ①医话—汇编—中国—现代 Ⅳ. ① R249.7

中国版本图书馆 CIP 数据核字（2014）第 249905 号

策划编辑：侍　伟
责任编辑：章　健　赵　晶　王　微
责任校对：贾　荣
装帧设计：蒋宏工作室
责任印制：李　茗
出 版 人：曾庆宇
出版发行：北京科学技术出版社
社　　址：北京西直门南大街16号
邮政编码：100035
电　　话：0086-10-66135495（总编室）　0086-10-66113227（发行部）
网　　址：www.bkydw.cn
印　　刷：三河国新印装有限公司
开　　本：710 mm × 1000 mm　1/16
字　　数：307 千字
印　　张：18
版　　次：2014年12月第1版
印　　次：2021年10月第3次印刷
ISBN 978-7-5304-7500-3

定　　价：45.00元

《燕山医话》

编辑委员会

主　　编　陈彤云

副 主 编　方和谦　李惠治　袁立人

常务编委　（以姓氏笔画为序）

王洪图　方和谦　吉良晨　朱建贵
李惠治　陈彤云　袁立人

秘　　书　高丹枫

编　　委　（以姓氏笔画为序）

王　沛　王居易　王嘉麟　韦玉英
朱建贵　刘继章　刘韵远　李淑良
李葆富　吴博华　宋祖憼　张秀琴
张作舟　陈文伯　庞承泽　宗修英
晁恩祥　奚　达　高健生

审　　阅　（以姓氏笔画为序）

邓铁涛　李祥云　何　任　张奇文
张赞臣　陆德铭　袁家玑　谢克庆

胡　序

中华全国中医学会中医理论整理研究会组织编写的《北方医话》《南方医话》《燕山医话》《长江医话》《黄河医话》等五部反映我国近代中医学术进展的著述，经过两年多的时间，已经完成。

这五部医话，全国有五千余人参加撰稿，最后审定近三百万字。撰稿者，既有名老中医，又有学术上已近成熟的中年中医科技工作者，这个事实本身，就标志着我国中医界学术上的兴旺繁荣，是十分令人欣喜的。

我希望：像这样的理论和临床实践相结合的整理研究工作，今后能够继续开展下去。

当本书即将出版之时，编委会要我写几句话，特书之以共勉。

胡熙明

1985 年 10 月

谭　序

为了继承现代名老中医的学术经验，总结学有卓识的中年中医师的学术成就，中医理论整理研究会组织全国中医师参加征稿，编著《黄河医话》《长江医话》《燕山医话》《南方医话》《北方医话》，这项工作的意义十分重大而深远。

中国，是世界文明古国，中医药学就是我国古代文明中的一颗璀璨夺目的明珠。历史的发展将继续证明，勤劳智慧的中华民族对世界作出的新贡献，中医药学将是其中重要的组成部分。

希望中医药学术界的专家，不断创造出新的成绩，及时地将这些成就加以总结，升华为理论，丰富发展中医药学术体系，更好地为我国人民的保健事业服务，为人类健康长寿作出贡献。

中华人民共和国卫生部副部长　谭云鹤

1984年10月1日北京

裴　序

中医药学典籍浩如烟海，绚丽夺目。总结现代中医实践经验，编著成书，无疑地是为祖国医药瑰宝增光加彩。

这项总结、整理、研究工作，全国中医约有五千余人参加，经过了严格的审稿、统稿程序，在短短的两年多时间里，完成近三百万字著述，这实在是集体智慧的结晶。我为这部书的出版，感到由衷地高兴。

我希望中医药学界的科学技术工作者，继这部书出版之后，在不久的将来，还有新的著述问世。当此巨著出版之际，仅写上面一些话，表示祝贺。

中国科学技术协会副主席　裴丽生

1985 年 10 月 28 日

前　言

为了从多方面总结交流全国各地名老中医、部分中年中医师的各科临床经验和理论，中华全国中医学会中医理论整理研究会决定组织编写：

《燕山医话》（北京地区）。

《黄河医话》（陕、甘、宁、晋、鲁、豫、青、蒙）。

《长江医话》（川、藏、滇、鄂、湘、赣、皖、苏、沪）。

《北方医话》（辽、吉、黑、津、冀、疆）。

《南方医话》（浙、闽、黔、粤、桂、台）。

全国各级医疗、研究、教学单位的中医工作者，积极总结自己的临床经验，踊跃参加征稿活动。

医话内容，包括内科、妇科、外科、儿科、方药、针灸……，凡能用医话形式表达的，皆可撰写。

《五部医话》运用医话随笔体裁；所收载的文稿，大多具有短小精悍、内容充实、学术上有新的建树和较强的实用价值等特点。

作者除55岁以上的名老中医外，还收录了部分中年中医师（指1966年前高等中医院校毕业或具同等学历者）的文稿。

本丛书的编写，得到了卫生部谭云鹤副部长的鼓励和支持；书稿完成后，卫生部胡熙明副部长应本书编委会邀请，为之作序。

各部医话均成立了编委会，施行主编负责制。编委们认真审稿，层层把关，在提高书稿质量方面，作了大量工作。

在编写经费方面，得到了辽宁省本溪市第三制药厂对各部医话编委会的经费赞助。

五部医话在编写过程中，得到了各省、市、自治区卫生厅（局），各级中医学会以及主编所在单位的积极支持。各部医话的主编、副主编、编委，克服种种困难，创造条件，出色地完成了组稿、编审等各项工作。从本书的报批选题开始，一直到完稿，全过程中，得到了北京科学技术出版社傅亿伸社长和韩丽娟副总编辑的热情指导，在此一并致谢。

各编委会统定稿后，中医理论整理研究会学术秘书组又聘请若干位国内中医各学科的专家，认真审阅，提出了宝贵的删修意见。

尽管在编写过程中作了多方面的努力，但由于时间仓促，水平有限，错误和缺点在所难免，深望海内外热心中医药学术的专家、读者，随时提出批评指正意见。

学术秘书组

1985年12月3日

目录

郗霈龄医论三则

高益民

医学之道，有识才能有胆

素日常以“有胆有识”来称誉某人智勇双全、有魄力，能干一番大事业。所谓“有胆”是指有胆量，遇事机敏，判断准确，大胆果断，即中医所说的“决断出焉”。所谓“有识”是指见识广、知识面宽，认识深透，能够抓住事物的本质，因此处理问题正确，符合事物的客观规律。医学之道也要“有胆有识”。医学之胆即在于遇到危急重症时，敢于处治，敢于承担责任。在旧社会为了生计，绝大多数的医生都谨小慎微，生怕出事而被论“罪”，所以见到重危案例一推了事，即所谓“不吃其药，无法问其罪”。解放以后，当以革命的人道主义为重，遇事不应推诿，但也要防止不负责任的“要大胆”，盲目自信“包打天下，百病皆治”，关键在于“有识”。医学之识，即是中医基础理论扎实、基本技能纯熟，基本知识全面，一句话，就是掌握了中医辨证论治的基本特点，才能有胆有识。记得曾遇高某，男，51 岁，因患中毒性痢疾入某院，使用多种抗生素治疗后，大便次数反而增多，确诊为伪膜性肠炎，经服西药未效，患者精神萎靡，嗜睡，体温 38. 3℃，四肢逆冷，大便为黄绿色胆汁样稀水，顺肛门向外流泻，不欲进食，伴有恶心，两足浮肿，舌淡无苔，脉微欲绝，已见舌卷囊缩之绝候。证属脾肾虚衰，阳气欲脱。因病情危笃，已置单间隔离，医护似已束手，若稍加推诿，完全可以抬手。但经辨证后，确认尚有可挽回之生机，遂以“识”壮胆，投以温补脾肾、回阳固脱之剂。药用党参、茯苓、炒白术、肉豆蔻、吴茱萸、肉桂、附片、炮姜、煨葛根。由于药证相符，奏效迅速，患者次日体温正常，大便 8 次。5 剂药后，伪膜性肠炎痊愈。当时尚未闻及用中医药治疗伪膜性肠炎的报道，而且急症当前，完全是根据中医的理论体系进行辨证，有识才能有胆，在全面辨证的前提下，处方遣药一气呵成，不为绝候所胁迫，大胆治疗，取得了成功的经验。

医海捞“珍”，“普遍撒网”，“重点摸鱼”

中国医药学是一个伟大的宝库，其中珍宝琦玉琳琅满目，可是涉医探宝，并非手到擒来，有似“大海捞针”，从点滴的经验体会，到重大的医学成果，都需要通过多次的实践，反复加以验证。因为中医学来源于实践，并在实践中不断发展，若欲打捞大量的医学珍宝，为中医事业做出贡献，必须从浩如烟海的医籍中及广阔的实践中，去探索、发掘，即要“普遍撒网”。具体讲就是要多看书，多实践，把古代医家的间接经验化为自己的直接经验，绝不能“三天打鱼，两天晒网”，或漫天空谈，坐以论道，要置身于医学实践的海洋之中，捞取医学的“珍宝”。

所谓“重点摸鱼”者，系指在普遍撒网、勤于撒网的基础上，精心品尝鱼虾蛤蟹之鲜美，择其优者“重点打捞”，亦即除了有计划地抓一些科研项目外，也要不断地积累“零金碎玉”，最后捧出一个大“金娃娃”来。例如，在治疗重症肺脓疡时，曾遇一例患者经用清热解毒，活血透托之剂，体温已基本正常，白细胞接近正常，但是咳嗽吐痰量多，肺部X线摄片，右上肺有液平空洞持续不消失，苦思冥想之余，突然灵机一动，肺中之空洞颇似“铃”，痰液者湿热凝结所致，从而联想到张元素善用马兜铃清肺气，去肺中湿热，取其除热散结之力也，《本草正义》中也称其“能疏通壅滞，止嗽化痰”，而且认为“决壅疏通，皆有捷效”，说明马兜铃除痰散结、决壅疏浚之功显著，于是在原方中加用马兜铃15g，果然不负所望，服5剂药后患者肺部空洞缩小，1周后即消失。又如在治疗脾虚泄泻时，根据“脾升胃降”的理论，吾常重用葛根而屡验，后来用于治疗伪膜性肠炎所引起的泄泻无度，若见脾虚证候皆放胆使用，深感其气轻浮，功能升提脾气，升中寓补，又能生津液，解肌热，故为治疗脾虚泄泻之圣药，若与桂枝同伍相得益彰。这些点滴体会虽不足为沧海之一粟，但却启迪我辈：对于危急重症中医药大有可为。记得曾与赵老（炳南）共同应约会诊林某，女，22岁，因急性心肌炎心悸、气短、发热入院，体温高达41℃。曾使用大量抗生素和阿司匹林等药后，全身出现弥漫性粟粒性红疹，口腔黏膜出现溃疡及出血点，体温仍不降（余考虑其为药物过敏性皮疹，遂后皮损融合成水疱），时有恶心呕吐，大便日泄十余次到无数次，呈水样便，经检查确诊为伪膜性肠炎。中医会诊时患者体温39.4℃，神志模糊，喃喃自语，声音低微，头面浮肿，遍身红斑，时有泛恶，便泄无度，尿短赤，舌质紫绛无苔，脉弦数，西医难于投药，病情危在旦夕。经与赵老共同商讨，证属暑湿外感，化热入营。毒热炽盛欲犯心包，湿热中阻清浊不分。急以清热解毒，凉血化斑为法，佐以分利。方用金银花、连翘、蒲公英、败酱清热解毒以折火势；赤芍、牡丹皮、茜草凉血活血化斑和营；生薏苡仁、车前子、滑石、甘草清热利湿，分利清浊；玄参、天花粉，麦冬养阴清热，生津护液。药进2剂，患者体温逐渐下降至正常，神清，斑色见退。由于突出了清热解毒，并抓住清热利湿之枢机，疗效颇为惊人。此后余曾治愈近20例此类患者，给当时颇感棘手的、死亡率很高的医源性急重并发症（伪膜性肠炎）患者带来了光明，同时也提示我们，在中医学

宝库中，对于危急重症的辨治可以说是宝中之瑰宝，是一条“大鱼”，应当“重点打捞”。

医林之德，在于挽救患者生命

自患膀胱肿瘤两次手术之后，十几年来，虽然自我感觉尚好，但总有一种“生命时限”的紧迫感，于是常常扪心自问，作为新中国的医生，其生命价值何在？我曾仔细地追忆诸先贤，先师们的高尚医德和“治病救人，死而后已”的情操，并以此律已，谦谨细心地为患者服务，不敢懈怠。记得1956年秋初，正值乙型脑炎流行，我望着那高热炽热而神志昏迷的“小宝宝”，岂敢把自己的“隐患”暴露出来，当时无所名状的血尿缠绕着我，组织上早已安排让我住院治疗，但是正值扑灭乙脑“战犹酣”之际，我怎能临阵脱逃“离马鞍”。于是咬紧牙关，日夜坚守病房阵地，与其他医护人员共同奋战，救活了30多个幼小的生命，望着病儿父母抱着他们离院时的身影，我才愉快地又转入另外一个“战场”。当时我心里虽然感到十分轻松，但是血尿却加重了。我很明白，血尿无非是泌尿系肿瘤的信号，最后确定进行手术治疗。就是在住院术前准备期间，我也协助西医救活了数名危重患者。最使我难忘的是在决定作手术的当天上午，同科病友刘某患消化道出血，经手术治疗后出血仍未止，输血万余毫升而未效，经会诊仍需再次手术，但因患者身体十分虚弱，对手术难以耐受，约我会诊。辨证患者属于气血大伤，余热未清，正气欲脱。急投益气固脱，凉血活血，佐以清热之剂，群药之后，另加古墨3钱（9g）磨汁兑服，取其以黑治红之意，实际上古墨辛平，入心肝，得松柏之精华，功能清热凉血，止血消肿，主治吐血、衄血、崩中下血，《开宝本草》中称其“止血，生肌肤，疗金疮”，对于手术后仍有出血者，取其生肌止血之效颇为相宜。服药后患者病情平稳，未再有新鲜出血，继服前方，出血已止，4日后转危为安。他的生命得救了，我却挣扎在死亡的边缘，虽然高热、剧痛折磨着我的躯体，但我却心地坦然地回答了十几年来的问题：“作为一个医生，其生命的价值就在于挽救患者的生命！”

岳美中医话二则

|江幼李|

一

岳老常说自己一生学问多从仲景著作而来，对《伤寒论》《金匮要略》极端推崇，每年都要温课复习，凡有方有证的条文均能背诵，无怪应用经方，能够得心应手。

如猪苓汤，原为津伤兼水热内蓄而设，方中猪苓、茯苓、泽泻、阿胶、滑石等量入剂，配伍严谨，柯琴誉为阳明起手三方之一。岳老用治伤阴而兼水肿脓血之肾炎颇效，曾告诫及门弟子，凡遇阴虚水肿不可忽视此方。患者高某，女性，患慢性肾盂肾炎，久治不愈。高热，头痛，腰酸痛，尿少且有疼痛感。前医以八正散类方治疗，越治越剧，尿检混有脓细胞、红细胞、白细胞，尿培养有大肠杆菌。岳老接诊后认为属淋病范畴，湿热羁于下焦，伤阴动血，与《金匮要略》“脉浮发热，渴欲饮水，小便不利，猪苓汤主之”之病机相符，予猪苓汤原方6剂而愈。又治一女子，血尿，尿频，腰痛，投猪苓汤3剂而愈。月余，病又复发，因虑其虚，增入山药一味，病反转重，复用猪苓汤原方而效。后病再复发，又增海金沙一味，竟又不效，再用猪苓汤而愈，追访半年，未再复发。由此而知，运用经方，宜遵仲景法度。

岳老20世纪30年代在山东荷泽行医时，治一中年男子，秋天全身发凉，身着皮袄，恶风畏寒，常坐于火炉之旁，服过中西药物不效。诊其脉沉细，舌质淡红苔薄白滑腻。细询病史，病由房事受寒而得，断为少阴伤寒。仿《伤寒论》“少阴病，始得之，反发热，脉沉者，麻黄附子细辛汤主之”例，处方：麻黄10g、细辛10g、制附片24g，急煎，服半剂患者全身发热，尽1剂患者周身汗出，身和而愈，啧啧称叹，于此可见岳老善用经方之功力。

二

记忆中有一事颇为深刻，岳老卧病时曾和我谈起柳宗元“种树郭橐驼传”，至“橐驼非能使木寿且孳也，能顺木之天，以致其性焉尔。凡植木之性，其本欲舒，其培欲平，其土欲故，其筑欲密。既然已，勿动勿虑，去不复顾。”则喟然而叹，若医者治慢性病懂得培土一法，思过半矣。言及曾治一国际友人，患溃疡性结肠炎，腹胀，纳少，进食稍多即感胃脘部不适，大便时有黏冻，日二三行，消瘦。初用白头翁汤，继进赤石脂禹余粮汤，均无效应。后来反复思索，认为重点仍在脾虚，脾不健运，湿热蕴蓄，久羁肠道，遂成黏冻；脾失运化，精微不能输布全身而致消瘦。于是选用资生丸，改丸为散，日服9g，小量频投以治，重在培土，1个月后大便转稠，本“勿动勿虑”之旨，守方不更，终至痊愈。

资生丸出自《先醒斋医学广笔记》，由参苓白术散加味而成，取“大哉坤元，万物资生”之意，重在补脾阳，滋脾阴。方中兼用砂仁、豆蔻、藿香、桔梗理气降逆，黄连清胃厚肠。笔者早岁亦用此方治愈多例慢性溃疡性结肠炎患者，深知岳老所云，实为经验之谈。

金书田医论

宋祚民

四时不正之气，烈风、淫雨、亢旱皆能致疫；气候反常，风、寒、暑、湿、燥、火六淫之邪皆能致病。

早年地广人稀，今时人众，气候偏湿，加之繁劳私欲，阴虚多于阳虚，故而病温者多，病伤寒者少。昔日纪晓岚曾出使新疆，其诗记有："万家烟火暖云蒸，消尽天山太古冰"名句。当今之时，痨病阴虚者众，阳虚者寡，因而治虚痨不可泥于小建中汤，治此症当参朱丹溪之法及明代汪绮石《理虚元鉴》之论。再有治中风一病，不可泥于小续命汤，今时患其中外风者少，而类中于痰、火、阴虚者多，治此病当参考尤在泾《金匮翼》及三张所论。

疟疾一证，本在伤寒少阳经，半表半里、寒热往来为伤寒正疟，宜用小柴胡汤治之，此绝非暑疟、温疟、瘴疟等类之疟也。杨栗山云："今之世温病多而伤寒少，岂有今世之疟疾，伤寒疟多而伤暑疟、温疟少之理乎"。

痢疾为病，总不离乎湿热。谚云："痢无补法"，唐容川论之最详，要之不见痢久脾虚下陷，万不可早用补药耳。

霍乱之病，多属湿热凝结，或贪凉过度之故，分辨此证之阴阳，要看其口润、吐泻无酸腐、小便清长者多属阴，为寒霍乱；其口燥、吐泻有酸腐、小便短赤者属阳，为热霍乱。若寒热不分，不知热深厥深，假寒真热之理，动辄桂附，则必殆害于人。徐灵胎谓："寒霍乱千不得一者也。"治此证当参照郭佑陶著《痧胀玉衡》和王士雄之《霍乱论》。

麻疹不可用辛温药，恐其燥烈伤阴、以火济火，人皆知之，然亦不可恣用苦寒，恐寒凉遏伏，疹反不出矣。盖寒则凝、温则行，辛温过汗有伤津液，对疹不宜也。麻疹不忌作泻，泻则火有出路，切不可补。但泻不止者，恐疹内陷，药用升提（葛根少许），则泻可止。常见麻疹兼喉痛者，医者专顾喉痛而忽视治疹，每每误事。盖疹透喉自松。方书云："痧疹务透。"即此意也。古人说痘宜温，疹宜凉，言疹不当用热药也。俗云：走马看伤寒，回头看痘疹。言伤寒传经，痘疹多变幻也。

卢治忱先生论病能

胡庚辰

病能即近代所指的病态，也就是通称的症状。人体患病，内在的气血阴阳即发生异常，产生病态，诸如痛、痒、麻、木、寒、热、喘、咳、胀、眩、晕等等。这些症状的产生，由于病因病机的不同，病位的差异，所以各有其规律性。因脏腑、经络的功能、部位不同，而产生不同证候。这就是《难经·第二十二难》所说的"是动"与"所生病"的道理。更有一脏患病，影响其"所胜"和"所不胜"的旁出枝节。临床上，我们往往见到患者发怒而肝郁气滞后，出现胸闷胁痛，呃逆不畅，不思饮食，甚则脘腹胀满，四肢无力等证，这就是肝乘其所胜，即肝气横逆，犯臂尅脾。所谓肝旺脾虚的现象，良由肝失条达疏泄，致令脾之健运失职，此为常见精神因素的刺激，而影响消化功能的例子。再如肝火上逆灼肺之咳血，症见咳嗽痰中带血，咯吐不爽，心烦易怒，苔黄，脉弦数等，即是肝火亢盛，肺气不行，反侮其所不胜，是木火刑金的现象，其病机为肺阴亏损，不能沛降雨露，肝失润泽，或由肝阴暗耗，肝之本体阴血不足而失荣，均足致肝之邪火偏亢，灼伤肺络，而血上溢矣。对此复杂证候，我们都应认真仔细地来明辨。正如《素问·五运行大论篇》所说："气有余，则制已所胜，而侮所不胜，其不及，则已所不胜，侮而乘之，已所胜，轻而侮之，侮反受邪，侮而受邪，寡于畏也"。

病能可以说是中医辨证的客观标志，它既包括着病因、病机、传变等内容，同时在很多情况下还包括病位所在。因此，证候是辨证过程中不可缺少的重要一环。例如咳嗽一证，就可以说病位、病机、病因等内容都包括无遗了，因其病位在肺，虽然《素问·咳论篇》上有："五脏六腑，皆令人咳，非独肺也"的提法，但不管什么原因导致的咳嗽，其结果是肺脏受邪，病位在肺，气机阻滞而上逆，清肃治节失常而作咳嗽。其病因则因咳的声、状及咳痰量之多、寡、色、质——此即是病能的不同，以辨别其寒、热、虚、实或为外感，或为内伤，从而得以综合分析出咳嗽的病机。因此"证"可以说是疾病的直接反映，只有抓住这些依据，才能对疾病进行辨认，这是极为重要的。当然有些疾病好像无"证"可辨，其实不然，只要细致地去辨认，还是可以探求出来的，只是有些"证"比较隐晦罢了，或者还没能及时地暴露出来，这就是中医所说的证候之"候"，包括了时间的概念。而有些"证"被忽略了，而没有及时发现，当责之医者粗心之故。

论　　脉

赵绍琴

一

先父在 1930 年讲诊脉时说，诊脉不是只诊出一个脉，从一个脉就定病。诊脉必须诊出脉的病位，脉的虚实、寒热、表里、气血，再辨明病证是有余还是不足，先治何病，后调何疾，这全在脉中诊出。譬如表有病不论风寒风热，脉的部位一定在浮位。温病的卫分证也在表，所以脉也在浮位。如浮紧风寒、脉缓风虚、浮迟中风、浮数风热等。

单凭一个浮脉不能断定是什么病，必须再诊出八纲脉来断其表里、寒热、虚实与气血，如浮滑是风痰、浮弦是风邪挟郁、浮数是风热等。但是要想诊断一个完整的疾病，还必须再诊出第三个脉来。如浮滑数是风痰热，浮紧弦是风寒而体痛。这样还不够，要想看清病人的疾病、进一步弄清病人的体质与疾病的转机就要再找出第四个脉来，如浮滑数而按之弦细，这就清楚多了，弦则肝郁，细为血虚，脉象告诉你，这人是素来血虚肝郁，目前是风火痰热，你在开方治风火痰热时，要照顾到血虚肝郁方面。也就是说，在治风火痰热时不可以过凉，也不可以过于祛风，因为病人体质是血虚肝郁，不能多散风、多清热而忘了病人是血虚之体了。

先父经常说，看脉必须看出五个脉才能诊断清楚，不是一个什么脉就诊什么病、就用什么药。

二

诊脉是不是都必须诊出五个脉才算诊断清楚？不然，就是诊山五个脉来，也只能是比较清楚，一定还要望舌、观色、看形体、问病情及治疗经过，才能初步诊出病机，决定治疗方案，再通过试验治疗，才能进一步决定出确诊与否。不然不是科学的，也不可能将病治好。

我们在临床实际工作中，诊脉达到理想的要求是比较难的，但我们可以结合望、闻、问诊进行分析，不断积累经验。

“诊脉完全依赖医生指端感觉的灵敏度，要掌握切脉的技术，必须在有经验的老师指导下，经常作切脉的锻炼，以保准字。”这是先父生前常常讲述的话，要达到指下清楚，判断准确确实要下一定工夫。

诊脉必须五十动以上，才能诊出有病之脉。张仲景曾说过："动数发息，不满五十，短期未知决诊，九候曾无仿佛"。说明了诊脉需有五十动的时间，才能辨出几种脉形，辨出主脉、兼脉，在诊清病情的基础上才能立法、处方，这是我们临床医生必须遵守的。

三

先父根据他的经验认为，测脉定位当以浮、中、按、沉四部来分，以更好地定表、里，定功能与实质。以浮部定表分，中以定偏里，按是属里，沉则为深层极里。也可以说浮脉主表、沉脉主里，中与按皆为半表半里。温病的卫、气、营、血四个阶段，可以用浮、中、按、沉来划分。总之，浮、中主功能方面疾病，而按与沉主实质性的疾病。又如新病与久病、气病与血病、外感与内伤等，都能用浮、中、按、沉四部辨别清楚。下面谈谈浮、中、按、沉的取脉方法。

1. 浮部的取脉法　医生用指轻轻地按在病人桡骨动脉皮肤上，浮位表示病机在表分，如伤寒病人初起病在太阳，温病则为病在卫分，或为在肺与皮毛。当然，浮只表示病在表位，要想全面了解病因、病机，还要看兼脉的情况，如浮滑主风痰，浮数主风热等。若想进一步测虚实、寒热、表里、气血，或停痰、停饮、郁热、血瘀等，就必须检查其他兼脉，不然就难以详细确诊病位与病机。

2. 中部的取脉法　是从浮位加小力，诊于皮肤之下即是中部。如浮位用三菽之力（菽：豆也），中部即是六菽之力，表示病在气分，或定为病在肌肉，或在胃。伤寒病是标志邪从表入里，主胃主阳明；温病则明显属气分；在一般杂病中，即称它为在肺胃之间。总之，凡脉来明显在"浮"与"中"位者，多主功能性疾病，属阳，属气分。若再加力而入"按""沉"部位，这说明邪已入营、入卫了。

3. 按部的取脉法　医生切脉，从浮、中再加重力量（九菽之力），按在肌肉部分，反映邪在里之病，如《伤寒论》的太阴证，温病的营分证，杂病则主肝、主筋膜之间的病变。凡脉在按部出现则说明病已入里，主营分、主阴。

4. 沉部的取脉法　从按部加重用十二菽之力向下切脉，已按至筋骨，表示病已深入，主下焦、主肾、主命门。如《伤寒论》病在少阴、厥阴。少阴病以沉细为代表脉，而厥阴病多以沉弦为代表脉。在温病则表示邪入血分。在杂病中说明病延日久，邪已深入，当细致审证治疗。如病人脉象见于按沉，主实质性疾病，也说明了疾病的实质性问题。

四

论脉已谈了三讲，根据这些年来体会，尤其是近二十年来自己的看法是，

诊脉不能简单、机械，必须分清浮、中、按、沉四部，上面的浮、中两部反映功能方面的疾患；下面的按、沉两部才反映疾病实质的病变。正像舌苔与舌质的关系一样。凡属舌苔变化多端，归根结底是反映功能方面的问题；舌质的变化虽少，但万变不离其宗，都说明本质的情况。所谓功能方面的病变，是指在表位、浅层、卫分、气分阶段，如气郁不舒、水土不和、肝郁气滞，停痰、停饮，胃肠消化欠佳等所导致的疾病。用疏调解郁即可改善这些功能性疾病。所谓本质性病变，是指本质阳虚、命门火衰或阴虚阳亢等，或病在营分、血分以及陈痰久郁阻于络脉、癥瘕积聚、肿瘤等一类疾病。另外，久病邪深入于肝肾，下元久虚，慢性消耗性疾病，需要用滋补、培元等方法者，皆可以认为是本质性疾病。

临床诊脉所见，浮、中与按、沉所得脉象往往有迥然不同者，一般来说，浮、中见其标象，按、沉得其本质，若诊脉能辨别浮、中与按、沉之异，则病之表里、寒热、虚实，纵其错综复杂，亦必无遁矣。古之名医多重视沉取至骨以察其真，如朱丹溪《涩脉论》云："涩之见固多虚寒，亦有痼热为病者，医于指下见有不足之气象，便以为虚，或以为寒，孟浪与药，无非热外，轻病必重，重病为死者多矣，何者？人之所藉以为生者，血与气也，或因忧郁，或因厚味，或因无汗，或因补剂，气腾血沸，清化为浊，老痰宿饮，胶固杂揉，脉道阻塞，不能自行，亦见涩状，若查取至骨，来似有力，且数，以意参之于证，验之形气，但有热证，当作痼热可也。"涩缘血少或亡精，因多虚寒，然按之至骨反有力且数，以此而知其断非虚寒可比，此乃老痰瘀血，阻塞脉道使然，郁久化热，深伏于里，故曰痼热，言其深且久也。若不沉取至骨，何以辨此痼热之证哉？此前贤诊脉之精髓所在也。

绍琴幼承庭训，及长，历随数名医临诊，每叹诸师诊脉之精湛，迄今潜心研讨50年，悟得诊脉必分浮、中、按、沉四部，浮、中为标，按、沉主本，若二部之脉不同，则必参舌、色、证，以辨其真假、主次、缓急，以定其何者宜先治，何者当后医，何者须兼顾，何者可独行。脉象一明，治则随之，有如成竹在胸，定可稳操胜券矣。

察舌失误有感

|朱建贵|

四诊之中，能直观地反映出病变的本质者，莫过于舌象。临证之际，舌象复杂多变，医者务要知常达变，否则，失之毫厘，差之千里，贻误病机。

曾治张某某，男性，70 岁，某制冰厂工人，因 1 个月前右下腹突发疼痛，伴大便秘结不通，于某医院外科就诊，诊为“慢性阑尾炎”，考虑年龄太大，未予手术，予服中药苦寒泻下剂，并肌肉注射青霉素、链霉素。患者药后大便泻下，停药亦不能自止，日行 5 或 6 次。仍时常腹痛，时轻时重，纳谷不馨，遂来中医门诊。阅其舌，质暗红而苔黄厚腻；诊其脉，弦而滑。即按湿热论治，用王氏连朴饮加减，服药 3 剂，病势有增无减，仍腹痛泄泻。但大便无黏液脓血及里急后重感，泻后肛门亦无灼热，且腹痛喜温喜按，口虽渴而喜热饮，舌苔虽黄腻而不燥。于是改弦更张，用温建中阳法。处方：党参 9g、白术 9g、干姜 9g、吴茱萸 6g、台乌药 9g、砂仁（后下）5g、草豆蔻（后下）6g、炙甘草 6g。药进 3 剂，腹泻减轻，但舌苔改变不显。再进 5 剂，腹痛腹泻全止，纳谷如常，舌苔已退，舌仍暗红。改用人参健脾丸调理善后，随访 3 个月未发。

诊后窃思，患者年已古稀，阳气早衰，又从事制冰工作，长年与寒冷环境接触，亦最易损伤阳气。阳气既亏，然前医徒见其大便秘结，误为阳明里实，迳用苦寒直折泻下，岂不更虚其虚！矧太阴与阳明互为表里，即便确属阳明腑实热证，清下太过，亦可由实转虚，由阳明而转太阴，即前人“实则阳明，虚则太阴”之谓。余初诊失于草率，忽视病情转归，施以消化之法，非但无效，病势反增。二诊则详察舌苔，其表现为黄而润，既非湿热内蕴之黄而腻，又非湿热互结之黄而燥，加以患者脘腹痛而喜温喜按，泻后肛门无灼热及里急后重感，口虽渴而喜热饮，综合分析，细审病机，乃为中焦虚寒，遂当机立断，改弦易辙，温中祛寒，用理中汤加味，竟获全功。辨证之中，此例最使人迷惑者莫过于舌苔，若囿于黄苔主热，必须清下，势必一误再误，犯虚虚之弊。可见，有时黄苔并非热证，必须细心体察，方致无误。千虑之一得，聊供同道参考。

真心痛舌诊浅谈

林　兰

真心痛乃是一种以发病急、变化快为特点的危重病证。《灵枢·厥病》篇记载有：“真心痛，手足青至节，旦发夕死，夕发旦死”。指出了本病之急重。《素问·藏气法时论篇》进一步阐明了其证候：“心痛者，胁支满，胁下痛，膺背肩胛间痛，两臂内痛。”据其所述相当于冠状动脉硬化性心脏病、心绞痛、急性心肌梗死。为探索其辨证规律，笔者曾对 169 例患者作了系统观察，发现该病舌诊在急性期确有一定的演变规律可循。

历代医家认为，舌为心之苗，脾之外候，故察舌体荣枯可定内脏之虚实，

审舌苔状态能辨外邪之寒热。通过观察发现本病舌苔的演变规律为：病发2日内多呈薄白苔，2日后由薄而腻，多先薄后厚，先白腻后黄腻，2周后由腻而薄，由薄而退，由退而复生新的薄白苔为顺象，提示证情较轻浅。若苔由白而灰，由灰而黑或呈黄褐腻，厚腻久久不退者，多为逆象，示邪深病重，若舌苔骤退骤无，不由渐而退，呈舌光或花剥苔者，表示胃气将绝，病多危候。初期呈黄厚腻、黄褐腻、垢腻苔者，示病情复杂，往往有合并症，以伴见心衰及心源性休克为多。

舌质的变化，一般发病初以暗舌为主，随病情好转，暗舌有不同程度的减轻，4周后部分恢复正常。舌质暗的深浅反映瘀血程度的轻重，如1例男性患者发生了阿-斯综合征，呼吸、心跳停止达20余分钟，经抢救复苏脱险后，其舌质始终呈紫暗，苔呈黄腻。所以望舌，对判断本病的顺逆吉凶，有一定意义。

话四诊合参

周志波

有医吕氏，绰号大吹。自称四诊弃三而存一，单从切诊乃知其病，病人自述，便怒气大发，其气大矣。

1954年秋，其孙媳有病，症见腹胀，拒按而吐。吕氏曰："切其脉沉小而滑，证是虚寒。"与六君子汤合理中汤加藿香。2剂不效，并现腹胀甚，躁动不安，乃请余诊治。

余视患者面色黄垢，呼吸气粗，乃问病由，曰：4日前于田野劳动时，曾吃黑枣约有1斤多，吃后腹胀，继则呕吐，现有4日大便未行，我爷公与药2剂，非但未效，而症复加重。观舌苔黄腐，切其脉沉小而滑，弹指有力。余对吕氏曰："汝孙媳多食黑枣乃成其患，因黑枣味甘涩，食后积聚于肠胃，难以消化吸收，故致病耳。"余当机立断，速投大承气汤1剂，患者大便通，病减大半，2剂收效。后用膳食调养，逾七日后，已如常人。后谈及此事，吕氏大笑曰：吾行医几十年，误人多矣。

望、闻、问、切，各有其特点的作用，是相互联系、相互补充、相互参合、不可分割的。临床运用时，必须四诊合参，才能作出全面的、正确的判断。若片面强调某一诊的重要，或舍弃其他三诊不用，就得不到全面、客观的资料，就会导致诊断的片面性，甚至发生错误，或致害人命。余劝君：临证详查，四诊合参，乃无弊耳。

专精与涉猎

|刘弼臣|

所谓“涉猎”，就是泛读要博的意思。如果不博览群书，怎能把前人的经验智慧继承下来，做到各家各派的学术兼收并蓄。我的体会是通读时必须抓着著作的筋骨脉络，文章的神韵实质，一段一段地读，了解各段各层提纲挈领的要点，像雷达扫描一样搜索文章的新奇独特的见解，迅速掌握其主旨。否则，如同一个醉酒的车夫，未曾把车上货物捆好，只顾一个劲往前赶，结果赶回家的只是一辆空车。

所谓“专精”，就是精读要深的意思。有个作家曾说过，要借鉴别人的好作品，就得认真熟读，要熟到像战士拆卸机枪那样熟练，达到每个零件，每个部位，都烂熟在心，闭上眼睛也能自如地拆卸组装。确实，把许多文章精熟到这步田地，大约就可以下笔如有神了。我们医家也是如此，对一部论著，或一篇文章，不能马马虎虎，浮光掠影，而要精力集中，取其有价值的部分，放慢速度，一字一词地熟读精思，细嚼慢咽，像解剖麻雀一样，把它的五脏六腑，都摸清楚，筋骨脉络都看透彻，摄其神韵，撮其实质，分析引例论证，推出新奇见解，品味咀嚼，寻幽探微。例如，我们儿科俗称“哑科”。虽然精神少受七情六欲之攻，脏腑未经五味八珍之渍，但是，言语未通，痛苦不能自诉，加以脉来驶疾，难于指下分明，在诊断上存在着很多的困难。但前代医家对小儿的动态辨证，有很深的体会，从望诊中积累了很多宝贵的经验。《小儿面部形色赋》中写道：“红色见而热痰壅盛，青色露而肝风怔悸；山根青黑，频生灾异，疼痛方止；面青而唇口撮，肝风欲发，面赤而目窜视；火光焰焰，外感风寒，金气浮浮，中藏积滞；手如数物兮。肝风将发，面若涂朱兮心火燃眉。”我们读书至此，对于“红色见”“火光焰焰”“面若涂朱”必须仔细揣摩。还有“青色露”“面青”为何一则诊为肝风，一则诊为疼痛。“肝风怔悸”“肝风欲发”“肝风将发”的具体表现，必须精读深思，才能心领神会。

学医先奠基，基坚医能博

|刘韵远|

医学之基，首推《内经》《难经》《伤寒论》《金匮要略》《本草经》等书。

犹如儒家之五经四书，必须熟读背诵，胸中方有定见。然后，再博览群书，是非之处，方不为其所惑；况医书之多，真是汗牛充栋，不可胜数。仅就金元时代之李、刘、朱、张四大医家而言，如李东垣重脾胃，刘河间专主火，朱丹溪重养阴，张子和主攻破等。若读东垣书，而不读河间书则治火不明；读河间书而不读丹溪书，则阴宜不明；读丹溪书而不读子和书，则不明其真阴、真阳之理；不读高鼓峰书，岂知攻伐太过之阴虚阳虚之弊；不读吴又可书，则不知瘟疫与伤寒之治法不同；不读喻嘉言书，又安知秋伤于湿之误和小儿惊风之非。总之，诸医家略有所偏，皆不及仲景之当补则补，当泻则泻；宜温则温，宜凉则凉；温凉补泻，各尽其宜，实为系统百病之准绳。故学医先奠基，基坚医能博；后读诸家之偏长，则不致引入歧途，而有所偏。若此，虽不能升堂入室，尚有规矩可循，以期达其成就。正如唐代孙思邈，初不重视仲景法，治疗伤寒病多不应手，后宗伤寒治法，始曰："仲景特有奇功"。余学医奠基不坚，深有临境之感，可资借鉴。

文是基础医是楼

刘弼臣

语言是人类思维的工具，也是交流思想的工具，学习任何学科，都必须具备语文基础。语文基础差，要学好任何一门科学，都是不可能的，对于学医的人来说，语文水平差，也同样学不好医。

语言和文学，是密切相关的。学习语言，离不开文学，而文学又是语言的艺术，学习优秀的文学作品，能提高人的审美力，丰富人的想像力，培养人高尚的道德情操。尤其通过中国古典文学作品的阅读，提高阅读和欣赏古典文学作品的能力，将有助于阅读医学经典，学习和继承祖国医学遗产。

历史上中医药学家爱好文学者不少，尽管医文并茂者不多，但三四十岁学医而一举成名者却不乏其人，很能说明文学基础对于学医的重要性。凡是文、史、哲基础好的人，学习中医则较容易，对医理的理解也较深切。唐代王焘本不是医生，而著成《外台秘要》40 卷。明代王肯堂也不是医生，他集明代以前医学之大成，著成《证治准绳》120 卷。清代陈梦雷也不是医生，他纂辑《图书集成》10 000 卷，其中《医部全录》就有 520 卷，是艺术典籍中最为出色的一部巨著，如果没有文学水平，怎能完成？我认为一个医生在从事医疗活动中，经常需要写读书心得、病例报告、科研论文，甚至大型论著。如果没有文辞的充实和润色，怎能把文章写得绘声绘色，有理有据，波澜起伏？我们知道，读书是写论文的基础，动情是写论文的契机，当你有意识地用自己的心灵，去撞击书本这块火石，凡是那些能撞击出火花的地方，也就是你蒙受教育最深，或引起触动最大的地方。如能珍视这些火花，抓住这些火花，辅以深厚的文学修养，就能妙笔生花，写出好的文章，具体、生动，闪闪发光！

学会从博览中提高临证水平

| 余瀛鳌 |

20世纪的中医界，临床分科的倾向较之清代以前更为普遍。特别是建国后，卫生部中医研究院及各地中医学院、中医医院相继建立，医院中的分科更为细致，这是祖国医学临床医学进步和发展的一个重要标志。各中医院一般分内、外、妇、儿、骨伤、眼科、针灸等科。作为一名专科医师，理应阅读他所擅长专科的古今重要医籍，以适应临证的需求。但这对一位力求精进的临床医师，仍然是不够的。愚见还应重视“博览”，这是进一步提高专业水平至关重要的学习方法。

所谓“博览”，对于专科医师，主要是指应适当地选读专科以外的临床文献，这可以说是充实和提高专科水平的关键步骤，须予高度重视。

我所接触当前医院中不少专科医师，对于学习本专业的古今医籍都有一定的基础。但对其他类的中医临床文献，往往较少涉猎，因而视界不宽。虽然他们熟悉了若干常法，但对变通治法知之不多，也不太明确应如何加以弥补。我过去以内科为主，阅读了多种内科杂病专著。1959年春，业师秦伯未先生（当时任卫生部中医顾问，已于1970年病故）问我：“你是否看过《外科证治全生集》?”我答称：“看过。”秦师问我有没有注意到里面所载述的内科杂病方。我答称：“没有太注意”。秦师说：“你今后要注意在专科以外的书籍中学习专科。王洪绪是清代外科世医，又是屈指可数的名家。他的外科证治经验，在他的著作中得到了充分的反映。实际上在《外科全生集》中，某些内科方也十分可取。如他治手足不仁、痛风、痢疾、冷哮、水泻、小便闭、梦遗等病证的方剂，均有相当好的实效。而书中的调经种子汤及小儿疳积方，亦颇有深意”。是年秋，一位“缠腰龙”（带状疱疹）患者求治，秦老选用了明·孙一奎《赤水玄珠》所记载的黄古潭（孙一奎之师）治法（大瓜蒌、红花、甘草），获得较快痊愈。秦老告称：“此方的效验，胜于中医外科专著中的方治，这是我从多年临证中切身体验到的”。从老师的谈话和医疗实践中，使我在读书和临证方面，受到了很大的启发。

嗣后，我泛读了较多门类的临床医著，深感最得益于临证的约有三类医籍，即：综合性医著，医案、医话类著作，方书。

数年前，外省一位儿科医师来京晤谈，他说小儿久嗽缺乏实用良方。我告以明·孙志宏《简明医考》（综合性医著）载述的治疗方剂（贝母、天冬、麦冬、紫菀、款冬花、百部、百合、五味子、瓜蒌仁或瓜蒌皮、萝卜子）。后来他在实践中加以应用，体验到此方合理加减确有良效。以妇产科而言，医师在产后病证中常用生化汤。而生化汤的详细加减法则见于清·计寿乔《客尘医话》（此书刊行早于《傅青主女科》；又如对于妇女“肝气”病，计氏认为，“治以疏伐则剧，治以滋养则平”。）故立“养血和络、补水滋木”法。当前“治肝”的临床家，往往读过清·王泰林《西溪书屋夜话录》和魏之琇《柳州医话》，并从中得到理论和临床方面的提高。而清·程文囿《程杏轩医案辑录》中提到“辛散、酸收、甘缓”的“治肝三法”，也是内、妇科医生不可不知的大法。至于方书中的例子更是多不胜数。在方书著作中，大型名著有《千金方》《外台秘要》《太平圣惠方》《普济方》等；其他名著如《肘后备急方》《普济本事方》《太平惠民和剂局方》《济生方》《博济方》《杨氏家藏方》《宋人医方三种》《世医得效方》《卫生易简方》《医方考》《绛雪园古方选注》《医方集解》《良方集腋》《验方新编》等，约有数百种之多。最近我翻阅了清代陶承熹的《惠直堂经验方》，发现陶氏所编，具有选方精、详列证治加减法、便于临床应用等特色，也是一部值得参阅的方书著述。

综上所述，前人所谓“熟读王叔和，不如临证多”的观点，须作科学的分析。因为光是“临证多”而“读书少”，实难以进一步提高水平。因此，作为一名优秀的临床医师，不可忽视“读书多”这个“促进因素”。我们从事临床文献研究的同志可以发现以下事实，即：在内科中，治疗咳嗽的名方“止嗽散”，见于清·程钟龄《医学心悟》；治疗血热吐衄及肺结核咯血、胃溃疡吐血常用之“四生丸”，及治疗肢厥汗出、呼吸微弱、脉微，用以回阳固脱的“参附汤”，均见于宋·陈自明《妇人大全良方》。在外科中，治疗疮疡肿痛初起之“仙方活命饮”见于明·薛己《校注妇人良方》；治疗疔毒的“追疔夺命丹”见于明·孙一奎《赤水玄珠》；治疗瘰疬常用的“消瘰丸”，见于《医学心悟》。在妇科中，治疗妇女宫寒不孕、带下白淫、经脉不调的“艾附暖宫丸”，见于宋·杨士瀛《仁斋直指方论》；治疗滑胎的“寿胎丸”，见于张锡纯《医学衷中参西录》。在儿科方面，治疗小儿风痰吐沫、喘嗽、腹胀纳呆的“一捻金”（又名“小儿一捻金”），见于明·龚信《古今医鉴》；治疗癫痫、喉风常用的“白金丸”，见于清·马培之《外科全生集·新增马氏试验秘方》……。由此可见，各科的名方，未必见于临床专科医著。故临床医师必当在学习本专业书籍的基础上，力求“博览”，冲破本专业文献书籍的界限。有目的地览习其他类临床文献，摘取资料卡片或记述读书心得。这对丰富个人医疗实践，掌握多种有效治法，进一步提高临床医学水平，都是十分必要的。

脾主涎 王洪图

一日，正与朋友闲叙间，邻居侯伯忽引一青年男子至，求余为之诊治疾病。观此人当风华正茂之年，身体强健，脉象略弦，舌色正，不似重病之态。询问之，乃谓口涎过多已经月余，昼日频频吞咽，略有苦味，入夜尤甚，睡则浸湿枕席，十分苦恼。《内经》云：脾主涎。又云：脾为吞。因而使用泻黄散为汤剂3剂，予之服。方药为：防风5g、栀子10g、藿香6g、生石膏12g（先煎）。3日后复诊，患者云口涎已明显减少，惟于每晨四五时仍旧流涎不止，再请医治。因思此病寅卯之时病作者，当属少阳之气旺的表现，况且初诊时已显脉见微弦，前方针对主症，而病去大半。今应于原方中加入茵陈5g、柴胡6g，以疏泄少阳之气，又2剂，患者病尽去。

此后不久，余去内蒙古地区讲学，友人带一男童求治。此童年11岁，因在3岁时曾患乙型脑炎，后流涎不止，夏则日换3次上衣，冬则浸渍棉服。观其面色苍白，舌质略淡，诊为久病脾虚之证候。乃用四君子汤加味5剂为治，方药用：党参8g、炒白术10g、茯苓10g、炙甘草6g，以补脾气；复加入菖蒲6g、桂枝5g，以其病本源在“心”，虑其有火不生土之患故尔。数日讲学毕返京，旬余，其家长致函感谢，云患童流涎已痊愈。

前证流涎用泻黄散而止，后证流涎用四君子汤而愈，补泻如此悬殊而皆效者何也？《内经》云：诸病水液混浊者，属于热；澄澈清冷者，属于寒。前证涎苦，故知其为实热；后者涎清面苍，当属于虚寒。可见治分补泻而效者，非我之能，乃医经之验也。

肺和大肠相表里，并非虚设；心和小肠相表里，亦是真言 陈子富

脏与腑之间有表里相合之关系，这是脏象学说的基本内容之一。可是，当

懂得一些解剖学与生理学知识以后，对其中肝合胆、脾合胃、肾合膀胱的关系，似乎可以理解。而对肺合大肠、心合小肠，则难以明白。只能按阴阳五行学说的既定理论，按经络学说中经脉与脏腑的属络关系、循行线路的相联关系得到一些解释。但却看不见，摸不着，只做理论上的意会，而未做在实践中可以用到的预想。

然而，我身居北方做医生，几乎每日都要遇到咳喘患者就医。在辨证过程中总要与痰打交道，虽说肺为贮痰之器，脾为生痰之源，但对久病者，治疗起来十分不易。每每只收一时之效，不能巩固。久之，逐渐体会到痰咳喘促之病，辨明痰所居位置十分重要，它直接关系着立法、选方及用药等问题。痰居浅部在喉咙，喉中作痒，痰鸣有声；痰居中部在胸间，气闷在胸，吸易呼难；痰居下部在膈膜上下，喘息抬肩，难于咳出。当然，更要辨清寒热虚实。寒痰凝结于胸膈，久不愈则常累及肾阳虚而不纳气；痰久化热变稠黏，常致肺失肃降，实热上攻；脾阳不振，痰湿不化必兼中气不足之象；肺气失宣，湿痰居于心下者亦不少见。但无论何证，咳喘总归肺之本病。治疗中考虑到脾与肾本为常理，而痰若不除，实难从肾而治。从医之初，在实践中遇热哮病人兼有便秘，用化痰平喘，清热止咳之剂，偶加润肠之品，收效颇速。在无便秘的哮喘病人试加润肠之品，平喘效果亦佳，但多属实热证者。以后又在寒凝痰结的咳喘患者身上，用温化寒痰，下通大肠之法治，其平喘之速，痰去之快令人振奋。这样，才体会到“肺与大肠相表里”，并非虚设。长期以来依此理治咳喘，甚至于改润肠之品为峻下之味，治愈者，数以百计。今举一例说明：

患者张某某，女，24 岁。3 岁时患“肺炎”，愈后留有咳喘，久治不愈，渐成冬季轻、入夏重之哮喘病。西医诊为“过敏性哮喘”，也曾在首都医院做脱敏治疗。1980 年夏病发颇重，急送医院抢救，并求中医参与治疗。视其跪伏于床，臀高头低，面部青紫，眼睑浮肿，大口喘息，喉中痰鸣。诊其脉滑数有力，望其舌苔黄而腻，边尖质赤，不思饮食，近 2 日无便。辨其证属痰热互结，郁于胸膈，肺失宣降而致喘发。拟用定喘汤加石膏、大黄、厚朴，上以宣通肺气，止咳平喘，下以通肠降逆，清热除痰。速煎速服，头煎服后 2 小时许，喘轻撤氧，痰咳易出。4 小时后再服二煎，便下喘平，次晨停用西药。后住院两月续服中药，病情平稳。次年夏季暑热更甚而未犯。

尿中见血之患者，很不少见。一般多辨为湿热下注，从肾与膀胱而治，选八正散、小蓟饮子一类方剂，急证常获速效。然也有一些久治难愈者，时发时止。于是遍查诸书，结合实践，细心体察，方知尿血病、血淋病、赤浊病，历来混淆不清。从病机分析，尿血表现为腰部板滞，甚则有隐痛，而无尿频、尿急、尿痛等症，虽属湿热而来，应以湿为重，多因脾肾阳虚，三焦气化不利，故为慢性虚证者多。血淋病表现为茎中灼痛，尿频、尿急，少腹灼热而痛或胀，且时有下坠感，淋沥不爽而涩滞，亦属湿热所致，而以热为重，责在肺与膀胱，以急性实证者多。赤浊病表现为溺色赤而混浊不清，茎中不痛或痛而不重，涩滞感重而无尿频、尿急，亦为湿热而来，当属湿热各半，多因湿痰流注，责在心与脾，故以慢性虚热证者多。是凡劳心者虚火下移于小肠，小肠本主泌别清浊而走前阴，今因热移于此难分清浊，尿中色赤而浊，缠绵难愈者，多属赤浊证。当按心与小肠相表里，上以清心火治其本，下则利小肠而泄其热，故首选清心莲子饮加减化裁，得效者良多。举一例证之：

患者张某某，男，38岁。断续尿中见血色已半年余，近半月来病情加重，体力渐衰，乃来就诊。西医经多方检查，诊为“左肾结核”，于1963年10月初收入外科病房。18天后请余会诊参与保守治疗，以做观察。余视其舌苔薄腻略黄，边尖质赤。诊其脉滑略数。问其症腰部板滞不舒，尿中见血而无尿频、尿急、尿痛。初用小蓟饮子加茅根、石韦，十数剂未效，后更用清心莲子饮加莲房炭、藕节炭、血余炭治之。3剂后尿量渐多，血色渐淡。原方加减服至24剂，尿色较清，血止。更方济生肾气汤加五味子、麦冬、天冬等药，治达3个多月停药。至今二十余年未再复发。

总之，肺合大肠与心合小肠表里相合之关系，是古人实践经验之总结，绝非按阴阳五行学说而强设。进一步体会到，中医脏象学说所论述之脏腑，并非单指今日解剖学之器官，主要是指功能定向之单元而言。

“三焦有二”说的启示

马继兴

按照中医的习惯说法，人体有十二条正经经脉分别与其相应的脏腑相联系，其中与三焦相联系的是手少阳三焦经。若说三焦的经脉并非“手”脉一条，另有“足”脉一条，即共有两条时，那么一定会被认为是叛离“经旨”之言。但两个三焦（脉）的理论却恰恰是明文书写在医学经典著作——《黄帝内经》上的。这就是名医李东垣撰文所称的“三焦有二”说。

在中医古籍中，有关“足三焦”脉的记述主要有以下一些：

首先在《黄帝内经太素》中记载（手）三焦（少阳）脉的同时，又记有：“足三焦者，太阳之所将，太阳之别也。上踝五寸，而别入贯腨肠，出于委阳，并太阳之正，入络膀胱下焦。盛则闭癃，虚则遗溺，遗溺则补，闭癃则泻。”（见卷11“本输”）

众所周知，《黄帝内经太素》即《汉书·艺文志》中所载的《黄帝太（泰）素》，是先秦时期《黄帝内经》的古传本之一。而这段话正是《黄帝内经》的原文。

唐代杨上善在《太素》注文中进一步对足三焦（脉）作了阐述。而王冰氏则在其《素问》注文中，直接引用《灵枢经》的有关足三焦脉原文多条，以及《灵枢经》所说："足三焦太阳之别也"的论点（均见《素问·宣明五气论篇》及《素问·金匮真言论篇》两篇王冰注）。这些《内经》原文都是8世纪时王冰氏所见到的《灵枢经》古本，因而进一步有力地证实了在《黄帝内经》中确有足三焦（脉）的内容。

不仅唐人所见到的《灵枢经》古传本有上述记载，就是到了金、元时代著名的医家李东垣、王好古等人也先后在他们的著作中引用了当时还保存的个别《灵枢经》古本中有关足三焦的原文。并据此而一致证实了"三焦有二"的说法（见《此事难知》卷上"问三焦有几"及"东垣二十五论"等篇）。

至于为什么在传世本《灵枢经》中看不到"足三焦"的字样呢？原来上面所引《太素》的一段原文虽然同样也载于传世本《灵枢经》的"本输"篇中，但由于南宋史崧氏在首次整理刊行《灵枢经》时将"足三焦者，太阳之所将，……"一段话误书为"三焦者，足少阳太阴（一本作阳）之所将。……"，而把"足"字颠倒在"者"字之后。一字之差，遂使后人不复看到"足三焦"的痕迹。

此事清代学者顾观光氏的《灵枢校记》中也表达了同样看法，即："今本《灵枢》'足'字脱误在下，当依王注乙转。"

由此可见《黄帝内经》原文有两个三焦的说法是确定无疑的了。

通过两个三焦问题的论证，可以使我们初步得出下述的一些启示。

1. 传世古医书的原文中存在着不少错讹之处，必须认真整理，去伪存真。

2. 在一段很长的历史时代被"公认"的古医书内容，往往并非该书的原文。由于传抄失误等原因，两个三焦（脉）的问题在后世个别学者虽有所发现并提出，但迄今并未能得到中医学术界的广泛了解与公认，这在很大程度上不能不与囿于传统的认识与习俗势力的束缚等原因有一定影响。因此在深入挖掘古医学遗产方面应当突破框框，尊重事实，开阔视野。

3. 两个三焦（脉）学说的存在，意味着在人体内与脏腑直接联系的经脉共有13条。此种概念显然与《灵枢·经脉》篇共有12条正经经脉不同，这说明在经脉数字问题上，古人是有不同的学术见解和不同学派的。同类事例在《黄帝内经》书中已有很多反映，此仅其一例而已。

4. 联系到钻研古代医学遗产的治学方法问题，切不可盲目轻易附会古人或今人的多数主张，必须严格遵循唯物史观和唯物辨证原则，实事求是，才能正确分析问题，得出可靠结论。

5.《黄帝内经》中有关足三焦脉的循行、主病及治则等论述，均是经络学说的古医学遗产之一，今后尚有待于结合临床与科研实际予以深入地探讨与研究。

论“荣卫”

方和谦

自古莅今，医界同侪于“荣卫学说”争论甚多，特别是在伤寒表证期有关风、寒、伤荣、伤卫之辨，立论纷纭，莫衷一是。

我于临诊辨证，读学古籍时，对这一问题略有所悟。兹细详之，以飨同道。

“荣者血也，卫者气也”，行于外为“荣卫”，行于内为“气血”。气血源于水谷精微所生，实皆人体的正气输布所化。这是一元论与多元论的关系。由于我国古代科学发展水平所限，缺乏直观手段，但察同求异，得知机体感受表邪，其证候反映有有汗、无汗之不同，最为重要。因于风性疏散，寒性收敛，故为风伤荣，寒伤卫之说；因于气血凝滞，汗出不得固表，故为寒伤荣、风伤卫之论，实则二者一而二，二而一，是体与用之所结合，并非两者水火不同之论。《内经》云：“阳生则阴长，阳杀则阴藏”“阴平阳秘，精神乃治”。疾病之所由成，缘乎阴阳之所乖错，也是正常的“阴阳离合”与异常的“阴阳离合”不同而已。要知荣卫循行周身，行于阳二十五度，行于阴亦二十五度，“荣之所至，卫亦至焉”。证有表虚、表实之分，药有麻黄、桂枝之异，辨证中的，自可顺手，又何必泥于伤荣、伤卫单一的偏见呢!?

所谓桂枝汤方具调和荣卫之效，而麻黄汤组方中又必有桂枝。盖麻黄得桂枝其开表之用倍增，后世解表方剂引药之用葱豉、姜枣发汗解表，其大枣之用又何尝不为益荣之效呢！思此，单执荣卫之偏说者可以休矣。

古人先师示人以“见微知著”，我每于四时感冒，在宣散剂中，辅以甘平培中，随证引入，获效甚佳，是皆祛邪不忘扶正，扶正有助于祛邪，此乃标本兼顾之意耳。

西北多燥亦有湿

宗修英

我国西北多属高原，水源少，而木草不繁，医家每谈“因地制宜”时，多以此为例，东南多病湿，而西北多病燥，当今课本也往往依样画葫芦。

1979年因赴陕北授课，得以实地考察。该地位于黄土高原，河流绝少，土层厚而井水极深，庄稼枯黄，秸短穗微，可谓燥矣。人们生活其中，感燥气而得病者一定很多，深信古人和书本之说诚属不谬。

授课之余，为当地群众诊病，得知患燥病者固然不少，而患湿证者更多，其病因究竟何在？

查该地居民多住山腰窑洞，洞中五面皆阴，一面向阳，虽在酷暑，一进窑洞中，顿觉凉爽宜人，汗亦即止，少息片刻，暑热尽消。睡卧其中，必加衣被。另外当地喜吃辣椒，大有四川群众之习惯。

根据上述情况分析，洞穴之中凉气袭人，久处其中，易伤阳气，尤则脾阳受损，湿自内生，所以临床中以头沉如裹，口干不思饮，饥不欲食，食后脘胀，饮后更甚，面肿肢浮，便溏不爽，脉滑或弦，舌胖苔白滑或腻等，或为主证，或为兼证，较为常见，无怪乎当地喜吃辛辣以燥其湿，是有一定道理的。

在治疗中体会到许多湿证患者，经他医屡治无效，而一经淡渗、清利、芳化或苦燥者，便效若桴鼓。

由此可见，西北地高，其病多燥之说，不可一概而论，久居背阴向阳之地者，寒湿袭人亦为常见，故必须认真审证求因，切不可拘泥“西北多燥”之说而一味妄投滋腻之品。凡事不亲身考察，仔细琢磨，而人云亦云，并运用于临床，是会一逆再逆的。

“伤寒由毛窍而入，温病由口鼻而入”之我见

王为兰

叶天士在《外感温热篇》中提出：“温邪上受，首先犯肺，逆传心包。”又说：“肺主气属卫，心主血属营，辨卫气营血，虽与伤寒同，若论治法，则与伤寒大异。”虽然短短数语，已明确指出温病的机制及温病的发展规律、病情变化和治法不同于伤寒，补充了前贤的不足，所以后人赞扬他创立了温病特有的体系，对温病的发展有极大的贡献，是承前启后中最有创造性的人物。吴鞠通师承叶天士理论，深研经典书籍，再结合自己临床经验著《温病条辨》，立法精细，他以三焦为经作为温病发展过程中上中下三个轻重不同病情的阶段，以卫气营血为纬作为温病病邪四个浅深不同病势的层次，并将四季温病分别叙述，很为完整而系统，成为大纲大法，补充了治温方剂，羽翼伤寒。这些丰功伟绩

是任何人不能殒灭的。惟在《温病条辨》上焦篇第2条中说："伤寒由毛窍而入，自下而上，始足太阳……温病由口鼻而入，自上而下，鼻通于肺，始手太阴。"从表面看来，似乎言之有理，若细思之则有探讨的必要。从表而入之伤寒，固可辛温解表法，使其邪复出于表，而温病从口鼻而入，与表无关，而用辛凉解表如何解释？既言由口鼻而入，口通于胃应见呕吐哕，鼻通于肺应见咳喘哮，外感时令无论寒温，初起都以恶寒发热头痛等表证为主要症状，很少见到肺胃症状，就是见到肺胃症状也是由表入里逐渐形成。所以我认为温邪不是从口鼻而入，而是由毛窍而入。叶天士说得很清楚，"肺主气其合皮毛故云在表。"因此说叶氏所说："温邪上受首先犯肺"，这个肺字，率多指的是肺系之部（包括喉、鼻道、气管等呼吸道的统称），并非指的肺脏，至于瘟疫之邪，那就另当别论了。

谈治病求本

方药中

中医学在对疾病的诊断治疗上，十分强调辨证论治，而在辨证论治上，又十分强调治病求本。但是什么是"本"？则历代医家提法又不尽相同。有人认为，"生之本，本于阴阳。"因此，治病求本，就是调和阴阳。有人认为，"人身以胃气为本。"因此，治病求本，就是顾护胃气。这些提法，从原则上来说，应该说都是对的，但是如何在临床上来具体运用这些原则，则这些提法又实嫌空泛，很难具体运用于临床实践，人言言殊，莫衷一是。如何才能把治病求本这一原则，比较确切地、有根据地、具体运用于临床实践？我的看法是，最好的提法，莫过于《素问·至真要大论篇》中所提的："从内之外者，调其内。从外之内者，治其外。从内之外而盛于外者，先调其内而后治其外。从外之内而盛于内者，先治其外而后治其内。中外不相及，则治主病。"这段经文我的体会是，治病求本，从具体运用上来说，也就是治原发。这就是说根据疾病发生全过程的先后次序来确定疾病的标本先后，原发为本，继发为标，即使在标病十分突出的情况下，也要先治其本，后治其标，或者标本同治，这也就是上引经文中所谓的"先调其内"，"先治其外"，"从内之外而盛于外者，先调其内而后治其外"，"从外之内而盛于内者，先治其外而后治其内。"只有在分不清标本，孰为原发，孰为继发的情况下，才直接对当时的主要临床表现进行直接处理，这也就是上引经文中所谓的"中外不相及，则治主病。"

把治病求本理解为"治原发"，我认为十分重要，因为疾病的原发和继发，

只能通过病史来反映，有它的客观依据，任何人不能加以纂改和主观臆断，这样就能真正有效地在临床诊断治疗中做到言必有据，无征不信，有利于中医辨证论治规范化工作的正常开展。

兹附病案1则以为例证。

谭某某，男，9岁，北京人。

患儿于1岁9个月时，曾患肾炎。经用中西药物治疗，疗效不显。1976年12月底因发热、咳嗽，以后出现嗜睡，鼻衄、恶心、呕吐、尿少，经急诊入院。诊断为慢性肾炎、尿毒症、酸中毒、继发性贫血。经西药急救并予真武汤和生脉散加味方（附片6g、炒白芍12g、炒白术9g、茯苓9g、干姜6g、党参12g、麦冬9g、五味子9g、泽泻9g、竹茹9g、甘草6g）处理后症状稍有稳定，二氧化碳结合力上升至56vol%，但全身症状无大改善。仍处于嗜睡衰竭状态，同时有鼻衄，呕吐咖啡样物。

1月6日血红蛋白降至45g/L，当时曾予输血。1月7日患儿情况较重，不能饮食，恶心呕吐频频发作，服药亦十分困难，大便一日数次，呈柏油样便，呼吸慢而不整，14～18次/分。心率减慢至60～80次/分。患儿情况越来越重，急请我会诊。会诊时患儿呈嗜睡蒙眬状态，时有恶心、呕吐，呼吸深长而慢，脉沉细微弱无力且迟，舌嫩润齿痕尖微赤，苔薄白干中心微黄。中医辨证方面按辨证论治五步分析，患儿主要呈恶心呕吐，进食困难，嗜睡半蒙眬状态，呕血便血，应属脾胃败绝之象。因此，第一步定位在脾胃；患儿呈嗜睡状，脉沉细无力且迟，舌嫩齿痕微赤中心稍黄，这些表现属于气阴两虚。结合患儿全身情况看应属气阴两竭。因此第二步定性为气阴两竭，但分析患儿发病全过程，患儿肾病已久，一直未愈，当前主要症状，系继发于原有肾病基础上，根据必先五胜原则，原发病应在肾。因此第三步应定为病在肾，波及脾，兼及心肺；证属气阴两竭。由于其原发病在肾，根据治病求本原则，因此第四步则应重点在补肾。在配伍上应同时治其以胜及所不胜。因此第五步则应在补肾的同时兼治其心脾。基于上述分析，因此以参芪地黄汤加竹茹为治。处方：人参6g（另煎兑入）、党参15g、黄芪15g、细生地24g、苍术、白术各6g、五味子6g、牡丹皮6g、茯苓15g、泽泻6g、淡竹茹6g，服上方1剂。患儿症状有所好转，心率转为84次/分，以后继续服上方3剂。患儿恶心呕吐基本控制，已有食欲，能进少量饮食。1月12日患儿出现发热，大便溏泄且有完谷不化现象，又请会诊。考虑此属饮食不节所致，前方加葛根9g、川黄连1.5g、干姜1.5g。病房同时给黄连素、青霉素、氯霉素、制霉菌素。1月17日会诊时情况稳定，食纳增加。但大便仍为3～4次/日，体温仍在38℃。由于患儿情况好转，病房改病危为病重。1月24日会诊，考虑患儿气虚现象已经基本控制，当前以补肾阴为主。

由于肾虚患者同时考虑胃乘心侮的问题，因此改用麦味地黄汤合竹叶石膏汤同进。并建议病房停用所有抗生素，服药5剂后，体温逐渐下降至37.2～37.3℃。2月3日再会诊，为了加强补肾养肝作用，除仍用麦味地黄汤合竹叶石膏汤外，再加用三甲复脉汤，服药后2天，体温即完全下降至正常范围。后经调理痊愈。现患儿已上中学，一切正常。

从以上病案可以看出，患儿会诊当时主要临床表现是恶心呕吐，呕血便血，进食困难，完全一派脾胃症状，但我们根据治病求本原则，并未着重治疗脾胃，而着重在补肾，并迅速取得疗效，使患儿转危为安，终于达到完全治愈效果，于此说明了治病求本重点在于治疗原发病的重要意义。

治病切忌“八股”

宗修英

当前临证中存在着一种倾向，看到已确诊之病例，在治疗方案上即施行“对号入座”，使用固定方药，一成不变。或见到某人用某方治疗某病获愈，不问辨证如何，只急于抄录其方。一遇此病，便援引使用。如能取效，便沾沾自喜；如未获效，便斥该方无用。把临证中的随机变化，形成僵化公式，即所谓“八股”。

另外，一些课本也常把一病固定为几种辨证。诸多课本，互相抄袭，大同小异，也形成了“八股”。结果束缚了后学者手脚，造成了胶柱鼓瑟，如此用于临床，其效果如何，自不待言。

今举一病为例。过敏性紫癜一病，在治疗过程中，每每于紫癜将愈未愈之际，并发肾炎者颇为常见，现代医学称之为紫癜性肾炎。而紫癜症属于中医肌衄或发斑范畴，它的出血部位不一，必见皮下出血（肌衄），或兼见鼻衄、齿衄，便血、溺血、月经量多等。在课程中多把它分为血热妄行或脾不统血两种辨证。治疗原则无非凉血止血和益气摄血。问题就在于见血止血（包括凉血、益气），而没有考虑到血热之热从何而来？忽略了脾虚失统的另外一面，所以只顾凉血、益气，结果造成一波未平一波又起，于是容易并发为紫癜性肾炎。

从过敏性紫癜症的症状分析，它发病迅速，1或2天内紫癜成片，初起局部有沉胀瘙痒，或有关节肿胀，腹痛泄泻，呕吐头晕，口干不欲饮水等，脉象滑数或弦数，舌苔多为白滑，或黄腻。不难看出，这些症状，均与湿热挟风或风湿窜扰有关。

血之妄行，多因热迫，或因失统。热有虚实不同，实热与虚热均可迫血，

而湿热内迫同样可以动血。所以在过敏性紫癜患者中，属于湿热内蕴、挟风动血者，颇不乏人。当此之际，只用凉血止血之法或可取效于一时，但湿性黏滞重浊，血虽得止，而湿热下注膀胱，也是致成肾炎的主要病因之一。

所以在两种证候中，如忽略去湿的治则（芳化、淡渗、清利、苦燥或祛风），就有紫癜未罢，而又罹肾炎之苦。我在本病治疗中，每多考虑祛湿，兼以疏风，不但紫癜效果较为理想，而并发肾炎者绝少。所以大声疾呼：治病切忌八股。

从虚寒性胃痛的治法
谈治病要有层次

施奠邦

某进修大夫曾带一患者来问："这位病人患胃脘痛，是否为脾胃虚寒之证？请师释疑。"我遂诊之，得知病人胃脘痛已有多年，这次病发已有数月。主要症状为胃脘作痛，空腹则甚，得食则稍缓，饱食则脘胀不舒。平素畏食生冷，食欲不振，口不干，胃中无灼热之感，常觉手足发凉。按其脉沉细而弦，舌苔薄白，舌质淡嫩。根据症状，我说："此证可以诊为脾胃虚寒。"进修大夫又问："此病人曾用香砂六君一类的方剂无效，而后根据文献报道，胃脘痛脾胃虚寒证可用黄芪建中汤。病人又多次用此方加味，疗效仍不明显，请问老师再用何法施治？"我说："辨证无误，所选方药亦无错谬，但服之无效，此乃常见之事。对此病人可据《伤寒论》'伤寒阳脉涩，阴脉弦，法当腹中急痛，先用小建中汤，不差者，小柴胡汤主之'之训。改投小柴胡汤。这是一证而可用两法。另外，亦可参阅《丁甘仁医案》，脘胁痛一门，韦左一案，同为中气虚寒，脘腹作痛，初用小建中汤未愈，而后改用小建中汤加小柴胡汤。此丁氏所谓'复方图治，奇之不去则偶之之意。先使肝木条畅，则中气始有权衡也。'丁氏此案，是对虚寒性胃痛，从肝脾胃调治，结果病延二载未愈之疾，用本法获效。故丁氏之经验，可以作为治疗这位病人的借鉴。丁氏所用之法，我体会可能就是从《伤寒论》中而来，并且还作了理论的阐述。其实丁氏之方，颇同于《外台》治心腹卒痛中之柴胡桂枝汤方加减。据此病人可用柴胡桂枝汤去黄芩之苦寒，加草豆蔻之温中、当归以养肝血、乌梅之酸以敛肝气，使肝木之气不横，脾胃之气得以温养，其胃痛可得以缓解。"遂即与进修大夫共拟一方，交患者服用。

1周后，患者复诊，谓，服后胃痛大减。

过了几天，这位进修大夫又告，他遇另一患者，病情与上述病者基本相同，诊为脾胃虚寒而用黄芪建中汤加味未效，后仿照前例治法，改用柴胡桂枝汤加减，也取得良效。

以上病例说明，要提高疗效，一方面必须在中医理论指导下辨证论治，另一方面还要很好地继承前人的宝贵经验。对一个患者，辨证正确，但治疗立法可有多种，立法相似，选方用药又可不同，在临证时，常常需要根据服药后之病情反映，逐步调整治疗方法，即使有经验的医家，特别对某些疑难病例，往往有一个治疗观察过程，最后才有一个比较有效的治法。所以对某一病证，医者必须掌握治法层次，否则遇到治疗无效时，就会感到束手无策，这对缺乏临床经验的初学者来说，更为重要。

用以上例子来说明治病当有层次。如香砂六君子汤以治虚寒胃痛，乃是较浅层次；如服之无效，用黄芪建中汤，乃须养脾胃，又兼治肝，使木不乘土之法，这就是较深的层次；如若无效，上述柴胡桂枝汤加减，是较黄芪建中汤更深一层；若从肝脾治疗无效，而脾胃虚寒较重，还可用补火生土法，这又有两层，一以补养心火，一以补养命门，这都要以具体症状不同而选用，这是另一层次的治法。其他如罗谦甫的扶阳益胃汤以附子理中汤合桂枝汤加吴茱萸、草豆蔻、陈皮、益智等脾肾肝同治，对胃痛虚寒较著，也是一法可供选用。所以见症皆属脾胃，虽无肝经之证而从肝治，虽无肾虚之证而从肾治，或者以诸脏相兼调治，这就是根据脏腑虚实，寒热阴阳，以及五行生克制化等中医基础理论而运用的。

总之，医者治病，必须对病情、证候十分清楚，对治法层次胸有成竹，才能提高中医疗效。

详察虚实，圆机活法

——杨子谦医话

|张　忠|

一妇女患消渴善饥多年，一直遵西医之嘱控制饮食，身体日渐羸瘦，心慌、乏力尤甚，转看中医。诸医多辨为胃火炽盛，屡经泄胃火不效，又改拟滋阴降火，亦不见功，症状毫无改善，尿糖定性仍如诊前（+++），历时数年，颇以为苦。杨老诊之，见舌体胖而色淡。问之："控制饮食有何受益?"回答："未觉有益!"又问："溲清夜长否?"答复："是!"并说大便量也随食量而增损。随嘱患者取消饮食控制，并加强营养。书方：杜仲炭30g、覆盆子

12g、枸杞子 20g、何首乌 30g、天花粉 16g、石斛 30g、生黄芪 30g、生甘草 10g。仅服十余剂，引饮善饥减半，尿糖由（+++）降到（±），其他症状也均见好转。

从诊者问："治疗糖尿病首要控制饮食，为何取消?"答曰："这纯属西方医学观点，中医虽有肥甘厚味可以致成消渴的论述，但绝不死于句下，更不囿于西医观点。本病属虚，'虚则补之'本是正治，如严格控制饮食，虚弱之躯将何以摄取营养，疾病怎能得到转机？辨胃火不效之由，盖因病程多年，不断消耗气血津液，年过四旬，阴气自半，阳生阴长之机也趋衰退，察其脉象舌质，更证明其阴阳俱虚。今按胃火治之，纯属虚实颠倒。而滋阴也不见功者，按本例有阴虚火旺之标，但主要是因肾气不足，不能行其气化之本，津不上润，故肺燥枯干。肾司二便，封藏不固，津精下流，常需引食水以自救。虽见渴饮多食，综合四诊分析辨证，就不能断为消谷善饥、口渴引饮为火热，单纯滋阴增液，药性偏凉，需借助温阳药力煦之蒸之，气阴得以散行输布，气血可充，脏腑得养，功能自复，诸疾不治自退"。

杨老治疗糖尿病，重视辨证，注意察看舌质、舌苔和脉象。认为五脏六腑之功能、人的精神体力全赖真气津液的滋养，糖尿病、三消病人本身就是一种消耗性的疾病，如果只看燥热消水之标，不详察虚损之本，专事清泄，惟有伐其生机之害，并无清泄去热之利，临床已见失败而仍迷不知返者多矣。这类病人舌质多数偏淡，舌苔少或光而无苔，或薄黄苔而舌面欠润，脉象弦而沉细，这是属于气阴不足之象或是阴阳俱虚之过，脉弦不柔和是阴精不能濡，阳气不得煦之征。不能误认肝有余而泄之。

偶有舌质赤而苔偏厚者，是阴血过伤，阳明偏于燥结之兆，应以宣导为主佐以清滋，宣导既可疏阳明之结而化滞，又可促进中焦运化之功能，而清滋则可以润燥以退热，亦合"诸寒之而热者取之阴"之经旨，不宜用苦寒泄降之法去解燥散结。

在治疗三消病人时，杨老各有侧重，病在上焦消渴为主者，喜用麦门冬汤加减，党参、麦冬用量较大，半夏用量很小而又不能缺，意在辛开苦降，以利宣通气机，为津液的输散布达服务；病在中焦的多食善饥者，则以竹叶石膏汤化裁，养其肺胃之津，去其肺胃之燥；下消之症为主者则以增液汤、右归饮两方变化。他认为肾气（阳）衰才会出现肾关不固、精微下泄。要固其肾关，不使精微下失，必当扶其肾气之衰，以暖肾升津而肺得润，上源清则燥解火降。

另外杨老也常嘱咐患者戒酒，慎房事等，以利疾病较快恢复。

治病当辨虚实

徐步春

民国年间，延庆县台陈兰峰病腹胀便结症，其侍医按阳明腑实证之坚满燥实调治，方以木香槟榔汤增损，药后腹满益剧，仍不如厕。遂招全县之名医至府邸会诊，均确认为阳明腑实证，谓仍当攻下，改用大承气汤加味进服。药后，腹胀如鼓，饮食难进，众皆大骇。其侍者谓大柏老村有一刘承汉，名气很大，何不求之？县台应允，遂遣人速往大柏老村请之。

我师刘承汉，穷经博学，医道高超，视疾精细，认证至微。刘师诊疾毕曰："此虚证耳，病在中焦。尊荣之体本虚，复感寒邪，脾肺气虚无以运化，寒湿中阻。再以苦寒峻下，正气愈虚，寒湿益固，病情转剧。"遂处以八珍加厚朴汤，并曰："气血行，腑气通，病当从治。服汤后，可出现腹鸣且泻，泻后将乏力。不妨，平卧即可"。

县台侍医王鼓峰闻此，联名上禀县台曰："君之疾实证也。病势急迫，选进攻药尚不能愈，此八珍汤加味，岂不恋邪？实乃负薪救火，千乞勿服"。县台曰："既请之，必信之。"遂煎药尽剂。

夜半，果然肠鸣漉漉，遂泻稀便半盆。泻后乏力，一睡达旦。醒后渐思饮食，进稀粥半碗。遂又以八珍消息而愈。众医哗然。

此后，刘师承汉治病神奇，传为佳话。然刘师曰："奇啥？医病当辨虚实耳"。

王石清先生论辨证难

李鸿祥

病至危笃之际，死生反掌，寻常套药，必不济事，但轻剂塞责，问心难安，若用重剂，本想出奇以制胜，作背城一战之举，倘因而生变，则人言可畏，又不免谤讥，此险要重症之所以难愈，而医者每不愿承担。各大医院，遇危急重病，先令病人家属同意或签字，然后施治，成则居功，败不任过。中医则不能，因而不治。总之辨证难！认证难！用药更难！

医术仁术，倘病人有一线生机，则应尽其力，以图万一，试举一例：病人富某，年四十许，曾住某医院救治，告以病危，于夜间请余急诊，及至某医院，

见数家名医云集于室，均谓：舌苔黑起芒刺，系属“热深厥深”之候，乃细问病因，方知初患感冒，经某医投以银翘散加生地黄、玄参甘寒滋腻之剂，并用牛黄清心丸，遂致呕吐下利。又经某医予以下剂，转致吐泄频作而无脉，四肢厥逆。经某医院抢救，注射强心剂5次之多，脉仍不起（血压下降，时有时无），因告以病危。经余细诊，症见恶寒蜷卧，四肢厥逆，频频下利，面色惨白，目不欲张，唤之则精神略振，须臾又恍惚不清，舌苔色黑而起刺，但润泽而软，脉象沉细如无。诊毕断然此证为“少阴伤寒”。主张亟投辛热以回阳，此时众医哗然，余则谓此证系寒伤少阴，水寒血败，是真火几灭之证，舌苔黑而润、滑而软，是少阴寒化，水来克火之象。《伤寒论》云：“少阴病恶寒，身蜷而利，手足逆冷者不治”。此证虽属不治，尚未至汗出息高，用大剂四逆汤加人参，可挽救于万一。少阴一证，阳回则生，寒极则死，与其坐视其死，不如竭力救治，以冀其生。遂毅然敢以性命担保，出院医治（按：当时日伪时期，中医中药不能进医院，出院治疗又必须有把握。吾师不忍坐视待毙，以性命担保，才决定出院救治）。书方：野山参1两（30g）、生附子8钱（24g）、生干姜4钱（12g）、炙甘草3钱（9g）。

方用四逆汤以回阳，加人参以救阴，用附子温水，干姜温气，气温则上焦之阴寒散，而外阳回；水温则下焦之阴寒散而内阳回；干姜、附子得炙甘草之和中，则中焦温。上下连贯阴阳协调，如旭日当空，而阴霾自消，但阳回又恐吐下已伤之阴，不任燥烈辛热之姜附，所以加多液之人参以济之，则阳回阴复，水暖血行，脉渐出而证自解。投药1剂后，脉渐出，四肢渐温，再服1剂，即告痊愈。

此患者众医已认为不治，竟然告愈，此案争相传颂，竟为佳话，余应“北京医药月刊”之约，录之以供同道参阅，并记始末，留为后学。以此证心肾俱衰，阴阳欲绝，岂能与“热深厥深”而论，遇此病至危笃，舍张仲景之方，焉能回生！是我辈辨证四诊八纲所熟悉，若遇险恶之候，临证用药，实为辨证难！认证难！而用药更难！

病传与辨病传论治

胡荫奇

病传，是指疾病传变而言。传是疾病循着一定的趋向发展，变是指疾病在某些条件下起着症状、部位，性质的改变。综观历代医家之论，不论外感病还是内伤病，统言之，病传不外乎六经传变、卫气营血传变，三焦传变、经络脏腑的表里传变及脏腑间的生克传变等基本形式。这是疾病发展变化规律的高度概括。病传也是疾病本质的一种表现，临证不可不知。

上工治未病，见肝之病，知肝传脾，当先实脾，此乃辨病传论治之举例。倘见肝病治肝，见脾病治脾，与见头痛医头，见脚病医脚何异？叶天士亦云，若斑出热不解者，胃津亡也。若其人肾水素禀不足，邪势易乘虚深入下焦，于甘寒之中加入咸寒之品兼滋肾阴，务在先安未受邪之地。此知常而达变，尝为后世法。已故名老中医赵锡武先生在治疗小儿肺炎时，除用麻杏石甘汤加减外，常适当加入紫雪散、安宫牛黄丸之属，将病控制在早期，可收事半功倍之效。余临证常袭此法，每用辄验，无攻伐之过，药过病所之弊。

临证审证求因，寻觅症结之所在，不辨病传，难得其要。不晓病传，见微而不见著，亦有贻误病情之虞。比如，肺脏之病除邪犯本脏外，也有因肝之病累及者；也有因脾之病、肾之病而罹及者；设其未愈，肺之病可传之心，可波及脾、肾。其治可采用不同方剂而图之，同病异治，殊途而同归。尤其对于起病急，变化快的温热病，辨病传则更有意义。有一分气分证就算到气，有一分血分证就算到血，迳可用清气、凉血散血止血法无碍。重庆中医研究所内科在治疗急性热病时，强调“把住气分关”，不论卫气营血，热毒不除，病证不愈，故清气解毒贯穿始终，只是法度上有清宣、清解、清透、清滋之不同。诚可谓其得辨病传施治之要。可见通晓病传之理，不仅能使医者判断疾病转归，预后有成竹在胸，而且对开拓思路，创新治则及扩展方药应用范围等都大有裨益。

辨方证是辨证的尖端

冯世纶

我随胡希恕老师临证之初，常听胡老说，“这个哮喘病人是大柴胡汤合桂枝茯苓丸证”“这个肝炎病人是柴胡桂枝干姜汤合当归芍药散证”。并见其开方总是原方原剂量，很少加减，疗效却很好。我感到很奇怪，于是请教胡老。胡老笑着说：“辨方证是辨证的尖端。”当时因习惯于用脏腑经络等辨证方法，故对这一句话不怎么理解。胡老看透了我的心思，因此常利用星期天给我讲解《伤寒论》《金匮要略》及其方剂的特点、适应证，这样使我慢慢有所领悟。

通过长期的临床实践，逐渐体会到不论是脏腑辨证，经络辨证、还是八纲六经辨证，最终都要落实在方证上。也就是说，有无疗效，是看方证是否对应。例如八纲和六经，虽然是辨证的基础，并且在这个基础上也能够制定施治的准则，但在临床治疗、确保疗效上，是远远不够的。具体来说，若已辨证是太阳

病，其治疗原则是用汗法，但发汗的方药是很多的，是否任取一种发汗药即可用之有效呢？当然不是。中医辨证，不只辨八纲六经而已，而更重要的是，还必须通过它们辨方药的适应证。如太阳病治须发汗，但发汗必须选用适应整体情况的方药。更具体地讲，除太阳病的特征外，还要详审患者其他一切情况，选用恰当、有效、适应整体的发汗药，这样才有可能取得预期的疗效。即如，太阳病若发热、汗出、恶风、脉缓者，则宜用桂枝汤；若无汗、身体疼痛、脉紧而喘者，则宜用麻黄汤；若项背强几几、无汗、恶风者，则宜用葛根汤；若脉浮紧，发热、恶寒、身疼痛、不汗出而烦躁者，则宜予大青龙汤。这些方剂，虽都属太阳病的发汗剂，但各有其固定的适应证，若用得不恰当，不但无益，反而有害。方剂的适应证，即简称方证，某方的适应证，即称之为某方证。这即《伤寒论》的方证对应的经验和理论。如桂枝汤证、麻黄汤证、葛根汤证、大青龙汤证、柴胡汤证、白虎汤证等等。故胡老称“方证是八纲六经辨证的继续，亦即辨证的尖端”，中医治病有无疗效，其主要关键就在于方证是否对应。

胡老的教诲，使我渐渐掌握了一定数量的方剂和其适应证，在临床治疗上取得了很大的自由，临床疗效有了显著提高，也更深刻认识了辨方证的意义。近曾治一婴儿，感冒后只喝水不喝牛奶，家属很着急。西医检查治疗无效，转中医诊治。先以停食着凉给服至宝锭、保赤丹等不效；又以脾虚服健脾汤药治疗月余不效。诊得脉象浮数，苔白润根厚，又症见易头汗出，饮水或喝牛奶后常呕吐……。一看便知此是五苓散证，予服1剂，汗止、吐已，但仍不爱喝牛奶，因尚有嗳气、腹胀等症，知此时为茯苓饮证，随予服2剂而痊愈，转而一天能喝4瓶牛奶。其父母甚是感慨，立志要自学中医。又曾治一青年咳嗽2个月，曾服中药数十剂不效，而剂量、药味越来越大、越多，视其方，多为养阴清肺之剂。诊时症见咽中干，不思饮，恶寒无汗，鼻塞头痛，脉沉弦，苔白润。此证乍看是阴虚肺热之咳。实是少阴挟饮之咳，是麻黄附子细辛汤的适应证，仅服1剂而解。

“执一法不如守一方”，看来有一定道理。实际也是让人们重视辨方证。古今不少人看到了证和方剂间存在着一定对应关系，重视了证和方剂间的关系的研究，也希望对证的本质做出科学的阐明。这对发展中医有着重大意义。

仲景书中的方言举隅

|文　棣|

仲景书《伤寒杂病论》词简义奥。如能注意训诂学的研究，颇有益于仲景

书原文的探索。这样不仅要求通晓医学著作，还应博览古代的经史子集。譬如西汉著名学者杨雄调查各地区方言，历时 27 年之久，以丰富的材料写成我国第一部方言词典《方言》。《方言》收集了汉时比较丰富的口语词汇，从《方言》一书中，可以看到仲景书中的方言运用。聊举几则，以见一斑。

仲景书中的“差”字，据《方言》一书：“南楚病愈者谓之差。”南楚即今天的湖南，可见“差”字是湖南方言，读作 chài，作病愈解，音义俱通于“瘥”字，现代湖南土语中还在使用。

还有仲景书中麻子仁丸方下的“以知为度”、瓜蒌瞿麦丸方下“不知”“腹中温为知”等处的“知”字，据《方言》一书也谓之湖南方言，作病愈解。

另有仲景书中“奔豚”的“豚”字，作小猪讲，形容奔豚是腹中有气上冲，如豚之奔。同据《方言》一书：“猪，南楚谓之豨，其子谓之豚。”由此可知，称小猪为豚，亦出自湖南方言。

仲景书中的“不中与之”的“不中”即是河南方言，是“不可”“不行”的意思，直至今天，仍在河南方言的口语中沿用。

张仲景系后汉南郡涅阳人（今河南南阳），曾举孝廉，官居长沙太守（今湖南长沙）。仲景有这样的生活经历，而在他的著作中时时见到河南及湖南方言，应当引起我们足够的重视。

陈慎吾老师对《伤寒论》原文顺序之看法

| 孙志洁 |

吾师对研究《伤寒论》积数十年之经验，对《伤寒论》原文顺序主张不能随意变动。尤其对初学者更应如此，老师认为体会《伤寒论》的精神，在于“辨脉证并治”之中，条文与条文之间也存在着辨证论治的精神，若是割裂篡改，则失经旨（如果是专门研究原文中某一类证，或是类似条文，方剂对比可以移动，与此精神并不悖谬）。今对条文顺序之间的辨证意义举一例来说明。

老师在讲到桃核承气汤时说：“新瘀血证似少阳。”讲到抵当汤时说：“久瘀血证似阳明”。若仅以原文字面来看，并不含有此意，但从条文顺序及临诊所得即可验证。从原文 96 条至 109 条，主要讲的内容是小柴胡汤证及其病机，加减方证，及其与脾胃的关系。但在其间 106 条却是桃核承气汤证，一般认为，小柴胡汤证是讲少阳气郁化火疏机不利证，桃核承气汤是血热互结血瘀证，两者有气血的关系。但验之临床，血热初结除有少腹急结、如狂等症外，常可见

到口苦、咽干、目眩、胸胁苦满、不欲饮食、心烦等症。热入血室者，还可见到往来寒热，临床很难区别两者的不同。笔者有一次诊治一妇人，年四十余，起病由气郁所得。发病之初，恶寒发热、胸胁苦满、面微红赤、口苦、咽干、不思饮食，其脉弦、滑、数，其月经已两月余未行，妊娠试验为阴性。当时因病人言其气郁所得，很自然地诊断为少阳气郁不舒之证，而用小柴胡汤加味，连服6剂不愈。而请教吾师，当即提出诊断有误，主要是忽略了月经两月余未行，是併月？是妊娠？是否更年期症？有否腹诊，皆未认真考虑。经老师详细诊治，除有类似少阳证外，不能忽略少腹急结证，此为气滞而血瘀的新瘀血证。即处方用桃核承气汤，连服数剂后而愈。吾师言：“此条文放在此，仲师意是少阳证与桃核承气汤证作比较的，不仅有少腹急结，其人如狂之差，其他证不言，此为无字之中求之。”新瘀血证似少阳，根据此临床表现，笔者后来治过多例脑震荡后遗症病人、胸外伤病人，除有特殊头痛、胸痛外，临床亦常见少阳之证。

抵当汤在太阳中篇其见证有：少腹硬满，身黄，有热等证，惟独在阳明篇论述“阳明证，其人善忘者，必有蓄血，所以然者，本有久瘀血，故令善忘，屎虽硬，大便反易，其色必黑者，宜抵挡汤下之。”久瘀血证很类似阳明证，但发热而不恶寒（有热），少腹硬满、身黄等证尽管相似，仍有区别，在其人善忘，屎虽硬，大便反易，其色必黑。久瘀血证放在阳明篇是为与阳明痞病燥实证作比较，同时有病在阳明气分及血分之区别。

在《伤寒论》中之新、久瘀血证，皆为阳热之证，虚寒者不属此范畴，由以上举例不难看出《伤寒论》条文排列顺序仍不离原宗旨——辨脉证并治。

辨证论治，广开思路

苏诚炼

先师杨树千老大夫，理论知识渊博，临床经验丰富，他力主辨证论治，但并不墨守成规。他认为对一个病应从多方面去考虑，广开思路，切勿因循守旧，刻板呆滞。尤其对前医已多方诊治无效的病人，必须另辟途径。根据患者的病情，找出与别人不同的方法来治疗，可能会收到较好的效果。现举两例说明如下：

例1　李某某，男，46岁。背部疼痛已近1年。伴有胃纳欠佳，腹胀，大便日行1次，有时不成形。前医均按风湿、劳损论治，服药效果不佳，后经先师诊治，认为此病关键在“脾虚”，因脾主肌肉，脾虚则肌失濡养、发为斯疾。治当健脾为主，兼以理气。方用香砂六君子汤加薏苡仁、山药，服药二十余剂，诸症悉除。

例2 杨某某，男，50 岁。两足跟疼痛已 1 年余。前医皆按风湿、骨刺等论治，疗效不佳。先师认为足跟属肾，肾主骨，肾经起于足底心，循足跟上行。因肾虚骨髓空虚，发为疼痛。经用补肾填髓法，方以金匮肾气丸加胡桃肉、补骨脂，服药6 剂，疼痛减轻，再服20 余剂，症状基本消失。

邪去正自复 | 秦子安 |

邪气大都乘正气之虚而伤人，所以在临床治疗上，要时刻照顾正气。但邪气过盛也足以伤人正气，因而也不能忽视邪气。诊察患者邪正盛衰的程度，是非常必要的，祛邪以扶正，养正邪自除，在临床治疗上有着十分重要的意义。故后世医家或善攻者，或重补者，偏执任何一方来治疗疾病都是不够全面的。既然邪气伤人正气，那么祛除邪气是不容忽视的，否则会使病邪深入、留滞脏腑，致缠绵不愈。曾治疗 1 例女性慢性疾病患者，表现为面色淡黄，心悸气短，食少倦怠，胃口不适，咳喘难卧，二便如常，时有急躁，睡眠不好，脉细不滑，当时诊为心脾气虚，挟痰浊内郁。拟人参归脾汤与二陈汤合剂。服药后不但症状不减，喘满、心悸、气短更甚。沉思细察，腹部不适，按胀则痛，脉虽不滑，按之有力。虽然外形表现为虚，实属积痰内阻，影响脏腑气血生理功能，不能充养于外所致。更方以祛痰消积之法，药用：陈皮 16g、半夏 16g、茯苓 20g、炙甘草 10g、枳实 12g、大黄 10g、牵牛子 20g，2 剂，水煎服。服药后诸症大减，药已对症，原方加大枣 10 枚，继服 2 剂，基本痊愈，邪去正自复矣。

浅谈治则与治法 | 晁恩祥 |

治则是中医理论的重要组成部分，其理论始于《内经》。《伤寒论》所设397 法、113 方，无不是在《内经》“治病必求其本”“不治已病治未病”治则的基础上发展起来的，它不同于临床常用的各种具体的治法。

治法是指具体的治疗方法，诸如汗、吐、下、清、温、补、和、消八法，是临床有代表性的治疗方法。治法与治则有着不同的含义，但二者又密切相关，治法的确定受治则的约束和指导。治法是多变的、具体的，而治则是抽象的、

原则性的。或者说治法从属于治则，治法包括在治则之中。

举例来说，临床治病，必然要求理、法、方、药的一致性，其中治法与方药，一定要符合辨证的要求，即寒证用温法，用温药组方，而热证当用清法，用寒凉药组成清热之方，符合“寒者热之，热者寒之”的治则精神；又如《素问·标本病传论篇》中说：“病有标本……有其在标而求之于标，有其在本而求之于本……”，“知标本者，万举万当，不知标本，是谓妄行。”因而在疾病治疗时必当分清标本缓急，必须掌握“急则治其标，缓则治其本”的原则，而后适当立法，选方投药，诸如此类，不再赘述。

谈谈用药如用兵

祝谌予

《孙子兵法》云：“知己知彼，百战不殆。”历代兵家无不奉为至诫。医家治病，有如兵家打仗，用药用兵，均同此理。

所谓用药如用兵，意即医家治病需通晓药性，用之得当，则疾病立消，有如兵家用兵，用之得当，则旗开得胜。若医家不谙药性，用药不当，则不仅病邪不祛，反伤正气，甚者贻误性命，有如兵家用兵不当，非但不能取胜，反而损兵折将，一败涂地。历代兵家常胜者，必善用兵；历代医家有名者，必善用药。著名已故医家施今墨先生便在用药上颇有创新。施先生治病，常以两药相伍而用，名之曰对药，配伍得当，常能取得奇妙的功效。如黄芩单用可清肺胃之热，配伍白术则为保胎圣药；配伍半夏则可制胃酸。一味药经过巧妙配伍，能超出各单味药原有的功效，可见配伍用药是很有学问的。其他如桔梗配枳壳，二药一升一降，上下通达，可调理气机；苍术配玄参，二药一燥一润，一散一收，用治消渴、降血糖等，这种例子很多，不一一列举。关于对药配伍的方法，在古代医家亦不乏其例。医圣张仲景在《伤寒论》桂枝汤中，以桂枝配白芍，二药一阳一阴，一表一里，一通一收以调和营卫；生姜配大枣，二药一表一里，一辛一甘，既调营卫，又保胃气，其择药之精，组方之巧，令人叹为观止。

以上例子说明熟知药性、合理组方之重要性，临床医生切切不可忽视，这是重要的基本功，掌握了这项基本功，治疗中便可驾轻就熟，有如兵家通晓兵法，胸中自有雄兵百万，如此方能调兵遣将，运筹帏幄，决胜千里。

正确掌握效不更方

晁恩祥

中医治病很讲究守方，即辨证准确则不轻易更方换药，效不更方对于治病肯定是有其一定道理的，特别是对一些慢性病、疑难病注意守方，更是必要的。守方历来被中医名家所重视。如岳美中老先生在世时经常告诫我们，对于疑难病，要相信自已，注意守方，服药要坚持一定的时间，十剂药不见效，十二三剂就可能见效。当然，这种坚持一定要根据证候有无变化而定。证候、病情有了变化，治疗立法用药，当然也会随之而变；如果属于服药后变化不大，疗效尚未显露出来，而病机、病情、证候依然，认为方仍对证，那么坚持按病程治疗，坚持守方也就无可非议；若证候有变，辨证失当，则失去守方的意义了，这时不仅不应守方，还应重新辨证立法，选药组方，重新审核立法处方是否恰当。

余早些年曾治疗一胃结石患者。该患者因4天前暴食黑枣而致胃脘不适，继则胀满加剧，纳食减少，脘中疼痛，按之痛甚，有坚硬感，时有恶心欲吐，大便日1次，量少稍干，脉弦，舌苔腻，中黄，经X线钡剂透视，可见胃中有推之可移的包块，提示胃中结石。当时见其身体健壮、年轻，属体力劳动者；观其脉证，当属阳明胃中实证，故以尅伐消导之剂治之，方用枳实、大黄、厚朴、芒硝、莱菔子、木香、焦槟榔、半夏、白术、陈皮等药，连续服药10天，诸症见轻，大便始为稀便，每日2～4次，服药7剂后日行1～2次，胀满、食少均明显好转。余便遵效不更方之理，让患者继服5剂，再诊已无胀满、疼痛之苦，按之腹软，钡剂透视已无积块影像。至此，该病的治疗本应中病即止，更方换药，选取调理脾胃之方，以善其后。而余仍以通下尅伐之剂，言仍遵效不更方，方中虽去芒硝，但枳实、大黄不除，患者又继服7剂后，反见胃纳食少，腹痛隐隐，兼见腹泻，便稀日行2～3次，四肢乏力，脉弦小，舌质淡，苔薄白微腻，观其表现已成脾虚胃弱之象，后得他医提示，此乃消伐太过而致脾土衰败，嘱改为调理补益脾胃药治之，十余天后，诸症平复。

从病例的整个治疗过程可以见知，首以尅伐之剂，消导攻伐积胃之物，当属恰当的治法，然而积滞消去未能随时注意疾病的变化情况，而是错误地运用“效不更方”的原则，造成误治。因此我们在临床上必须认真掌握中病即止，不可盲目地只知效不更方，而忽略了掌握好效不更方的分寸。

从中医处方“脚注”谈医药结合

金世元

所谓“脚注”，就是在处方中某种药物下脚旁边加以注解，是医师根据药物质地或治疗需要，以简明字样，对中药调剂人员的提示，以期达到互相配合，共同完成克病治愈的目的。关于脚注问题，历代医家都很重视，如东汉张仲景《伤寒论》，不仅选方用药严谨，而且脚注也是非常认真的。全书载方113首，共选用药物84味，在各方中交叉使用，其中有脚注的药物共36味，反复应用为315品次。但大多数属于炮制方面要求，如甘草炙，桂枝去皮，附子炮、去皮、破八片，大黄酒洗，杏仁去皮尖，芫花熬等等。到了唐代，炮制方面的脚注有所改变，如《备急千金要方》中指出：“诸经方用药，所有熬炼节度，皆脚注之。今方则不然，于此篇具条之……”。又说：“凡用麦蘖曲末、大豆黄卷、泽兰、芜荑皆微炒”。这样，由在药名下的脚注，改变为药名上的前冠，如由甘草炙，变为“炙甘草”，其他炮制药物也均逐渐改写，如炮附子、炒山楂、焦栀子、醋柴胡、盐黄柏、酒大黄、煅牡蛎等。形式虽变，含义则同。这一改变，也标志着中药炮制由单纯的“脚注”，而上升到规范化阶段。虽然常规炮制药物，处方中大都改写，但随着祖国医药事业的发展，历代医家不断总结用药经验，所以当前在处方脚注方面，内容更加丰富广泛了。归纳起来，可分为以下四类。

1. 临时炮制：是指用量极少的炮制加工药品，一般药厂不生产、中药店和医院中药房又不准备，多在调剂时进行临时加工。如“瓜蒌元明粉拌”“熟地黄砂仁拌”“当归乳香面拌炒”“生石膏糖拌炒”“升麻蜜炙”“党参米炒”等等。这些药品，一定要根据医师意图，应炒则炒，应炙则炙，以符合医疗要求。

2. 煎熬与服用要求：由于中药来源不同，质地坚实与轻松也各有区别。为了保证药品更好地发挥效用，医师经常在煎熬和服用方面提出以下要求。

（1）对质地坚硬的药品，如矿石类的生石膏、生磁石、生代赭石、生紫石英等；贝壳类的生牡蛎、生石决明、生瓦楞子、生蛤壳、生紫贝齿等；化石类的生龙骨、生龙齿、石蟹等，多注明“先煎”，以便充分溶出有效成分。

（2）对质地轻松具有芳香挥发特性的药品，如薄荷、佩兰、藿香、紫苏叶、荆芥穗、香薷等，多注明“后下”（后入），以防过煎挥发有效成分而失效。

（3）对较小的种子类药品，如车前子、葶苈子、秫米等和粉末类药品，如青黛、滑石粉，以及带有柔毛类药品，如旋覆花、枇杷叶等，多注明“包煎”（布包），以便使药液澄清，便于服用。

（4）对某些贵重药品，如人参、西洋参、鹿茸片、羚羊角片、犀角片等，为了保证药品疗效，避免损失药液，多注明“另煎”。

（5）对于胶类药品，如生阿胶、鹿角胶、龟版胶、鳖甲胶、二仙胶等，多注明“烊化”（溶化、另燉），以防煎熬稠黏，难滤药液。

（6）对于汁液药品，如竹沥水、生姜汁、黄酒等，不需与群药共煮，多注明“另兑”。

（7）对某些贵重少量粉末类药品，如三七粉、沉香粉、琥珀粉、朱砂粉、鹿茸粉，或处方中附加的中成药如紫雪丹、安宫牛黄丸、局方至宝丹、至圣保元丹、妙灵丹、回生救急散等，多注明“分冲”。

以上各项要求，在调剂时，都必须另包（液体装瓶）、另号（注明），以确保药品疗效和便于服用。

3. 捣碎：凡种子果实类及坚硬的根及根茎类（未经切片的品种），用时多需打碎，目的为了便于煎出有效成分。但因药品质地不同，其捣碎程度也有差异，所以，处方注明字样，亦有区别。一般常见的有：打、碎、捣、研、杵、劈……。总之，凡质地坚硬的药品，如苏子、砂仁、白蔻仁、草蔻仁、瓜蒌子、草决明、川楝子、山慈姑等，必须捣碎；但桃仁、杏仁需捣成泥状，黄连需砸劈，法半夏需轻打成碎瓣等等。

4. 去掉非药用部分：如枇杷叶、石韦“去毛”，麦冬、莲子“去心”，斑蝥虫、红娘虫“去足翅”，白花蛇“去头”，大枣“去核”，等等。均需根据处方要求，进行处理。

综上所述，每一个疾病的治愈，不仅需要医师的精湛诊断医术和选方遣药的技巧；而且必须有药物炮制知识，才能充分发挥中医中药的特有优势。

重视发掘民间有效疗法

路志正

祖国医学之所以是个伟大宝库，不仅有独特的理论体系和丰富的医疗经验，且有浩如烟海的医药书籍，是我们取之不尽、用之不竭的宝贵财富。而蒙、藏，维吾尔族等少数民族医学，更是别具一格，各有特色，为少数民族的医疗保健事业做出了贡献。此外，还有不少行之有效的医疗方法、一技之长和单方验方

等，流传在民间，同样是祖国医学的组成部分，有待我们认真地继承、发掘，整理和提高，而不应忽视。

如铁路医院正骨按摩科葛长海同志，原在锦州铁路局工作，幼承家学，虽无系统理论，但深得捏筋拍打、正骨独特之秘，系从古代《易筋经》中演化而来。对肩凝症、痹病，痿躄等病均有较好的疗效，适应证非常广泛，具有简、便、廉、验等特点，值得推广。

捏筋拍打疗法，名称虽一，其实有二，但两者相辅相成，确能提高疗效。施治时根据患者病情，先在患者一定部位，用捏、揉、点、拨、推、滚、抖、摇等不同手法进行捏筋；次以特制之“钢丝拍子”，在患部由上而下地有节奏地拍打，用力有轻、中，重之殊，节奏有疾、徐之别，从而起到调和气血，疏通经络，活血止痛，强筋壮骨的作用。无病用之，亦可起到疏利关节，活动血脉，松弛肌肉，防病保健的功能。使疲劳之身，顿时轻松，精力倍增，从而收到却病延年之效。

北京市中医院捏积冯，名全福，家传捏积疗法，并用验方内服，膏药外贴。于夏秋季节，专治小儿疳积，消化不良等症，解放前在北京宣武门一带开业看病，在群众中颇有盛名。20 世纪 50 年代，我和北京市卫生局中医科的同志前往访问时，求诊者甚众，巷为之塞。在诊治时先给药面一包，服后有缓泻作用。第二次则用两手拇、示二指，从小儿尾闾骨端长强穴处，将肌肉轻轻提起，沿着督脉由下至上捏至大椎穴，如此 3 遍，以皮肤微有潮红色为度，再重按肾俞穴，再以膏药一张温化贴于脐部神阙穴。这样捏积 2～3 次，即可痊愈。因其有较好的疗效，被北京市卫生局安排在中医院工作。

季德胜，江苏宿迁人。1925 年袭父业，为民间蛇医，流浪街头，以捉蛇，玩蛇，卖蛇药为生。1956 年在党的中医政策感召下，献出了家传秘方，被南通市中医院聘为蛇毒医师。治蛇毒秘方，经过整理提高，研制成“季德胜蛇药片”，于 1958 年经该院临床验证治疗蝮蛇咬伤 100 例，无一例死亡。列为国家科委重大科技成果，荣获卫生部“医药卫生技术革命先锋”称号，被聘为中国科学院特级研究员，并吸收为中华医学会会员。季德胜蛇药片自 1957 年批量投产以来，行销国内外，1982 年获国家优质产品银质奖。

以上仅举数例，但也足以说明散在民间的有效疗法确是丰富多采，值得挖掘，整理和研究，不应等闲视之。最近全国成立了“中国民间中医药研究开发协会”，初步有了群众性的学术团体。相信在不久的将来，这一工作必将得到顺利的开展，获得丰硕的成果，为祖国争光，为人类造福。

单秘验方能医大病

郑金福

单秘验方值得重视，它是我国医学宝贵遗产的一部分。古语说："气死名医海上方"，确实有它一定的临证实践为基础。

一般而言，单秘验方作用峻猛，包括有大寒、大热、大攻、大补、有毒及剧毒药等。但是只要认病准确无误、辨证确切，就可以在严密的观察下，大胆使用，其验可如鼓应桴，而能医大病。

我曾用验方七星丸（又名抗白丹）、青黄散治疗白血病。此病乃血癌，当今世界尚无灵丹妙药及根治的满意方法。我们应用上述验方投治，收到一定效果。

七星丸治疗红白血病

七星丸系北京房山县民间验方，相传来自铃医，当地居民用以治疗"挟肋痞""痞积""单腹胀"等病。该方主要由7味药组成，其方名七星丸即由此而来。七星丸由雄黄、巴豆（去外皮）、生川乌、乳香、郁金、槟榔、朱砂、大枣组成。药物剂量按前7味药各3g，用大枣7枚的比例，依此类推。其制法是：将雄黄、生川乌、乳香、郁金、槟榔共研细末。巴豆先去外皮，置沙锅中文火炒至微黄色，再去内皮，用双层纸包裹压碎，微热半小时，达到稍去油的目的（不换纸，仅去一次油）。将煮熟大枣，去皮核，与上述药混合，捣研均匀，合丸如黄豆大，朱砂为衣，风干贮瓶备用（上述前7味药各3g，可制成药丸90丸左右）。

七星丸：成人日服3~8丸，于清晨5时白水一次送服。连服3~5天，休息1天。一般先从小量开始，逐步加量，以保持大便每天2~5次为度。

我得此方治疗红白血病，确有疗效。如：王女，22岁。因面色萎黄、乏力心悸而求医。诊之神差，身酸痛无寒热，食纳减，眠不实，脉沉细，舌质淡，苔薄白。化验：血红蛋白20g/L，白细胞1.2×10^9/L，分类中有白血病细胞。曾在协和医院诊为红白血病，由于不愿做化疗，而求治于中医。此乃精血素虚，邪毒乘虚内陷，耗伤气血。正气虚损，而邪气尚实。故拟扶正祛邪，攻补兼施为宜。予七星丸祛其内陷之邪，八珍汤益气养血以扶其正。服药2周后，乏力心悸减轻。1个月后面色红润，精神好转，进食日增，起居已能自理。化验：血红蛋白升至70g/L。服药至3个月，乏力心悸已愈，食纳佳，睡眠安，生活如

常。脉细缓，舌质淡红，舌苔薄。复查血化验；血红蛋白升至 102g/L，白细胞 2.2×10^9/L（其间未输血，也未曾用化疗药物）。

青黄散治疗慢性粒细胞白血病

青黄散由青黛、雄黄二味药组成。青黛，味咸寒入肝经，可泻肝散瘀，凉血解毒。雄黄，味辛温，可解百毒，消积聚，化腹中之瘀血。

余治一少女，面色皖白，乏力头晕，潮热，骨痛，纳差，食后痞满，腹内结块，左右肋下皆 3 横指，固定不移，痛有定处。化验：血红蛋白 70g/L，白细胞 104×10^9/L，血小板 50×10^9/L。脉细涩，舌质淡，苔薄黄。此乃外感之邪毒循经络，侵及脏腑，致气血瘀滞，而成癥积。此乃虚人癥积，一般治则，当先补其虚，调其脾胃，而后再攻其积。然急则治其标，癥积不消，脾胃难调。余以攻补兼施，用青黄散以解毒消积为其主，辅佐香砂六君补脾和胃。青黄散：青黛 2g、雄黄 0.2g，混匀，盛于胶囊，每日 2 或 3 次，饭后白水送服。香砂六君加减煎汤服之。进上药 20 天，诸症减。白细胞降至 10×10^9/L，血红蛋白升至 90g/L，血小板升至 170×10^9/L。青黄散减量继续服至 3 个月，诸症愈，血象已近正常，骨髓穿刺完全缓解。

余与同道已治疗慢性粒细胞白血病四十余例，十之八九获良效。

从上述两个验方治疗红白血病、慢性粒细胞白血病，进一步启示我们，中医治病，辨证施治与单秘验方相结合，对一些疑难大证，确能取得良好效果。所以我认为单秘验方，必须引起我们高度的重视。

方剂的常和变

刘弼臣

常和变是相互对立而又统一的。“常”是事物的普遍规律，“变”是事物的特殊规律，普遍规律常寓于特殊规律之中。因此，不知常就谈不上变。

以方剂来说，如果不知道方剂组成的常规法则，又怎能谈得上变呢？我曾在《中医学概论》和《中医杂志》发表的“论方剂的组成和变化”一文中谈过，由两味药以上组成的方剂，都离不开君、臣、佐、使的原则，这不仅是方剂组成的一种形式，主要在于方剂经过严密的配伍以后，能使所用的药物更加妥当、细致、切合病情，消除和防止有害于人体的不良反应。几千年来，中医的方剂，不论古方和今方，无不遵循这个原则。否则，就叫做有药无方，便失却了方剂的本义。

但是，方剂的组成固然需要一定的法则，而这个法则也并不是一成不变的。因为临证时还需随着病人的病情变化，体质强弱，年龄差异以及方土习惯的不同而灵活运用。例如，小承气汤的组成药物和用量（按古代度量衡）是大黄4两（相当于120g）、厚朴3两（相当于90g）、枳实3枚。它的适应证是邪热内结，出现便硬、潮热、谵语，脉滑而疾，故以大黄为君，清热攻积；厚朴、枳实为臣佐，则胃家的实热才能随下而解。如果腹部满痛、大便秘结是由于气机闭塞所致，则非加倍重用厚朴为君，枳实，大黄为臣佐，以疏理气机，则不能奏效，故改名为厚朴三物汤，这就是方剂在组成法则和用量上的变化。如果小承气汤加入羌活，则名三化汤，适用于类中风，体质壮实，二便不通的患者，这里又体现出方剂在药味上的变化。

此外，尚有数方相合的变化，如清瘟败毒饮就是在白虎汤，黄连解毒汤，犀角地黄汤三方的基础上加减变化而来。还有些方剂，药味的组成虽然相同，但由于剂型的改变，其作用也就有了缓急的区别。如枳术汤因其消水散痞作用较快，故适用于小儿水饮蓄积的痞证。如制成枳术丸剂，则作用较缓，宜用于小儿脾胃虚弱所引起的食滞不化之症。

闲话方药 | 杨润芳 |

减肥方药探索

五十多年前，外祖母体胖异常，每餐必有肥肉脂油。外祖父鲍培元精医，尤擅妇科、儿科，驰名乡里，曾为外祖母处方常服。时余年十五，正在石家庄国医学校习医，记得处方为：生山楂15g、陈皮9g、白茯苓12g、泽泻15g、甘草3g、荷梗3g，日服1剂。

年十八毕业返里省亲，见外祖母形体渐瘦，精神亦佳，询之曰；“久服上方半年余渐见效果。”随请教外祖父制方之意，曰：“胖人痰湿过盛，肥脂多食，又易聚湿生痰。二陈为化痰之良剂，且能行湿，山楂消内积，本草已有记载；泽泻、茯苓淡渗水湿于下；荷梗为清利之品，出于淤泥而不染，中空清上而通下，此方清平，意在于此。”后继续于北平国医学院，曾将该方介绍给同学治疗肥胖病多例，服药半年，均取良效。

从业以来，曾在此方基础上加生薏苡仁30g、改荷梗为荷叶15g。按薏苡仁行湿健脾，生荷叶多着水面，叶上脉络广布，能走络行水，也属轻清之品。

近来文献记载治疗高血脂、胆固醇增高方有：①葛根，生山楂、草决明各30g，日服1剂。②据报道单味泽泻可降低血脂。③《人民军医》1975年第10期问题解答栏载：脂肪肝的症状、诊断和治疗是什么？提到可服二陈汤加减及山楂30g、草决明15g、何首乌15g、黄精15g、胡黄连12g等。④余常以生山楂、生荷叶嘱患者代茶饮。

上述中药的降脂作用大多是经过实验，与外祖父早年处方可相互参照，足见祖国医学之可贵了。它当时虽不能用现代科学阐明药理，却能在中医理论基础上提出治法，这充分体现了“中国医药学是一个伟大的宝库，应当努力发掘加以提高。”

治早泄方药之管见

1959年冬，尹羽代同事问疾，并取出方药一纸曰：“某某某，年三十余，云雨方兴，精乃泄出，未知此方可服否？”见方中所列：熟地黄、枸杞、龟版、牡蛎、天雄、五味子、肉苁蓉、蜂窝、阳起石、韭子、淫羊藿之属。余曰：“早泄与阳痿迥异。早泄者，非肾阳早衰，则心神多费，经云：‘肾藏志，心藏神’。早泄为性生活之苦事，久必神志俱耗，肾惫则志不专，心惫则神太过，求治之法，不在补心火而在养真阴，不在补肾阳而在益心脾，若以阳起石、韭子、淫羊藿……兴阳之品，则阳易实，欲易多，精日薄矣，此不可不知。当以宁神定志，补益心脾，稍佐省神清心之品，庶几本固源澄，济以不刚、不燥、不烈之药，使心肾交，中气强，精气能相生相养，则早泄日复。此外少虑、少欲、少辛辣以端其本，而后扶脾养心，节欲远房以蓄其精，清心择日以安神志，其早泄不愈，酣战不久者鲜矣。”乃于原方减韭子、阳起石、淫羊藿，增黑大豆、莲子等久服而愈。

桂枝加红花薄荷汤治冻伤

方药：桂枝尖10g、白芍10g、南红花10g、苏薄荷10g（后下）、生姜6g、大枣5枚、生甘草6g。

用法；第一煎温服，余渣加水煮沸洗烫患处，日二三次。

冻伤起因多属卫阳不足，寒邪侵犯，阴阳不和，气血凝滞而成。多发于手足指趾，遇冷则痛，遇热则痒，初起肿硬不消，继而破溃不收。余拟桂枝加红花薄荷汤治之，多取良效。

桂枝汤为解肌发表，调和营卫之剂。凡属卫阳不足，营气虚寒，在里阴阳不和，在外营卫失调，概可用桂枝汤化裁。按桂枝、生姜在于调其卫表，加薄荷助其疏散，走卫之功更著；芍药、大枣在于和其营里，配红花和血行血，使营血趋于和调；甘草、大枣为伍和中理脾。该方内服，表得解，里得调、中得和；外用洗烫，促使血行流畅，温肌润肤，冻伤可解。

薄荷的药理研究证实，内服少量有兴奋作用，因能刺激中枢神经，间接传导于末梢神经，使皮肤毛细血管扩大，促进汗腺之分泌……。

红花有活血通经、去瘀止痛之功效。药理实验证实可使心收缩及扩张增加。

冻伤多在末梢及毛细血管密集部分，因寒凉凝结收缩而形成，余选加之亦兼取其义。

学生陈姓，男，14 岁，1978 年 12 月 12 日诊：双手背冻伤肿硬未溃已十余日，据家长介绍，历年入冬稍冷即冻，舌淡脉缓，与本方 5 剂消肿，又 5 剂而愈。

同年 11 月15 日诊一女性，27 岁，自述平素较他人怕冷，棉衣棉鞋早已穿上，仍四肢不温，双手均冻伤，有散在紫暗斑结，脉沉细，舌淡，给桂枝加红花薄荷汤 5 剂，内服外洗，复诊冻伤明显好转，加黄芪 15g 又 2 剂，再诊手已温，紫斑消失。前方加白术 10g、茯苓皮 15g 又 5 剂，冻伤痊愈。

审方付药须谨慎

|胡振亚|

余于 13 年前，诊一崔姓女青年。其症状表现：半月来不思饮食，胃脘满闷不舒，呃逆欲呕，腹胀微泄，舌质厚，苔微黄，脉象弦而略滑。经某医医治无效而求治，依据证情，初步诊为脾胃失和，气郁不舒，升降功能失调。拟以调理脾胃，畅通气机为治。方用平胃散加减：炒苍术 12g、姜制厚朴 10g、陈皮 10g、炒神曲 12g、炒枳壳 10g、苏梗 10g、檀香 6g、大枣 6 枚（劈）、生姜 3 片，水煎服，3 剂。

上方服完第 2 剂，患者来云：此药煎时气味难闻，药液黏如粥，令人难饮，不愿再服，求予更方，余闻知甚为诧异，审原方无误，嘱其将未煎之剂带来，细心逐味检查，从中发现药剂中多了一味松香而缺少一味檀香，找到难闻难饮的原因，是松香在作怪。盖松香性温气烈，多为外科用药，治疗痈疽、疔毒、恶疮、疥癣等，多用于丸、散、膏、丹中，不能配伍饮片煎服。檀香为理气开郁之品，有润脾胃调胸膈，畅达气机，增进食欲之功。

檀香、松香本属两种气味与作用迥然不同的药物、大相径庭，岂可乱投。

思阅方书，松香用于饮片煎剂中，实属人为过错。每念及此，余悸尚存。医药一体，悬系人命，理应密切配合，共同为患者负责，不可苟且，特别是辨

认不清的处方和剂量，决不能轻率臆断或不懂装懂，草菅人命，获罪非浅。今录于此，愿与业医药者共戒之。

药量轻重，需当讲究 | 王鸿士 |

中医临证诊病，理、法、方、药俱当审慎，用药尤须仔细，疗效好坏与遣药得当与否有直接关系。

余早年临证，曾遇一水肿患者，周身恶肿已两月，喘而不能平卧，入暮尤甚。纳差，神疲，脉证合参，诊为风水。予以葶苈大枣泻肺汤合麻杏石甘汤为治。连进两剂而无显效，余暗自思忖：辨证无误，方证相合，有效为其必然。然而服药而不应，道理何在？百思不解，乃请教吾师瞿文楼先生。瞿师听完上述情况后，开口即问：葶苈子用量多少？答曰：3g。又问：麻黄用量多少？答曰：0.3g。瞿师听后，即说：药虽对证而量不足。当即于原方中改葶苈子为9g、麻黄为3g。患者服此方后，当晚即可平卧，续服三四剂后，肿已全消，食欲恢复。遂告痊愈，未见复发，至今依然健在。

又曾治一痢疾患者，前医以芍药汤为治，不但无效，病情反而加重。延医至余，复视其方。见方中大黄用量为12g，心想、对赤痢患者用芍药汤乃为正治，并无偏差，惟大黄量略重，恐效果适得其反。遂将大黄减半，略加焦三仙以导滞。患者服1剂而应，2剂而愈。

由此可见，药量得当与否，对临证疗效有举足轻重的作用。水肿一例，病重而药轻，故尔罔效；痢疾一例，虽药量重，但未免太过，故欲速则不达。理、法、方、药并无差错，所差者，药量也。稍一变更，疗效大增，患者病情立减，足见用药宜细推究，药量加减之间，实应因病而施，不可孟浪草率。

（袁立人　整理）

诊疾审令，服药择时 | 李云祥 |

早在《内经》里就有了“人与天地相参，与日月相应”。及“人以天地之气生，四时之法成”等人与自然相关的学说。汉·张仲景在《伤寒论》又指出了六经病欲解时间及时间给药法；其后，历代医家多有论述。诊疾审令、服药择时，就是检查诊断疾病时要审查疾病的发生与时令、节气的关系，治疗疾病给药时要注意选择时令与时辰。因为人类生存于天体宇宙之中，人的生命活动以及疾病的发生、发展、转归等一系列矛盾运动过程，无疑将受到天体宇宙星球阴阳运动的影响。一般说来，审时令就是要通晓二十四节气的阴阳消长更替规律。在二十四节气中，二至（冬至，夏至）、二分（春分、秋分）是春夏秋冬四季重要节令。二至是天体运动阴阳交替之节令，夏至是阳气的顶点，阴气始升；而冬至乃阴气到极点，阳气始升，阴阳交替节令。春分是阳升阴降，阳与阴平衡；秋分是阴升阳退，阴与阳平衡之时。就地球天体运动而言，夏至太阳直射北回归线，冬至太阳直射南回归线，春分与秋分太阳正直射赤道。这样形成了一年四季阴阳消长交替运动。就一日而论，以一日分四时，则子午当二至，卯酉当二分，日出为春，日中为夏，日入为秋，夜半为冬。这是一天的阴阳消长与交替运动周期。掌握一年与一天的阴阳运动规律，对诊断疾病、治疗疾病、选择合理给药时间大有益处。余在临症常用此规律诊断治疗某些时令性、周期性疾病及预测一些疾病的转归，多能收到意想不到的效果。仅举一二以明之。

己未夏（1979 年）余到山西省亲，一亲友年逾七旬，痼疾缠身，卧病在床月余，邀余诊视。病者面枯无华，头发干枯，眼陷无神，声低沉，语断续，舌干卷缩无苔少津，脉沉细如无，时值夏季而厚被压身。诊罢沉思良久，病体已到阳衰阴竭地步，时离夏至仅 10 日，恐其难过此节气，便告其家人准备后事，果于夏至日酉时病亡。

辛酉年（1981 年）冬本县一教师，每日正午始发高热达 40℃以上，子夜零点寒战而后大汗出热退神安，日日如此两月余，经医数人，中西两法治疗无效。余诊后，认为阴阳失调，阴虚不能抑阳，阳占阴位之故。试投小柴胡合青蒿鳖甲汤，嘱 12 点、晚 6 点服药，3 剂症减，6 剂便愈。

一刘姓农民，每年白露节准时喘息大作，不得卧，到秋分便愈，逐年如此已有 8 年。辛酉年（1981 年）余诊视辨证审时，实属阳气虚、阴阳不能平衡的节令之疾。予桂枝汤合苏子降气汤，每日 12 点，晚 6 点服药，每年白露前一周用比方此法预防，现已 4 年未大发作。

择时服药，就是根据天体时令与人体疾病阴阳运动规律，选择合理服药时间，以提高治疗效果。余体会，阳虚之体欲扶阳在春夏服药；阴虚之人益阴在秋冬服药调养。周期节令性疾病应在应节之前一周服药预防。就一日而言，阳虚之人欲扶阳应夜半子时与早晨卯时服补阳药，阴虚之体欲益阴应午时与酉时服益阴药为宜。调阴阳失调应首用桂枝汤加减，卯酉时服药，治阴阳更替失调疾病应首选小柴胡汤加减，夜半子时与午时服药为好。

用药剂量小议

房定亚

近来，在中药处方中，饮片用量似乎有增大的趋势，不管内、妇，儿、外诸科皆无例外。好像剂量越大疗效越好，是否如此，这是值得研究的！

剂量与疗效：剂量与疗效并不全成正比，有些药物治疗某种病证，其剂量与疗效不仅不成正比，甚至出现相反的效果。如桑叶小剂量有散风清热、发汗的作用、大剂量却有敛阴止汗之功；白术小剂量有燥湿止泻的作用，大剂量确能治老年或产后气虚的便秘；红花小剂量养血，大剂量破血；川芎小剂量使妊娠家兔子宫收缩增强，大剂量反使子宫麻痹。勿须累举，足以说明药物的量变会引起质变。小剂量治病，大剂量也治病，剂量大小是根据病情的需要，不能信手开重剂大方。

剂量与体质：体质强弱和个体差异不同，对药物的耐受程度也不同。《素问·五常政大论篇》说："能毒者以厚药，不胜毒者以薄药"。虽以毒药为例，但也能说明用药剂量与体质有密切关系。我们传统用药习惯是，儿童和老年人的用量应少于壮年，妇女的用量应轻于男子。仅以儿童为例，一般来说，小儿用药量轻，这是由于小儿的体质和生理特点决定的。其特点是，"五脏六腑成而示未全，全而未壮""脏腑柔弱，易虚易实，易寒易热"（《小儿药证直诀》）。根据这种特点用药必须审慎，若有差池，则毫厘之失，遂致千里之谬。所以随手重剂相投，实不应该。

剂量与疾病：病有轻重、虚实之别，一般轻病用量要轻，重病用量要重。因为病轻药重，药力太过，必伤正气；病重药轻，药效不足，不免延误病情，失去转机。虚证多属慢性病，治疗需要调理，一般不必重剂，但属虚证欲脱者，或重病邪实者，则施药剂量倍增，方可化险为夷。所以药量要根据病的具体情况而设，一味大量到底，实不可取。

剂量与配伍：方剂分大、小、缓、急、奇、偶、复、称之为七方，组成按"君、臣、佐、使"进行，也就是说，药物组合有主有次，有辅有使。不管七方或"君臣佐使"组成原则，都表明药物量有轻重之别，在七方中，大、急等方药味剂量要重，小，缓等方药味剂量要轻。可见，组成处方的药味剂量既不是都大，也不是都小，而是分孰大孰小有机的结合。如不同方名的厚朴三物汤和小承气汤，二者药物组成完全相同，但前者重用厚朴旨在利气，后者重用大黄意在攻下，说明处方中每味药剂量的改变，可以改变处方的治疗方向，所以要遵循剂量与配伍间的关系。

总之，用药剂量有一定的原则。用量大小，要依据药物性质、疾病情况、体质强弱、配伍关系等多方面因素，作全面考虑当胸有定见之后，再命药，并决定每味药的剂量。众所周知，量变会引起质变，所以选择药物最佳剂量是提高疗效的重要一环。因此要遵照三因制宜的原则，用药要巧，用量要准，力求恰到好处，切不可恣意增大药量，造成药材浪费和事与愿违的结果。

吐法会扬弃吗

宋孝志

中西医治病皆有吐法。今仅见于急性中毒的急救，催吐促使胃内容物迅速排出，减少毒物的吸收。而如宿食在上，痰涎壅塞，胸上诸实，烦热满闷，本属可吐之征，但采用吐法施治的，实在太少了。

1961年在门诊时，有女性患者鲁某某，年38岁，春末来诊，诉头重眩晕，已7年余，胸中烦满，欲吐不能，饮食无味，大便溏泄，日三四次，形体瘦弱，舌苔黄腻，寸口脉滑而关、尺反迟。查其病历，自1958年11月起，一直在我院门诊，发现其证春末夏初为甚，初秋至冬减轻（秋冬季半月或1个月来诊，至春，夏每隔3日必至），所服方药，均合辨证论治之旨。而药后都不显效。因思寸口脉滑，眩晕欲吐，乃是痰阻于上之征，痰阻则元气不周，故关、尺之脉反迟。法当吐之，遂与瓜蒂散：瓜蒂4.5g（炒黄研末）、赤小豆9g（炒捣粗末）、淡豆豉9g，浓煎如糜，滤去滓，顿服。次日来诊，云其未及服药眩晕更甚，胸中窒热。于是嘱咐她服药后两小时，不吐时可喝杯热开水；若吐得太厉害，就喝杯凉开水；若吐而汗出，须要避风，饥时可喝冷稀粥。切记吐后，饮食都要凉的。第2天患者自述昨日10点煎好药当即服下，到12点左右，即大吐痰涎，色黄而稠黏，眩晕减轻而入睡，醒后腹中大饥，喝两大碗冷稀粥，又入睡今早5点才醒，眩晕已止，大便如常，只是胸中尚微有窒热感。改投栀子豉汤，嘱其如法煎服，如无不适，过七八日再来。七八日后，患者来说：“服了这两付药，七年多的病，完全好了。”张仲景曰：“凡用栀豉汤，病人便微溏者，不可与服之。”此人原有大便日三四次溏泻之症，为什么可用栀子豉汤呢？因此人以前多服补剂，形成气机阻滞，阴阳升降失常，今气机已畅，针对其胸中窒热，故用栀子豉汤，而不会导致溏泻。

吐法本八法之一。《素问》曰：“因其轻而扬之”“其高者因而越之”，基本是指吐法而言。公孙阳庆有郁金吐蛊毒之述，张仲景有“大法春宜吐”之论，

金、元四大医家之一张从正说“其见病之在上者，诸医尽其技而不效，投以涌剂，少少用之，颇获微应。既久，乃广访多求，渐臻精妙”。他对吐法的具体应用，如伤寒头痛，瓜蒂散；杂病头痛，葱根白豆豉汤；痰食证，瓜蒂末（独圣散）加茶末少许；两胁肋刺痛，濯濯有水声（湿在上），独圣散加全蝎。他还说：“一吐之中，变态无穷，屡用屡效，以至不疑”。

回忆1939年时，有周姓教师，年逾五十，新年后七八日，忽患胸满气憋，欲食而不能食，欲吐而不能吐，手足厥冷，急往某医院就诊，医师说须做气管切开术，本人不愿，转求于我。切其脉滑数，知其素患痰饮，近日连续大啖肉腻，是胸中诸实之机，法当吐，与竹节参9g，捣粗末，浓煎顿服。服后约一时许，大吐痰涎，诸症若失，令其糜粥自养。3日后，与六君子汤以治其痰饮。又1941年时，商人王某，男，63岁，形体素盛，于清明时突患痰涎壅塞，气息奄奄，往某医院急诊，经吸痰后，稍有缓解，医生提出必须切开气管，方可取净痰涎，患者与家属均不愿手术，返家邀余往诊。余诊其脉急促，询其因，言扫墓时，醉饱后而遭雨淋，当即胸膈气逆，继而痰阻，予藜芦钱半，捣粗末浓煎服之，服后涌吐而病已。此2例一虚一实，都是一吐而愈，避免了手术之苦，且缩短了病期。

综上所述，吐法还是可取的。但是近数十年，无论医家病家，对吐法往往存在顾虑，置之不用。病常有自呕自吐而为顺证者，医家若不因势利导，逆其病机而急欲止之，酿成坏病者，实不乏其例，可兴浩叹。但临证运用吐法的要点，必须得其时（大法春宜吐），得其机（大法病在上宜吐），了解其人，结合其证，选方遣药，才能恰当。尤其要注意吐后宜忌，如避风寒，慎起居，一二日宜凉饮食，糜粥自养等，调理得当是能取得预期疗效的。

苦寒泻下治急症

吉良晨

解放初期，北京某营造厂经理办喜事，李会计为此走前跑后忙碌异常，由于过度劳累，晚间突觉下肢沉重且肿，拘急乏力，扪之热痛难忍，不能步行，须人背扶，无奈烦人用三轮车拉来急诊。其人素体肥盛，诊时紧锁双眉，面现痛容，问其口苦无味，夜不得寐，大便五六日未行，舌苔白黄厚腻，脉来沉滑而数。审系湿热下注，经络阻滞，筋脉拘急，阳明痹痛之候。法宜清化湿热以柔筋脉，遂予条黄芩12g、宣木瓜12g、生白芍9g、生甘草6g。

制方目的，用芍药、甘草柔筋缓急以治其痛；条黄芩泻胃肠实热以祛其邪；

木瓜化湿舒筋止挛以解其肿。药后疼痛稍有所减，但下肢沉肿疼痛难以着地，呻吟不已，脉证如前，未见起色。思之再三，认为芍药、甘草虽能柔筋缓急，是为阴血亏虚，筋脉失养而设，酸甘化阴对湿热下注所致拘急肿痛有碍；木瓜虽能祛湿舒筋，主治“湿痹脚气”，然究属酸温之品，用于湿热无益。

此证前方用药不当，故病痛未见速效，而反增剧。盖湿热不去，痛重拘急势必不减，经络闭阻肿热难除。“痛则不通，不通则痛”，治则当以“通则不痛”，非苦寒泻下通行肠腑不足以攻遂病邪。改易泻心法，拟川黄连6g，条黄芩9g，生大黄12g，轻煎急服。

药后半日许腹中作痛，肠鸣漉漉，随下腐秽恶臭粪水5次，肿消痛解，已能步行，病去八九，舌苔显然见薄，黄色亦退，脉转沉滑。二煎以后又顿泻两次，尿亦增多，复如常人，后嘱用生薏苡仁30g，煎浓代茶，连饮数两诸症皆瘳，未再复发。

薏苡仁甘淡微寒，善能除湿止痛，缓和拘挛，又有补益脾胃，清化湿热之功，善后调养用之得当甚有好处，然不可久服，因终属淡渗之品，损伤津液。黄芩、黄连、大黄本为《伤寒论》大黄黄连泻心汤方，后世多以三黄泻心称之，为苦寒泻下之剂，用之对证其效甚速，正如宋·林亿所说：“尝以对方证对者，施之于人，其效若神”，此语并不夸张，余常以此作为临证座右铭。用平淡无奇之苦寒三黄治疗湿热痹痛急症，夺得如此效验，是余终生用药不忘之事。

寻常药也能急救

宗修英

先父宗维新早年开业时，有邀出诊者云：患妇症危，速去急拯。予父随之急往。至其门，闻哭嚎喧嚣，料已病逝。邀医者称：患妇青壮，素体康健，甫病二日，量不致死，冀能挽救于万一。父入室中，见病妇已卧正寝，床头焚化冥银，环室老幼，捶胸顿足，哭号聒耳。扪其手足已冷，胸脘微温，唇青目瞪，额头汗出。诊其脉已不可得，细细循之，重按至骨，乃隐约可见。再启其齿，痰即溢出，黏连而下。急令家人速购竹沥4两。拭去痰涎，徐徐灌下，痰浊时时涌出，再拭再灌，约进两许，喉中痰鸣，鼻翼微动，药方进半，患妇呻吟，周身微汗，举家欢呼雀跃。遂开给清肺化痰之剂，病即霍然。师兄请问其由，父曰：“患妇素健，甫病二日，邪气方炽，正未必虚，恐属邪气内闭，导致暴厥之候。待诊其六脉沉伏，口中痰涎，证属痰热郁闭，肺气膹满，不得宣降之实证无疑。故先用竹沥清热豁痰，以救其急，如再误片刻，当可窒息。竹沥乃临

证常用之物，用之得当，亦可力挽狂澜。”

（先父宗维新为北京已故名医，行医五十余年，曾任北京市中医研究所顾问、北京中医医院内科主任、北京中医学会理事长）

野菜妙用

|曲溥泉|

余童年生长于蓬莱农村，家道少裕，赖父辈业医为生，幼受熏陶，对医道早怀好感。山地多野生药草，有的常供食用，每值冬去春来剪剪轻寒季节，则在村头地边挖拾苦麻菜根佐食，其根屈曲细长颇类黄连，苦味殊浓亦苦连，洗净蘸黄酱伴餐，能开胃进食助消化。苦麻菜亦名“苦麻”，“苦菜”，“苦菜花”，我乡俗称“苦丁子”。掘主根后余根仍滋生，待叶出繁茂，则采集洗净，亦蘸酱生食，或置瓦盆内揉碎，放入生黄豆细粉作成丸子煮食，既苦又香，可饱食充饥，故乡人喜啖之。

考苦麻菜不供药用。药用者是败酱草，俗名“屈麻菜”。昔日北京春季街头多摆摊或提篮叫卖者，人们购而蘸酱生吃者多，俗谓能去火，亦颇喜食。苦麻菜苦味亟浓，大有清热解毒、去瘟毒、消肿散瘀，又能通便之功，春日食之，使体内毒热少生，从而减少春温时病之发生，有一定预防作用。回忆童年我乡里患时行热，病者殊少，盖与本菜有关。

另有蒲公英，我乡俗名“婆婆丁”，遍地环生，乡人亦喜食其叶，生熟皆可蘸酱以佐餐，味不苦很好吃，也能拌粮蒸食充饥。蒲公英入药，消肿散瘀，清热败毒，治痈肿疮毒颇效。乡人多用鲜根、叶洗净煮食，以治各种火毒疮疖，并取其鲜根、叶生捣泥状外敷于未溃疮疖面上，内服外敷，不日肿消疖散而愈，真验方也。

至于车前草，俗名“道道车”，房前屋后，路边村头，到处皆有，暮春或初夏，乡人采其较嫩鲜叶放入开水一焯，挤净水分，切碎为馅，作“蒸包”或“菜团”食之，亦颇有一番滋味。此草清热利湿解毒，鲜者尤佳。

入秋以后，则小蓟俗名“刺儿菜”当令，乡人多采集，但必须煮熟后当菜或做馅吃，若放入玉米面（当然白面更佳），搅拌蒸食，其充饥代粮尤胜一筹。小蓟入药，凉血止血，清热解毒，有良好作用。药用皆干品，而鲜者效用尤佳，常见农村有鼻衄或尿血便血者，取鲜“刺儿菜”煮后连汤带菜大量饮服，效如桴鼓。

余如马齿苋之蒸炒作菜作馅，柳树鲜嫩芽煮熟水浸 2 小时后伴韭菜作饺子或包子馅，既好吃又能疗疾。马齿苋清肠解毒，治痢疾甚效，柳树芽味苦清火，能发散血分毒热。能供食用之野生药草还很多，兹不一一列举。

余受童年影响，居京46年来，每届春会，即去北海、中山公园、地坛等处，挖采苦麻菜、蒲公英作菜吃，家人亲友多分而食之。“春天去去火，一年少生病”，一年之计在于春，此之谓欤？

当前食疗方兴未艾，在普遍注重食物营养、治疗研究之余，是否也研究研究野生药草之食疗价值，或变野生为人工栽培，充分利用广泛天然资源，为防病、祛病，保健强身，开创新路，为人类健康造福。抛砖引玉，愿供一试。

通补得失

曲溥泉

人们欢迎进补，“闻补则喜”，或谓病虚，或谋身健，觅医求药，多方营取。孰知药本疗疾，非补人也。所谓补者，补阴阳、气血之亏损，脏腑功能之减衰，补偏救弊，随时而中，贵在医者识病之虚损程度，审证探因，区别对待。“苟犯其忌，参术不异砒硇，用得其宜，硝黄可称补剂”。故不可舍病情之虚实寒热于不顾，徒执补剂以迎合，从而酿成药物浪费，尤且贻误病机，害莫大焉！

补剂非温热即滋腻，病情需要则用当，无疾滥施，易化火、助湿、生痰、蕴毒，诱发他变。若更加“膏粱厚味”，醇酒浓茶，恣用无度，恙根夙潜，一旦外邪相引，七情有伤，必致疾发猝然，有识者宜未雨绸缪，防患于未然。

与补益相对者即通下，人们多“闻攻下则忧”，积习使然也。通下实具深意，临床多验，余素苦便秘，大肠积热蕴毒相因，曾突发化脓性阑尾炎，几致溃破，手术愈后，便秘复加，因常隔3～5日服木香槟榔丸9～12g，每大便缓下2～3次，则腹畅食舒，无不良反应。余年已花甲，常进通下而不尚温补，固体质禀赋有殊，亦说明通下之妙用。回忆解放前有以独味大黄制成“三友补丸”，“通补丸”者，变通下为补益，以治当时“日缅珍馐”，滥服温补造成之“富贵病”，颇具疗效，乃不径而走，营获巨利，更有吸鸦片而烟粪呈球状燥结，常服麻仁滋脾丸得缓通，此皆通下见奇功。前人有云“若要长生，肠中常清，若要不死，肠中无屎”，近人有谓“肠以畅为补”，皆经验之论。

今生活提高，三餐务精，营养丰富，更有常服高级营养补品者，故有人提出要警惕“富裕病”，亦客观存在。俗云：“鱼生火，肉生痰，豆腐豆芽保平安”。余非非薄厚味营养，盖五谷杂粮，水果蔬菜，要适当搭配，减少高脂肪、高胆固醇食物之摄取，此不独对老年人相宜，对中青年人亦可防病，何乐而不为。

“上工治未病”，苟能处之得当，则湿热少生，脏腑安和，阴阳和平，病何由生，此不特补药为之节省，即具荡浊逐秽之大黄“将军”亦退避三舍，无用武之地矣。通补殊途，孰得孰失，宜三思之。

食补为先

陈文伯

历代医家，善补者，均以食补为先。

“精气夺则虚”，凡是虚证病人，其正气均受到不同程度的损伤，其治法宜缓不宜速，而缓治之法，理想中的药物，首推“谷肉果菜”之品。以食物作为补品，其优点就在于既能补充人体之营养，又能治病驱邪。只要饮食得当，一般没有毒不良反应。如食用海藻、昆布治疗“瘿”病，食用羊肝治疗雀盲眼病，谷白皮煮汤熬粥食用治疗脚气病，食用猪胰子治疗消渴病等，至今尚有实用价值。由此可知，古人所说“善用药者，使病者而进五谷，其得补之道也”是有其科学根据的。这就不难理解“医补不如食补”这句名言为什么至今还广泛流传于民众之中。

笔者在二十余年临床实践中，以食补治病，也深有体会。如一例年近七旬高龄患悬饮未愈而极度虚弱（胸膜炎合并心力衰竭）的病人。患者惟恐病故于医院，而自动出院，卧床在家危在旦夕，其家属急邀我出诊。查其面色苍白，目陷无神，闻其语声低微，咳而无力，卧而稍坐起，则喘喝欲脱，诊其脉细如丝，数而无力，疏密不匀，舌淡，根部有少许的白腐苔。其证属正气衰败，悬饮内停，勉拟西洋参30g切片舌下含化，日服数次，并嘱其每日以莲子肉、薏苡仁、小枣、白米煮粥少量进食，病情如有好转，可再以鲜山药代食进补。调治月余，患者骑自行车，行数里来院致谢，经询问已去某医院复查，悬饮已除，正气已复。

后又治一例老年痰喘病人，时年五十余岁但喘症已有三十余年病史，患者诉说：每年间断服用中西药物，但痰喘之症，有日益加重之势，稍事活动喘促不安，虽服化痰之药而痰涎难去，近日每至夜间难以入寐。证属脾肾不足之虚喘。嘱其每日加服鲜山药60~100g以代食用，服后喘减痰少一夜眠安，患者大喜，每日坚持进食鲜山药100g左右，月余再诊之时，精神转佳，夜寐则安，痰涎已少，喘息已平，致谢时，连连称赞，此为妙法！山药补而不滞堪称健脾益肾之良药，脾健则痰源可去，肾充则纳气归元，痰去，肾充则神安，正复神安则喘症可平。

十几年前，治疗一例婚后10年流产4胎的中学教师，当时又已身孕2个月，诊其脉细滑，尺脉弱，时有腰酸下坠，纳呆，食少，神疲、嗜卧。服数剂中药诸症稍有好转，但腰酸纳少之症未除，其脉如前，知其脾肾不足难以速效，当用健脾益肾安胎壮子之补法。嘱其每日以鲜山药进补，以饱为度，有时日进半斤许，服至数月后，饮食倍增，精力充沛，延期半月余始生一男孩，体重7斤，时至今年已足14岁，体壮智聪，发育优良。

笔者家乡一农村社员来函求医，诉说十余年来每至夏秋季节，稍遇寒凉，则腹泻数日不止，间服中西药，时泻时止，未能痊愈，以培土止泻法，随即处方：大枣250g、老枣树皮30g、山楂60g，焙干研细面，每次服3g，日服3次，姜糖（红）水送服。一料服尽至今没有大犯，时有过服寒凉食物而致腹泻，只须服用上药二三日可止。

近期又以麻雀、韭菜子为主烹调成“合雀报喜”之佳肴，治疗40例男性不育症患者，服用1个月后，主证脉象均有好转，精子数量上升者占85%以上。如其中1例因为Y型精子断裂致其妻身孕3胎均未成活，进补“合雀报喜”1个月后，经查精子正常。再有1例病人进食“合雀报喜”1个月后，腰痛，乏力诸症悉除，精子数量成倍增长，2个月后其妻已有身孕，经妇科B超检查，胎位、胎音均正常。

“食补”这一宝贵遗产，必须加以发扬光大，今后要重视在医疗实践中不断地总结“食补”治疗经验，使之更加系统化、科学化，让祖国医药学这一瑰宝在国内外更加光彩夺目。

误服补药乃自伤

王惠英

误服补药给人们带来的不适或痛苦，临床上时有发生。这里介绍1例胃痛误服温中益气病案。

病人系中年男性，经常胃痛（胃肠钡餐诊为十二指肠球部溃疡），到某院服中药治疗。该院正用黄芪建中汤加减治疗溃疡病疗效观察，也给此病人服用本方。病人服药3天后突然感觉头晕目眩，如坐舟车，旋转不定，耳鸣如潮声，恶心，烦急，又到某院急诊，内科、五官科检查无异常发现，给予对症治疗，药后症状逐渐减轻，又继服治溃疡病药，2剂后，再次出现上述症状，另有大便干、两日未下、小便黄赤，舌边尖红，苔黄厚腻，脉弦滑有力。请我帮助治

疗。我诊为湿热郁蒸，中焦阻滞，嘱其停服前药，投以清热利湿，化浊导滞，效三仁汤合凉膈散加减：生薏苡仁 15g、豆蔻仁 6g、半夏 10g、厚朴 10g、枳实 10g、黄连粉 3g（冲）、栀子 10g、藿香 10g、佩兰 10g，滑石 10g，竹叶 6g、酒大黄 6g，3 剂药后，上症消失，随后根据其脉、症，改依辨证治疗其胃痛。

本例由于湿热交阻，脾胃失调所致胃痛，医家未辨其证，误予甘温益气之品，蕴其湿，助其热。湿热上蒸于头，清阳不得发越，乃见头晕、目眩、耳鸣。湿热阻滞，中焦不畅故恶心、烦急。此乃医家之过也。据此可见不辨其证而擅用补药饵，实乃弊多利少。

浅谈“虚不受补”

| 郑春元 |

“虚不受补”之说，即患者体虚，而不能接受补药之谓也。细析之，体虚有阴、阳、气、血之不同，又五脏均有阴阳，而虚者以肾阴（亦称真阴）不足为主也。肾阴乃人体津液之根本，有濡养脏腑的作用，可影响其他脏腑之阴，所以古人说“一阴虚而诸阴俱虚”也。真阴不足日久可表现为阴虚、血虚、更兼气虚，或阴阳俱虚等复杂证象。治疗大法虽云“虚则补之”，但温热药均不能接受，药性略温，即感“上火”而出现热象，此热药重伤其阴之故。

如虚不受补之体，又患虚性肾病，则桂、附等温热药不可用（用少量以引火归元者例外），只可用平补、清补之品，如生地黄、天冬、麦冬、石斛等，缓缓调补之。又患脾胃病虚不受补之体，如人参、党参均不可用，条件好者用西洋参，条件差者可用太子参；白术较燥，而用焦白术；扁豆健脾，嫌其壅气，改用扁豆花，其他亦多用花，如佛手花、厚朴花、代代花、玫瑰花等。四物汤为常用补血名方，但熟地黄黏腻而滞膈，白芍酸寒而伤胃，川芎易上行头目，故四物汤不可用，而以功兼四物之丹参代之。又鲜药治此类病，更为适宜，如鲜麦冬、鲜生地黄、鲜芦根、鲜茅根、鲜枇杷叶、鲜荷叶、鲜竹叶、鲜藿香、鲜佩兰等，疗效显著，而又气味清香，患者亦喜服用也。

如胃肾阴虚，而现食欲不振、口渴、气逆等症，用鲜石斛以清养胃肾之阴，能立增食欲。又如黄精、玉竹，二药功用近似，能“补中益气，安五脏，益脾胃，润心肺”（《本草从新》），则四季均可用之，而无弊也。

治慢性病用药之量宜轻，服药见效后，逐渐加大药量，此治病之必然法则。治疗虚不受补之人，更当如此。观过去名家医案之用药量甚轻，而收效理想者可知。如有些慢性病患者，初服药见效，稍久则效反不著，皆开始即全力以赴，以后无增援余地之弊也。

以上浅谈，乃先师李稚余老大夫治疗虚不受补患者用药之大略，然患者虚不受补之程度及症情各异，吾人当师其意，而临证灵活用之可也。

补剂当慎服 | 杨嘉进 |

去年春，我曾治愈1例阳痿患者，32岁，因生活不规律，又好食肥甘厚味，嗜好烟酒，两年前患了阳痿。患者认为这是身体虚损的表现，因此加强营养，同时多方求医，短期内服用了大量的补肾壮阳之品，结果非但不效，反逐渐增加失眠多梦、头昏沉重、精神不振、食欲不佳、食后呕恶、大便不爽、小便不利、阴囊湿痒等症状。由于阳事不举，婚后数年无子，因此来京求治。自述西医曾诊断为“神经衰弱”“前列腺炎”。患者就诊时，除上述症状外，可见身体肥胖而不灵便，面色晦滞，舌红苔厚腻、微黄，脉濡细。由于患者平时恣食肥甘厚味，加之烟酒无度，导致湿热内蕴，下注肝经，阻滞气机，宗筋失养，酿成阳痿。此时应清利肝经湿热，该患者反误服大量温肾壮阳滋补之品，滋腻助湿，温阳助热，使湿热更加亢盛，而弥漫于三焦。湿热扰于上焦，则出现失眠、头昏沉重；困于中焦则纳呆、呕恶；滞于下焦则二便不爽。因此旧病未已，而新病又起。遂要求病人停服一切补剂，戒烟戒酒，饮食要清淡，并予以龙胆泻肝汤加减，清利其肝经湿热。患者返回其家后，继续信件咨询和治疗，阳痿痊愈，其他症减。并于年底喜得一子。

滥用滋补而致病者，临床屡见不鲜。人们为健康长寿盲目地服用各种滋补药及药物食品，不仅无益，反而有害。医者切不可投其所好，否则将酿成大害。

论桂枝汤加减变通之妙 | 袁鹤侪 |

中医治病，辨证立法宜详实切当，遣方用药，君臣佐使要主次分明，其尤为第一要者，则只求中病，力戒庞杂是已。惟后人之立方，往往求顾全周到，而蹈冗杂之弊，此不识经旨之故也。仲圣制方之所以可贵，亦在于此，试就桂枝汤加减变通以证明之。

桂枝汤为解肌之方，故桂枝、芍药并重。

桂枝加桂治奔豚气。

桂枝倍芍药治太阳病误下，腹满时痛。（本太阳病，医反下之，因尔腹满时痛者，属太阴，此方主之。）

桂枝加大黄汤治太阳病下后大实痛者。

桂枝去芍药治太阳病下后脉促胸满者。

桂枝加附子汤治过汗伤阳。（太阳病发汗，遂漏不止，其人恶风，小便难，四肢微急，难以屈伸者，此方主之。）

桂枝去芍药加附子汤治下后脉促胸满微恶寒者。

桂枝附子汤即桂枝加附子汤去芍药，桂枝加30g，附子加2枚。治伤寒八九日，风湿相搏，身体烦痛不能自转侧，不呕不渴，脉浮虚而涩者。

白术附子汤为前方去桂枝加白术12g，治伤寒八九日，风湿相搏，身体烦痛不能自转侧，不呕不渴，脉浮虚而涩，大便硬，小便自利者。

桂枝汤倍芍药加胶饴1L，为小建中汤，治脉阳涩阴弦，腹中急痛者。

桂枝人参新加汤治伤寒发汗后脉沉迟者。

桂枝去芍药加茯苓白术汤治：服桂枝汤或下之，仍头项强痛，翕翕发热，无汗，心下满微痛，小便不利者。（按：本方多作去桂，依《医宗金鉴》之说，当是去芍，今从之。）

桂枝加葛根汤治太阳病，项背强，反汗出恶风者。

桂枝加厚朴杏子汤治太阳中风，气逆作喘者。

上述14方，皆以桂枝为主方，而加减变通之间，所治各异。桂枝汤以桂枝、芍药分治荣卫，卫出下焦，太阳火弱而卫虚者则加桂；荣出中焦，脾阴不足而荣虚者则倍芍药；下焦阳衰而寒甚者则加附子；中州阴虚而邪热者则加大黄；湿盛则加茯苓、白术；荣虚则加人参；项背强则加葛根；气逆作喘则加杏仁、厚朴。加减只一二味，而所治迥异，此古方运用之妙，学者宜于此等处留意焉。

当归四逆汤治验

颜正华

本方出自《伤寒论》，原治厥阴伤寒，于足厥寒，脉细欲绝之证。因厥阴主肝，肝主藏血，血虚阳衰则见上述证候。方中以当归为主，辛散温通，散寒通脉，且甘温能补肝血；辅以桂枝、细辛、木通以散寒邪、行血脉；芍药、大枣补虚益血；甘草调和药性，故为治上述证候的有效方剂。笔者曾以本方加减，治愈1例肢体凉麻的顽固病症。述之如下：

患者，男性，46岁，北京市某厂工人。因工作关系，经常接触冷水，住房也比较潮湿。于1979年4月初始觉手脚麻凉，甚则疼痛，以后逐渐加重，严重时手脚不能抬举，握拳困难。夜间往往因手足凉麻不能入睡，或入睡后又因凉麻致醒，十分痛苦，精神负担很重，不能正常工作。

治疗经过：初起时在本厂医务室治疗，注射维生素B_{12}三十余针，又吃木瓜丸，每日2丸，共2个月，不见效果。后至某中医院治疗，改服汤药配合针灸1个月，也不见效。凉麻继续发展，上至头部，下至大腿，都有凉麻感觉。又至某医院检查，拍摄X线片不能确诊。给服中成药木瓜丸、活络丹等，仍不见效，遂来就诊。

初诊，1979年6月3日。患者四肢发凉发麻，两手较重。甚则疼痛，有时凉麻至头部及两腿，怕冷，影响睡眠。饮食二便正常。脉濡缓，舌质较淡，苔薄白。证属寒湿外袭，损伤阳气，血行不畅，脉络阻痹。治以温通行血，散寒除湿。用当归四逆汤加味。处方：当归15g、桂枝10g、赤芍10g、细辛2g、木通10g、川芎10g、红花10g、鸡血藤30g、大枣5枚、炙甘草3g。6剂，每日1剂，水煎服。

二诊，6月17日。服药后症状减轻，说明药已中病。原方去细辛，加熟附子10g、羌活、独活各5g，以增强助阳散寒湿之力，10剂，服法同前。

三诊，7月1日。症状续减，原方继服10剂。

四诊，7月15日。自述服上药后，症减大半，仍以原方再进6剂。

五诊，7月27日。患者因故未按时就诊。自述服完上药后，照原方又服6剂。现手足凉麻均已消失，睡眠正常，精神好转，诊脉缓弱，舌体仍胖，有齿痕，说明寒湿之邪渐去，正气尚需扶持。改用益气助阳，行血通脉，兼祛寒湿法，以巩固疗效。处方：黄芪20g、当归15g、赤芍10g、桂枝10g、川芎10g、鸡血藤5g、红花10g、苍术、白术各10g、熟附子10g、炙甘草3g、茯苓10g。改为隔日1剂，共服10剂，水煎服，早晚各1次。

12月30日，患者带其爱人来治崩漏病，告知身体已完全恢复，正常上班。

结语：本例因受寒湿，损伤阳气，血行不得流畅，所以肢体凉麻。初诊用当归四逆汤加红花、川芎、鸡血藤等药，旨在温通行血而去寒湿。服药6剂，即见功效。后在这一基础上，去细辛加附子、羌活、独活，更增强了温通助阳去寒湿的作用，共服30余剂，手足凉麻已消失。再用益气助阳，补血活血，兼祛寒湿法，在原方中去羌活、独活、木通，加黄芪、苍术、白术、茯苓等药，又服十余剂，达到巩固疗效的目的，终于使顽固之证得以痊愈。

论“芪附”“术附”“参附”三方

|袁鹤侪|

喻嘉言论“芪附”“术附”“参附”三方曰：黄芪30g、附子15g，名“芪附汤”；白术30g、附子15g，名“术附汤”；人参30g、附子15g，名“参附汤”。三方皆治自汗之症。审其合用何方，煎分三次服之。其卫外之阳不固而自汗，则用“芪附”；其脾中之阳遏郁而自汗，则用“术附”；其肾中之阳浮游而自汗，则用参附。凡属阳虚自汗，不能舍三方为治耳。

然三方之用大矣。“芪附”可以治虚风，“术附”可以治寒湿，“参附”可以壮元神，三者亦交相为用。其所以只用二物比而成汤，不杂他味者，用其所当用，功效若神。治自汗一汤，不足以尽三方之长也。以黄芪、人参为君，其长驾远驭，附子固不至自恣。术虽不足以制附，然遇里虚阴盛、寒湿沉锢，即生附在所必用，亦何取制伏为耶。

谈黄芪鲤鱼汤

|聂莉芳|

鲤鱼汤治疗水肿在《肘后方》《千金方》等医籍中已有记载，但方名虽同而配伍用药不尽相同。一般多以鲤鱼为君，辅以茯苓、白术、泽泻之属，用以健脾利湿消肿。黄芪鲤鱼汤的药物组成与前人方中有所不同，为了以示有别，故在鲤鱼汤前面冠以黄芪二字。其药物组成为鲤鱼一尾（250g）、黄芪30g、赤小豆30g、砂仁10g、生姜10g，先以适量水煎药，30分钟后将去内脏并洗净后的鲤鱼放入药锅内，鱼药同煎，不得入盐，开锅后以文火炖40分钟，取出即得。

本方为食疗方，可配合药物治疗。适用于脾肾气阴两虚，以气虚为主，水湿内停的肾病水肿患者。临床表现如：肢体浮肿，尿少色清，神疲乏力，大便溏薄，纳差呕哓，舌淡胖嫩，边有齿痕，苔薄白，脉沉弱。患者水肿较甚时，应在服用利水中药的同时，配合本方。一旦肿退或留有微肿时，则可单进本方以善后调理。方中黄芪在水肿明显期应以生者为宜，转入恢复期则以炙黄芪为佳。

余曾治一中年女性肾病水肿患者，全身浮肿，尿少8年余，并伴有神疲乏力，腹胀便溏，纳差呕恶之症，入院后经较长时间运用健脾利水方剂，尿量渐增，出院时仍有微肿，乏力。嘱其间断服用补中益气汤，并常服黄芪鲤鱼汤。后患者函告，出院后4个月中遵嘱服药，仅鲤鱼就吃了四十余斤，不但肿消神振，且体力恢复较好，复查有关血尿或肾功能理化指标亦转正常。

余后又用于脾肾气阴两虚，以气虚为主，水湿内停的肾病水肿患者，用一般常法利水，效果不显时，配用本方，则尿量明显增加，促使水肿消退，且部分患者尿蛋白减少或转阴。如曾治一青年女性肾病水肿患者，反复浮肿、腹胀、尿少已10个月，面色唇爪苍白无华，全身高度浮肿，神疲乏力，腹胀便溏，纳差呕恶，生活不能自理，胸憋气短，经停4个月，舌淡苔薄白，脉沉细无力。入院初期，曾用行气利水及温阳利水诸剂，尿量不增，肿势不减。同服黄芪鲤鱼汤，十余天后尿量渐增，随之水肿消退。出院时面色红润，神振纳香，大便转稠，步履自如，月经已行，同时理化指标亦全部转为正常。

本方选鲤鱼、黄芪，既能启上源，又能助脾运，故能补气运阳以利水；赤小豆活血利水；生姜能温胃散水，和胃降逆；砂仁醒胃化浊。诸药合用共奏益气，活血，利水，和胃之功。部分患者服用本方后，尿蛋白减少是与黄芪的补气升阳作用有关，因肺脾之气得补，治节有令，升降复常，清者升，浊者降，各行其道，肿势可消。

香白芷与都梁丸

|吉良晨|

中药白芷为芳草类，属伞形科植物，多年生草本，根供药用，以条粗壮、体重、粉性足、香气浓郁者为佳。《神农本草经》将其列为上品，别名白茝，芳香，泽芬，因有特殊浓厚的芳香气味，故称香白芷。由于产地不同，又有川白芷、杭白芷、亳白芷等名称。性味辛温，无毒，入肺、胃、大肠三经，有祛风胜湿、生肌止痛、芳香通窍的作用，善治阳明头目昏痛、眉棱骨痛、牙痛、鼻渊等证，然其性多升散，凡阴虚、火郁、血热有浮火者用之当慎。

白芷的用途很多，如《百一选方》之都梁丸、《妇人良方》之白芷散、《济生方》之苍耳散、《证治准绳》之白芷汤、《丹溪心法》之芎芷散，以及后世的清眩丸等方均有很好的疗效。都梁丸即以香白芷一味蜜丸，成为治头痛的有效的经验良方。在北京曾有一国际友人患高血压症，经常前额及眉棱骨痛，虽服西药血压下降，但头痛未愈，且每当遇风则疼痛加剧，诸药不效。后经一老中医诊为阳明头风之证，处以都梁丸，头痛逐渐好转，患者甚为欣慰，随即在阜

外赞育堂中药店大量购买都梁丸以备回国服用。

据《本草纲目》引王璆《百一选方》云："王定国病风头痛，至都梁求明医杨介治之，连进三丸，即时病失。恳求其方，则用香白芷一味，洗晒为末，炼蜜丸弹子大。每嚼一丸，以茶清或荆芥汤化下。遂命名都梁丸。其药治头风眩晕，女人胎前产后，伤风头痛，血风头痛，皆效。"

考都梁，县名，汉侯国，后汉置县，隋废，故城在今湖南武冈县东北。王璆，宋人，撰《是斋百一选方》一书，是斋为其号，其人非医，惟家藏良方甚富。杨介，字吉老，宋泗州人，为世医，名闻四方，著有《四时伤寒总论》《存真环中图》等书，《古今医统》《春渚纪闻》均有记载。

金元李东垣云白芷"其气芳香，能通九窍"，李时珍亦云"芳香上达"，可见白芷的芳香上行通窍之能甚捷，乃佳品也，故善治头面诸疾用之效著。

余在少年常游故都隆福寺，每当庙会则多有卖"香面"者（香面为多种香料组成，售者当场磨挫香药），其中即有白芷，云能辟秽浊，除瘟疫。总观白芷效能有四，一治面皯瘢疵，二治皮肤瘙痒，三治眉棱骨痛，四治牙痛鼻渊。上论"香白芷与都梁丸"乃杨吉老用白芷之验案，至今传为医话，此"都梁"命名之源也。

用药杂谈

田从豁

脾胃为后天之本，调理脾胃是治病大法，选方用药时常佐以谷芽、麦芽各30g，谓之轻药重投，或用主方之汤液送服保和丸、越鞠丸等，往往收到较好的效果。

大黄、芒硝虽然峻猛，但伤人速而浅，惟熟地黄、麦冬、五味子等性腻，用之不当，往往伤人重而深，应当慎用。

生石膏治阳明内蒸之热，虽言能解肌，但无汗时用之，一定要佐以宣通之品，如葛根之类。关于生石膏的用量，有人提出用则30g以上，少则无效。这在治疗高热、大渴引饮、面红目赤者是完全必要的，甚者可以用至120～240g，但应先煮水，用此水再煎其他药，才能起到应有的作用；但治疗杂病，用生石膏10～12g，清火也有很好的效果。

凡治伤风外感，应佐以鲜石斛15g，能生津而保阴，此仿《伤寒论》中，仲景用人参之意也。

娑罗子治胃痛，寒热虚实皆可用，夏季用香薷，犹如冬季用麻黄，凡夏季恶寒者非香薷不能解，它较藿香力猛，主要用于夏季。

临证用药一得

张秀琴

先师施今墨先生临证善用对药，对咳嗽一证，尤喜用白前、前胡、紫菀、苏子、桔梗、枇杷叶、杏仁。我将其编成一句话："白前菀（院）子桔杷杏"。这是由桑杏汤、止嗽散等方化裁而成。对由表里寒热燥湿所引起的咳嗽均可用，若外感者加桑菊饮；肺热者用麻杏石甘汤；肺阴虚用清燥救肺汤；痰湿射肺兼有哮喘用小青龙汤等。上述方药中筛选用药，充分体现理、法、方、药之临床运用的系统性。又如大便脓血，下利不止或水泻，小儿则虑其脱水伤津。临床常用葛根芩连汤或白头翁汤，在此方中加白扁豆、炒薏苡仁等，既有健脾止泻之功，又无助邪留滞之弊。若用白术、党参则有助邪留滞之虑，我体会这就叫方药法度严谨，亦有时在主方中加辅助的药，常有双关作用，亦可称为巧。

论中药黄芪、当归、贝母等

袁鹤侪

黄　芪

味甘性温平，为益卫气、扶卫阳之要药。盖卫气出于下焦，《内经》谓：卫气者，所以温分肉、肥腠理、充皮肤、司开阖者也。黄芪能实卫气，与桂同功。但甘平与辛热为异耳。故桂能通血脉而破血；黄芪则益卫气，能止汗亦能发汗。

又谓其益胃气者，盖谷入于胃，化气以传于肺，五脏六腑皆以受气，而肺又为气之统也。经谓：卫气先行于皮肤，先充络脉，络脉先盛，故卫气已平，营气乃满，而经脉乃大盛。经又谓：冲脉者，经脉之海也。即营气之化，经脉之盛，并纳于冲任者，皆根于卫气之充。故黄芪之益表气、通阳和，即以滋阴而和经，俾藏于冲任而达之命门，以归元阳。其疗诸虚者，以此也。

本草经谓其治痈疽久败疮，排脓止痛，大风癞疾者，卫气不充于皮肤也。黄芪益卫气，故能医以上各症。

卫实于表则汗自止，阳虚受表邪不能外达者，得黄芪则阳气足而邪得汗解。

故黄芪亦能发汗。如补中益气汤中，佐以升麻、柴胡，而能治阳虚外感也。

又阳虚下陷，则阳不得正其治于上，阴即不得顺其化于下，故前贤治膀胱有热，尿血不止者，有蒲黄丸。方中用黄芪以补下焦之卫，俾其下陷之阳得以上升。而以生地黄、麦冬等养阴以清其热，始得合而奏功。是则不止用黄芪以补虚，固亦借其升阳以达表，而后水府之热得以投清寒而除之也。小便不通时，用黄芪亦此意也。

白术、薏苡仁、山药、莲子、白扁豆

白术、薏苡仁、山药、莲子、白扁豆皆能健脾，但功用不同。白术去湿以健脾；薏苡仁去湿之力逊于白术，而随风药则通行经络而去风湿，又为白术所不逮。山药则益肾脾之阴以补益中土。脾肾虚而作泻者，则宜用山药而不宜用白术。若用白术则转伤脾肾之阴。亦不宜用薏苡仁，倘用薏苡仁，其流弊同于用白术。莲子益中气而清心神，同山药治虚泻甚为相宜，同扁豆用治暑泻亦善。白扁豆则利中枢升降之机，俾清升浊降，吐泻可止，是治湿热吐泻之病，为其专长，而非他药之所比拟也。

当　归

气味辛温，为血分之要药。入心、肝、脾三经，以心生血，脾统血、肝藏血也。血虚则三经俱病，且经脉不充，血气必少而寒生，是则虚寒为病也。得当归之辛温（或谓其苦温）能补血而生气。脉经充满则虚寒无所留。本经谓其主欬逆上气者，以虚寒而病致此者。倘因于热而欬逆上气，投之以当归则气逆当更甚。盖当归煮汁，能益中焦之汁，俾资化血，其补血之功以此。

又：四物汤以当归为君，或谓当归辛温，有如春气，故君四物。川芎、芍药、地黄各合于夏、秋、冬三气，合组成方，为补血之妙剂。川（四川）产者力刚，宜于攻；秦（秦州）产者性柔，宜于补。

又：当归头能止血，尾破血，身补血。若全用则能止能破，适足以和血。张元素谓：凡血受病，必须用之，血壅而不流则痛，当归之甘温能和血，辛温能散内寒，苦温能助心散寒，使气血各有所归，故有当归之名也。

贝　母

即诗经言“采其虻”之虻。朱传曰：虻，贝母也，主疗郁结之痰，气味苦平微寒，润心肺，除热痰喘咳，开郁结，和中气，除心下实满及胸胁逆气，为手太阴经之药。方书中用治咳嗽者居多。盖其根瓣采于八月，受金气之专，其味苦胜而平。微第平在苦后，且苦合于气之微寒以归子平，是二阴即肺之义也。

其色白而系金，海藏谓为肺气分药，良不诬也。夫药之苦寒除热者甚多，似不亏功于贝母。而贝母之功所独擅者，在于有直透以开热之结，无濡留以达肺之郁，故同于诸味以治诸嗽。是先哲所谓气血调畅而疾自愈也。同于诸味以治劳嗽，是先哲所谓消痰止嗽、润肺清心、和中气安五脏，为怯证之要药也。其方书中用以治嗽居多者以此。其除心下实满，并胸胁逆气者，盖肾脉支者，从肺出络心，往胸中，贝母以在地之阴和乎在天之阳，如阳中之太阳心也，肾脉之支者，更从肺而络之，则其和于在天之阳者，自由肺以及心，且未有心不清而肺不躁者也。其除心下实满并胸胁逆气者，其义亦犹是耳，但医者往往以半夏有毒而代以贝母，不知贝母为太阴肺经之药，除燥痰者也。半夏乃太阴脾经及阳明胃经之药，乃治湿痰者也，二者迥异，其何能用以代之也。

（袁立人　整理）

谈燕山山脉特产的清解热毒草药——金莲花

|耿鉴庭|

金莲花的名称

乃以其颜色形态而得名。《广群芳谱》谓其“花色金黄，六月盛开，一望遍地，金色烂然”。查慎行《人海记》说“瓣如池莲较小，色如真金。”从以上记载看来，可知“金”是指的颜色；“莲”是指的形态。六月盛开，则又与莲同时。

金莲花的产地

《广群芳谱》谓其“出山西五台山，塞外尤多。”（按：塞外二字，是指河北及山西的北部，承德地区。）查慎行《人海记》谓“旱金莲花，五台山出……后扈从古北口外，塞山多有之。”《北京植物志》记载：“百花山、坡头雾灵山均有，生于1600～2000米间的山顶草地，分布于河北、山西、东北。”《经济植物手册》（上）谓其生长地点为百花山顶。北京大学所编《农村科学技术普及经验汇编》在“百花山附近野生有用植物”项下，作出了山顶草甸的植被描述，谓“在草地的凹处，金莲花生长得更繁盛，形成一片金黄色。频度在30%～40%。”

金莲花的药用记载

《本草纲目拾遗》谓其“治喉肿口疮，浮热牙宣，耳疼目痛。”

金莲花的临床实践

根据余家数世之临证经验，证明此花有清解热毒作用，主要在于清上，故咽喉口齿、耳目唇舌之有炎症者，均可用之，尤其对慢性炎症，更为相宜。查中药之具有清热解毒作用者多苦寒而不能久用。本品平稳可取，不伤胃，无不良反应，可常服无弊，虽生效较缓，但确能解决问题。单作茶剂固佳，若入复方中配伍使用，其效尤好。

金莲花的配伍使用

金莲花主功在清解热毒。但对于高热，痰多，滞重，血凝热结、僵肿不消等等均须作适当配伍，其效乃可更显。咽痛之伴有发热头痛者，可伍葛根、薄荷同用。发热口渴者，可伍金银花、麦冬、石斛同用。发热而咽部有黏膜水肿者，伍鸭跖草同用。若发热而恶寒者，可伍防风同用。若兼惊惕者，可与重楼同用。若痰多者，可与天花粉、浙贝母、桔梗、甘草、枇杷叶等同用。若咳嗽者，可与川贝母、马兜铃同用，若口干渴者，可与石斛、麦冬同用。若滞重者，可与枳壳、生山楂、青皮等同用。若兼血凝者，可与紫草、赤芍等同用。若热结心包、三焦者，可与牡丹皮、栀子、射干、连翘等同用。若喉蛾僵肿不消或淋巴腺肿者，可伍蒲公英、马勃、山豆根等同用。

金莲花的用量用法

治慢性炎症，一般5g即可。急性炎症可增至10g。一般作汤剂用，亦可作茶剂及丸剂用。

金莲花治慢性咽炎的常用简易得效方剂

1. 金莲花茶：金莲花5g、石斛10g、桔梗7g、甘草3g，酌加龙井茶叶沏茶饮并漱口，可预防扁桃体炎之急性发作。

2. 靖咽丸：天冬500g、甘草140g、金莲花250g、薄荷140g、冰片10g，制为3g重的蜜丸，含化，一日2～3次。

（耿引循　整理）

话说黄栌

|耿鉴庭|

“春水绿杨辞鹤馆，秋山红叶入燕京。”这是应徵由扬州入都时所作七律的五、六两句，因为吾邑素有“骑鹤上扬州”的故事，而北门外又有红叶山庄，为文人诗酒留连之处，所以我对鹤和红叶非常感兴趣，不过红叶山庄所植的，是鸡血蓑衣枫，鸡血指其颜色，蓑衣指其形状，和北京的不同。

北京的红叶，学名叫黄栌，因其木质色黄，可作黄色染料而得名。是漆树科植物，繁殖于香山。它的树枝和叶，都可作药用。夏秋之间，剪下枝条，晾干劈成小块备用。秋冬摘其叶，晾干用。

唐代陈藏器《本草拾遗》里说，它能“除烦热，解酒疸目黄，水煮服之”。李时珍在《本草纲目》里说它“苦寒无毒，洗汤火伤及漆疮”。

在20世纪60年代初期，曾与某医院协作治疗黄疸型肝炎，有些患者出院后黄未退尽，请我调理，单用黄栌9g，水煎服，退黄与改善症状及肝功指标，均取得一定效果。后来曾有数例急性黄疸型肝炎作复方用之，也获良效。

这种枝叶是北京的土特产，并无不良反应，已收载于《河北中药手册》，且得来甚易，慢性肝炎反复不愈者，不妨一试。

（吕小林　整理）

谈关防风与北口芪

|耿鉴庭|

防风是辛温发散、解表止痛的常用药。以产于燕山东部，长城内外者为上。商品称之为关防风或北防风。关，指山海关；北，是指北方。其药材特点为顶端残存维管束较多（俗称扫帚头），外皮颜色较浅，纵皱较多，以断面显菊花心者为佳。

黄芪为豆科植物，为补气实表的常用药，它和甘草很相似，可在碱性土壤里生长，且不与粮食争地，故长城内外所产，大而且肥。商品称之为口芪，南方各省习称为北口芪。口，即指长城，以独石口为主，也包括喜峰口，古北口等。在长城向阳地，是它良好的生长地。其特点是表面灰黄色，内肉鲜黄色，有菊花纹，皮松肉紧。

治疗阳虚表不固的常用方——玉屏风散，其中就有防风、黄芪这两味药，用之有一定疗效，且无不良反应。因为防风是风药中之润剂，虽能发汗解表，但不猛峻，并不伤津。黄芪能补气实表，用之得当，颇为灵验。李中梓曾经说："黄芪实表，有表邪者勿用；助气，气实者勿用；多怒则肝气不和，亦禁用也"。如果能把宜忌掌握好，则用之可以左右逢源。今人因其能增强免疫功能，多喜用大量，获效者固多，不确当者亦复不少，宜加注意。

阳虚型的过敏性鼻炎，用此方，酌加一些苍耳子、白蒺藜。蝉蜕、蔓荆子之类，颇有裨益。

（吕小林　整理）

介绍忘忧蠲愤汤

耿鉴庭

晋代嵇康在他的《养生论》里曾经写道"萱草忘忧，合欢蠲愤"。的确，这二味药有宁心安神，除烦息愤的作用，因而能使忧可以忘，怒可以平。

这是我家常用的简易方，尤其是1966～1976年之间，对老一点的人，尤其是老干部、老专家用之甚多，都能取得一定的疗效。

我们所用的萱草，是百合科金针菜的叶子，即晚开早合的小萱草，不是早开晚合的园中供观赏的萱花，因为萱花的毒性较大。

合欢是豆科植物的合欢花，也称马蔺花、夜合花，北京均称为绒花树。《本草徵要》上说它"安和五脏，欢乐忘忧"。

这一简易方，对于受了委屈的人，以及敢怒而不敢言的人，精神不安宁，睡眠易惊惕，或如《内经》所说"善恐如人将捕之"，"闻木音而惊"者，均能起到一定疗效。

有时再加一些榆钱或榆树叶，取效更佳。嵇康也曾说过，"榆令人瞑"，《博物志》云"啖榆则眠不欲悟"，虽然夸张一点，可是确有安神催眠的作用，且无毒性，凡久服安眠剂或谷维素而失效者，曷一试之？

金针菜叶单用也能催眠，李月娟同志闻余言，曾经试用，认为确有效果。朱颜先生曾根据文献与实践，将其推荐收入《河北中药手册》"安神药"中。

（白松惠　整理）

妙用单方，桑叶止汗

|魏龙骧|

1973年冬，有司机陈某，年35岁，因久苦汗症，来我院中医科就诊。

自述，每在夜12时左右，即汗出如洗，枕被尽湿，夜夜如此，无日或爽，症已经年，医治罔效。其特点是夜溺时，必如冷风袭人，皮肤粟起，内则若有热流上冲，旋即头眩欲仆，摇摇不能自持。兼见口苦、音嘶、小便短赤等症。脉细微而数，舌质淡红。

从症而论，溺主膀胱足太阳一经，外应皮毛，其脉上行至头络脑，故小便黄，溺时恶风，或见头眩。据《金匮要略》百合病篇，溺时淅然者，但头眩者，皆述及之。病之所苦在夜汗，求愈之迫者在此，他症未介意焉，来诊请医者务在止汗，方可偿其所愿。"百合"一症，时人颇多比类神经官能症。凡病人之见神经官能症，中医视之又半属营卫失和使然。如《伤寒论》;"病人脏无他病，时发热，自汗出而不愈者……宜桂枝汤。"病人脏无他病，其非形体实质之病变可知，盖所指亦即神经官能症也。依症立方，乃投桂枝汤。是方兼具平冲逆、障风袭、止汗出三症之用。复以"百合滑石代赭汤"。百合滋而润之，滑石清而利之，赭石重而镇之，以其有口苦、音嘶、小便短赤、头眩上逆诸症故也。汤药之外，嘱病人每日吞干桑叶末9g，米汤下之。

上方三进，患者夜汗顿止，续服5剂，虚热上冲，淅然恶风，头眩欲仆诸症悉蠲。后以益气养阴，清轻调理之味以善其后。

余治此症，尚属称意，故津津乐道，偶逢医友，尝谈及之。友人曰："君一矢入彀，诸候皆中，理法井然，原无可厚非，可谓善用'经方'者矣。然尚有疑点存焉，患者夜汗长达一年之久，乃宿恙也，非比时病，今三投剂而汗顿止，桂枝汤有止汗之功，其奏效吾恐未必竟能如此之速。然则，止汗之功，其赖一味桑叶之力，是耶非耶，望君审之!"盖余用桑叶亦有其来历，曾偶阅一《笔记》载，严州有僧，每就枕则汗出遍身，比旦衣被皆透，20年不愈，监寺教以霜桑叶焙末，米汤下6g，数日遂愈。读之，以为出于小说家言，未足为据，过眼即逝。今适遇此症，不妨一试，故尾之方末。私念余处方俱见经典，辨证尚能自圆其理，其中止汗之效，乃桂枝汤调和营卫必然之结果，微微桑叶不足道也。医友之言，余仍疑信参半。不逾月，又连遇夜汗者数起。为穷其究竟，不杂他药，独取桑叶一味。不期，信手拈来，皆成妙用，无不应手。囊之不为余所重视者，既屡经实践，则桑叶之止夜汗，自是始确信不复疑矣。言念及此，想桑叶有知，定必指余而斥曰："尔老医，何贵桂之赫赫，而贱桑之默默。同一药也，其倖功者居首位，实力者止末席，何遭汝之歧视，乃至于此果尔。余必为之赧然而退。寄语世之独重经方而轻中草药者，亦可以余为鉴矣。

桂枝、芥子妙用

孙伯扬

临证体验，瘀血与痰浊为患，单用活血则瘀难去，若配以化痰、行痰之品，方能痰血并除。瘀血指血液停滞壅塞，瘀结体内组织而言，为病理产物；又常和其他病因，如寒邪痰浊等，共伤脏腑、经络而形成复杂之病变。痰浊瘀血用药必须活血化痰并用。如活血药中伍以僵蚕、白芥子之化痰散结、行痰通络，则可增强化瘀之功；又瘀血得寒则凝，遇温则行，因而行血药若与桂枝、白芥子合用，疗效更佳。

桂枝辛温，横行肢节，透达营卫，有温通经脉之效。白芥子辛温，功能利气豁痰、消肿散结，用于痰注肢体者有温通祛痰之功。故有能"治皮里膜外之痰"的称誉。实践证明，二药配伍合用，对于痰血瘀阻经络之病因病机，所导致的肢体僵直屈伸不利，尤以症兼凉麻者效果更佳。一般用量为10～15g。

如一妇女"外伤性偏瘫"，初用益气化瘀之补阳还五汤，左侧肢体凉麻不用，肌肉萎缩之效甚微，后合入桂枝、白芥子各15g，连服1个月则渐收功效，患侧渐能活动而有力，手渐能提物，肌萎亦渐复。

又经治一气虚血瘀夹痰浊痹阻经络验案：患者男性，年近花甲突患中风。经某医院诊为"脑血栓"，住院治疗3周，病情较稳定后出院，但左半身凉麻，下肢僵硬，又经中西医药及针灸治疗3个月无效。见证为左半身凉麻，下肢僵硬不利，需人搀扶或扶拐杖方能慢行数步，语言不利，口涎多，头晕不能转侧，舌紫暗，苔白腻，脉象弦滑无力。给予益气活血，温经化痰法，方用补阳还五汤加减合入桂枝、白芥子。药用：生黄芪15g、当归10g、桂枝15g、白芥子15g、鸡血藤30g、赤芍15g、川芎10g、红花10g、地龙12g、牛膝10g、川断15g、路路通15g。本方稍作加减，其中桂枝、芥子不变，服药3个月，诸症明显好转，基本恢复正常。半年后复查，左半身凉麻消失，神爽，语言流利，头不晕，且能慢跑1km而无不适。

笔者从多年临床实践中体会，桂枝、芥子合用，对"痰血阻络"之病机、病证疗效显著。若对"因虚致瘀"而兼本病机者，二药伍以益气化瘀方中，亦多获良效。

王石清先生话石膏

李鸿祥

石膏一物，味辛微寒，功能外解肌热，内清实热，为治热狂斑疹之要药，医者多畏其寒而不敢用，间有自命胆识较大之医，遇有温病斑疹等险症，所投亦不过四五钱（12～15g）而已，岂不知里热炽或燔灼脏腑，想用数钱之石膏，救此实热之大症，犹如杯水车薪，岂能见效？及至病不见愈，医者不责己之胆小识低，竟归咎于石膏之不效，可叹石膏之境遇，力不得伸，能不得展，不禁为之可惜！

近贤张锡纯先生，实有见地，以石膏之功用不可埋没，曾在上海中医杂志投稿，提倡石膏之功用，北京名医孔伯华先生善治温病，为国人所知，常见用生石膏至数两，均能随手奏效，看来张孔二君，诚为石膏之知己。有人谓石膏乃大寒，恐服之后易败胃气，试问夏季暑热，是否可以多吃西瓜？西瓜能解渴利尿清暑祛热，人人皆知，而西瓜在中医学上则喻以"天生白虎汤"，白虎则以生石膏为名，换句话说，吃西瓜就相当于吃生石膏，能说败胃吗？再者若无大热，岂能用石膏？若非夏暑之季，岂能吃西瓜？遇大热用生石膏，其性寒可清，其气辛可解，为辛凉重剂，是清肺胃之要药，其味甘可以生津液，故能止渴，其质重还能镇逆而治烦躁。见《伤寒论》："太阳中风，脉浮紧，发热恶寒，身疼痛，不汗出而烦躁者，大青龙汤主之"。名"膏"乃寓润泽之义，观仲景用石膏于产后，见《金匮要略》"妇人乳中虚，烦乱呕逆，安中益气，竹皮大丸主之"。岂能与苦寒之药所可比？因每遇大热高热，凡属实热证，则放胆用之。今夏司机郭某患高热，体温达41℃，按其脉尺肤热，其身灼热炽手，头痛如劈，神昏欲愦，亟投生石膏重用250g，采余师愚《疫疹一得》拟清瘟败毒饮方义加减，投药即愈。

石膏新用

王彦恒

石膏是临床上治疗热性病的常用药物，具有清热泻火，解肌除烦之功，主要用于阳明气分实热。精神科不同证型的精神病人，由于长期服用氯丙嗪、奋乃静、氟哌啶醇等药，可产生不同程度的不良反应，严重者可导致肝肾功能损害。近年来，更为常见的不良反应还有病人表现不自主地磨牙、咬牙、咬腮、咬舌、咬唇、咀嚼努嘴，四肢有节律地振颤，语言不清，口干，不喜饮水等。运用生石膏治疗取得了良好的效果。其用量60～100g为佳。如一病人服用氟哌啶醇后，舌头伸出唇外，长达1个月，经常用一块苹果堵住舌头，以防外出，非常痛苦。选用生石膏为君药，服之第8天，舌头恢复正常。曾有一次将生石膏用量减至20g以试疗效，次日，病人感到舌头有伸出之势。再剂，恢复生石膏原用量。即愈。

漫谈白花蛇舌草的应用

倪寄兰

人们常用的清热解毒药物很多，如金银花、连翘、蒲公英、板蓝根、草河车等。然而，近年来，白花蛇舌草却异军突起，发挥着越来越大的作用。

笔者在临床上注意将白花蛇舌草与其他药物配合使用，现将主要经验介绍如下。

1. 配龙葵可以增强清热利咽的作用，能治疗咽炎。
2. 配鱼腥草可以增强清肃肺金、止咳化痰的作用，用以治疗急性支气管炎。
3. 配桑白皮有清泻肺热、化痰平喘作用，可以治疗肺炎。
4. 配金钱草能清肝利胆、渗利湿邪，治疗胆囊炎。
5. 配垂盆草有清肝解毒，利湿化浊之效，用以治疗急性肝炎。效果良好。
6. 配石韦能清利膀胱湿热，常常用以治疗泌尿系感染。
7. 配葎草有清热利湿化浊的作用，常用于治疗肾小球肾炎。
8. 配牡丹皮、玄明粉可以清热凉血，通腑泻下，能治疗急性阑尾炎。
9. 配萆薢、莪术能清热利湿，活血消肿，可以治疗急性前列腺炎。
10. 配漏芦、穿山甲能清热解毒、活血止痛，治疗急性乳腺炎。
11. 配穿破石、薏苡仁可清热利湿，散瘀止痛，用以治疗盆腔炎。
12. 配草河车、芙蓉叶能清热解毒，散瘀凉血，多用于治疗急性淋巴管炎。
13. 配蝉蜕、苦参以清利湿热，散风止痒，用以治疗各种痒疹。
14. 配生石膏、知母清热解毒，生津止渴，共奏退热之功。
15. 配芦根、葛根能清热解毒，疏风解表，可以治疗病毒性感冒。
16. 配急性子、威灵仙能清热解毒，抗癌利膈，用以治疗食管癌。
17. 配砂仁、蜈蚣能解毒抗癌、行气止痛，可治疗胃癌。

18. 配鳖甲、水红花子有解毒抗癌，软坚散结之功，可以治疗肝癌。

19. 配苏子、地龙能解毒抗癌，降逆平喘，可以治疗肺癌。

20. 配薏苡仁、白蔹以解毒抗癌、渗湿散结，临床用以治疗宫颈癌。

21. 配黄药子，山慈姑能清热解毒，散结消瘿，可以治疗甲状腺肿瘤。

白花蛇舌草味甘，性淡凉能清热解毒，活血利尿，不仅有抗菌作用，还能抗病毒及抗癌，其作用难以一一列举，不再赘述。由于配伍不同，作用各异，疗效也大相径庭。此药用量宜大，一般用30～60g，药量太小则疗效不佳。

黑芥穗破结下瘀

｜董德懋｜

友人刘金福之妻，住某医院剖腹产后3日开始发热，热势持续不退，继之右下腹部出现界限不明之包块如烧饼大，腹胀痛，灼热而拒按，恶露少而色淡，选投多种抗生素不效，曾邀请某医院专家会诊，诊为：1. 炎性包块；2. 阑尾炎；3. 异物遗留。建议抗感染，必要时进行手术探查。后邀余会诊，脉见浮数，舌绛苔黄。统观诸症，错综复杂，表病尚未解，毒热复蕴结，内袭营分。正虚邪实，为表里同病之候。治以疏风清热，佐以凉血化瘀，俾表邪外泄而瘀热内解。方药用：黑芥穗6g、连翘10g、金银花10g、蒲公英10g、赤芍5g、嫩桑枝10g、野菊花10g、桑叶10g、白茅根10g、白苇根12g、紫花地丁10g。投药4剂，其中以桑枝、菊花、金银花、连翘等辛凉解表；蒲公英、紫花地丁清热解毒；白茅根，赤芍清血热而行瘀定痛；桑枝清热通络，方中用黑芥穗一味，以其为入血分之风药，善于祛风理血，又有破瘀下结之功。因本病外感风邪，恶露不畅，瘀血停滞，产后血虚，亦有风自内生，谨防内外相引，临症必须统筹兼顾，荆芥散血中之风最为适用，服药4剂热退而表邪得解，包块缩小，瘀滞行而积聚渐散，药已中的。

服药后病情见轻，仍守前方。去辛凉解表之品，仍以黑荆芥祛风理血，金银花、连翘、蒲公英清热解毒，加入当归、赤芍、丹参、牡丹皮以养血活血，祛瘀生新，用番附调理气机善后，服5剂后包块消失，诸症悉愈而出院。黑芥穗疏风解表众所周知，然黑芥穗破结下瘀乃经验之谈。《神农本草经》“假苏”条下有云：“假苏，味辛温，主寒热，鼠瘘瘰疬生疮，破结聚气，下瘀血，除温痹。一名鼠蓂。”《本草纲目》云：“假苏即荆芥。”荆芥生用可祛风解表，风热风寒均可，如治风寒表证之荆防败毒散，治风热表证之银翘散，在表证兼湿、兼瘀时，荆芥则可除湿祛瘀。除湿生用，祛瘀则可炒用，后者乃“黑以入血”

之例。在产后恶露不尽，外感风热之邪，内有瘀血时，所谓“邪在血分而表实之证”出现高热、腹痛、癥积之急性病候时，用银翘散加牡丹皮、赤芍、丹参等，重用黑芥穗解热兼清血分，毋虑“产后宜温”的说法，临证每多效验。

谈谷稻芽的使用

| 步玉如 |

1952年，余任职于中医研究院西苑医院。所治多脾胃病，尝用炒谷稻芽，细查此味，大抵无芽，实则“炒谷”“炒稻”也，多不应手。中药炮制，必须依法。

谷芽系谷子浸出之芽，稻芽系稻谷浸出之芽，炒后入药，均有消食鼓胃气之功，但用各不同。遇伤食小米杂粮之属，则用谷芽；伤大米之属，则用稻芽。

目前治食滞伤中，常用焦三仙（神曲、山楂、麦芽）加槟榔，名焦四仙。然必究其所伤何物，如肉积则用山楂；瓜果蔬菜等积，则用神曲；面食之积，则用麦芽。各自所主，不可泛用也。

倘若一见食滞，不辨所伤，概用焦三仙，虽无大碍，亦难中的。

中医辨证，要丝丝入扣，而用药亦必精当中病，否则，必难收效。

当 药 初 验

| 李　田 |

当药，又名獐牙菜、苦草（见《全国中草药汇编》人民卫生出版社，1976年版，上卷909页），属龙胆科，獐牙菜属紫花当药，全草入药，性味苦寒。功能：清湿热，健胃。主治：黄疸型肝炎、急性细菌性痢疾、消化不良等。1973年秋末，我在本县刘店乡南山采野菊花时，在北山麓见到紫花当药，采回后晾干，加工粉碎，用药匾打成单味药水丸，分装，为自采自制药，经临床观察此药对一些肝、胃疾病疗效还是肯定的。

建筑师傅赵某在我院修建房屋时说：“近些天来，感到腹满不适，气往上逆，食欲减退，经医生开越鞠丸、木香顺气丸等药，服后病症不减”。当时我按病情给他开了当药丸，每服6g，日服2次，服后病除，赵师傅盛赞此药。我想当药并不是医家常用药，而单服一味竟胜服有效成方，从这一味药的初验，给我很大的启迪。

肉桂在治疗复发性口疮中的应用

商宪敏

一患者，长久以来体弱无力，食少腹胀，大便稀溏，近五六年，经常口舌生疮，几乎每月必发。初起，常服用牛黄上清丸。牛黄解毒丸之类，后来口疮越发越频，药越吃越不灵了。余曾予以补中益气汤加减，去升麻、柴胡，加肉桂少许，连服6剂，病倒很快好了，最近两天，由于工作劳累，口疮再起，特来请我再开一方。问病人还有何不适，自述症状与前相仿，不过较前为轻。病人面黄少华，舌胖质淡，苔薄白，边有齿痕，舌尖有一米粒大溃疡，知为脾虚来复，相火浮越，嘱继用原方。3日后口疮收敛，改服人参健脾丸调治月余以资巩固。

数日后，一临床实习生遇一老妇，患口疮缠绵10年，时作时止。平日极易感冒，常常头晕倦怠，口燥咽干，腰膝酸软，察其舌质红苔薄，切其脉，沉细尺弱。欲给"苦药"泻火，但无实热之象，欲给"甜药"温补，又无气虚见证。我遂拟六味地黄丸改汤剂冲服肉桂粉少量。1周后，口疮渐平，为方便患者予六味地黄丸，以水冲服肉桂粉，3天后，改用六味地黄丸与人参健脾丸早晚交替服用，以善其后。

口疮以口舌生疮（或称小溃疡）灼痛难忍为特征，因饮食刺激可加重疮痛，故病人常被迫不敢饮水进食，其小疮疡可生于舌体各部及唇颊。一般历治1周或更长时间可愈，但易复发。复发者可持续数年乃至数十年，此起彼伏，终年罹病，痛苦至极。

其病因责之于火。辨火当分虚实；新发者多实，久病者多虚；实者多是心胃之火上炎，虚者多是阴火（或称相火）浮越。阴火包括心火与肝肾之火，心火起于下焦，其系于心，心不主令，肝肾之火代之。肝肾之火，又称龙雷之火，雷乃木之气，属肝；龙乃水之气，属肾；土实水满，龙潜于海，雷伏于地，相火藏于命门真水之中，而不为害。今龙雷之火之所以腾越，缘于中气不足，脾胃气虚，永湿下流，闭塞下焦，则相火妄动，阴火上冲，火乘土位。脾胃气虚，运化无权，则真元亏虚，元气愈虚，阴火愈炽，元气充盛，阴火自潜。

复发性口疮病人的辨证要点，一是火，二是虚。火，要辨是阳火还是阴火。虚，要辨脾胃气虚，还是肝肾不足。阴火者，不宜直折，若施苦寒，虽能取效一时，终必水灭湿伏；宜用引火归原，导龙归海之法，于方中加肉桂少量，即是此意。脾胃气虚者，宜甘温补中，取《脾胃论》补中益气汤减去升麻、柴

胡；肝肾不足者，宜滋补肝肾，取《小儿药证直诀》六味地黄丸。

肉挂，味辛甘，性大热。归肾、脾、心、肝四经。此药为纯阳之品，善补命门之火，又能引火归元。治疗复发性口疮配伍肉桂，旨在引火归元，剂量宜小，通常人煎剂用2～3g，冲服粉剂用0.6～1.5g。

口疮久不愈，属中气不足者，用香砂六君子丸成人参健脾丸，另冲服肉桂粉；属肝肾不足者，用六味地黄丸或麦味地黄丸，另冲服肉桂粉。

小议胡黄连

韩　梅

胡黄连简称胡连。据李时珍《本草纲目》记载其种来自异域故称胡，性味功能与黄连相似，故称胡黄连。但《本草纲目》认为胡黄连不似黄连之苦寒，而有苦平之说。

黄连清心火，胡黄连清疳热。黄连专治心经实热、卒热心痛、肝火为痛、阳毒发狂等；而胡黄连专治骨蒸劳热，五心烦热、小儿惊痫、小儿疳热等。

余行医之际，喜用胡黄连，自觉若使用得当，确有药到病除之功，屡经揣摸，小有心得，列述于下。

1. 凡用胡黄连，其脉或滑数、或弦滑或弦而有力者方可，细脉当慎用。

2. 凡用胡黄连，舌质必见红、粉红、深红均可，淡白舌者忌用。

3. 凡用胡黄连，必见黄腻苔，薄黄而腻，或黄厚腻苔。只黄不腻，则宜另选它药。

4. 凡用胡黄连，因禀赋之异，多现腹痛、便溏之弊。故凡用之必以生姜或干姜佐之，其用量当视舌质而定，或胡黄连3g、生姜6g，或胡黄连3g，生姜9g，据舌脉而定。

5. 大便量少不畅，且肛门时觉潮湿而痒者，亦可用此药。

今春诊郝姓患者，自感头晕乏力，疲惫倦怠，不思饮食，周身不适，难以名状，自述无明显诱因，亦无外感状。视其舌质淡红，苔薄黄而中心略厚腻，脉沉滑有力。据其脉证，实为中焦运化失职，湿热阻滞，清阳不升，四肢失养所致。当调理中焦，清其湿热冀阳气得振，气血流畅，诸症自除。遂以藿香12g、苍术9g、胡黄连9g、生姜15g、白豆蔻仁3g、炒枳壳9g，2剂，水煎服，每日2次。

二诊时诉：进食已知甘美，食欲大增：惟头晕乏力仍未尽去，察脉仍同前，舌质同前但舌中心之黄腻苔已有所减，湿热已有所动，但尚未达阳气振奋之功，仍以前方2剂续服。

后其妻告知，4剂药尽，一扫疲惫乏力之状，饮食正常，二便通畅，与前判若两人。

成人无有疳积，但脾胃运化失调，湿热中阻时，胡黄连实有桴鼓之效。

审证必求其因

韩 梅

余临诊有一习惯，每见病家，必详问其病之始因，从不忽略，并必索取前医之方，恭读之，其意有二：

第一，从中师其经验，补我之不足。以此而师百家。

第二，知前医之方法，开扩余之思路，另辟他径，免重蹈覆辙，又可减病家负担。

1973年秋，曾治一水肿病。患者王某，女性，35岁，系河北任丘县某乡农民。因患病已达半年，借债来京就医。

余视前医之方法，颇有见地，多以健脾、益气、补肾、温阳，或发汗、利尿攻补兼施，视其舌脉，前医之法，理当有效，何以不愈？百思而不得其解。遂追问其病之始，病家亦说不清，但忆及患病前数周，曾因家事与婆母、小姑略有不快。余顿开茅塞，因悟肝主疏泄，疏泄不利，气机不畅，则水湿亦不可以运转也。此患者系因情怀不畅，导致肝气郁结，疏泄失利，而水湿留滞，致成水肿。前法虽无误，但未审及病因，故用药少效。遂欣然命方，以加味逍遥散加减，3剂后其肿霍然而消，又以调和脾胃法调理，劝其归里调养。由是之后，余更加重视“穷追始因”，坚持至今，忙闲亦不改初衷，实于此受益匪浅也。

话说猪苓“轻身耐老”

王 沛

猪苓乃常用药，为多孔科寄生植物猪苓的干燥菌核，因其表皮黑褐色，内部呈黄褐色，成块如猪屎而得名。《神农本草经》称其为豕猪屎，列为中品，庄子谓豕橐，《图经本草》名为“地乌桃”，亦名“生山谷”。

欲论猪苓药效，一般认为渗湿利水堪称佳品，而《神农本草经》确定的

"久服轻身耐老"作用，鉴赏者已乏其人，推崇者更属罕见。先人用之，多治小便不利、水肿胀满，淋浊带下、妊娠子肿胎肿、脾湿引起的泄痢和痰湿引起的湿疟等证。今人用之，多针对心脏功能不全引起的水肿，各种原因发生的胸水、腹水，下肢浮肿和泌尿系统诸疾患。

考据历代文献，几乎都把猪苓的利水道功效作为首选。对其"轻身耐老"作用均持否定态度。博览群书，尚未知晓取"轻身耐老"作用而专用猪苓者。反之均主张猪苓"不入补剂"，更有甚者，告诫之，猪苓"久服必损肾气，昏人目"。清·叶桂大师不愧为临床巨匠，有其独到的见解，他在解释猪苓的功效时论述到"猪苓味甘益脾，脾统血，血旺故耐老。辛甘益肺，肺主气，气和故身轻也"。叶氏虽做了精辟的阐述，然临床并未见其把猪苓做"轻身耐老"而专用之。

余在诊治恶性肿瘤晚期病人过程中，留意观察，猪苓或入煎剂，或做食疗，用量一般都在30g之多，用期亦不短，服后反应良好，不见有明显的利尿作用，更无损肾昏人目之弊端。大部分病人食欲增强，气力增加，精神转振。中医学认为"有胃气则生，无胃气则死"，食欲增强，说明脾胃得健，正如叶氏所教，血气旺盛，则能耐老轻身。

余所用食疗方为二苓薏仁大枣粥，其组成为猪苓30g、茯苓30g，生薏苡仁30g、大枣10枚、加冰糖适量，亦有时加入山药，银耳之品。纵观其方为健脾利湿之剂无疑，食用后理应尿量增多，但不尽然，常服反能使体重增加，对晚期恶性肿瘤患者来说，达此效果实非轻易之举，它起到了存活时间增长的良效。

结合现代对猪苓研究的结果看，猪苓的主要成分是多糖类的葡聚糖，诸凡多糖类的中药，大都有一定的扶正抗癌作用，如常用的茯苓、灵芝等，此点通过我们多年使用中医研究院中药研究所研制之猪苓多糖注射液，治疗晚期癌的疗效观察中，已经得到了充分证明，疗效满意，已能肯定是较好的免疫调节剂。使用后能明显提高机体免疫功能。

免疫功能的增强，中医学讲就是扶正。正气得复，就能"轻身耐老"，实验业已证明，大凡使用健脾之剂，都能获得免疫功能的提高（主要是细胞免疫功能）。

余冒昧认为，扶正之功，猪苓应列为前茅，在此也大胆提出，猪苓"不入补剂"之说应予纠正，单纯把猪苓用于"利水道"而选之，则多具片面性，且因小失大，不免可惜，应为猪苓的"轻身耐老"作用而正名之也。

甘草在临床使用中的新评价

许公岩

汉代张仲景对甘草的性能体会得比较深刻。在《伤寒论》《金匮要略》250多首药方中，就有120首方里用甘草。虽说多是针对里急、急痛、挛痛、厥冷、烦躁、冲逆等证而用，即《本草经》所说："主治烦满短气，伤脏咳嗽，止渴，通经脉，利气血，解百药毒"等功效，也是属于改善中气不足所致的气血失畅，不能自作平秘的病理。应知其味甘、性平，服后脾气得健而充沛，五脏安和，机体就能有力驱逐邪气。邪气解则真气旺，故筋骨肌肤坚实，脾即强健，大凡药物之味甘者性多平和，甘味纯者，缓和之力益强。若机体因受邪气干扰而急疾不安，治必充实脾气，机体始能有力与邪相搏。故所谓烦满短气，正是中气劳伤的反映，徒以清热除烦为治，必致气更虚而病更甚。用甘草以补中，则脾得温养，即能气增烦解；久咳损伤肺脏的为伤脏，用甘草养脾而兼固肺气，咳即自止。脾虚失运则津液难生，补脾复运，用甘草则运复津生而渴可除。至于通经脉利气血的功能，尤属用甘草益脾之效，复以甘草具至甘之味，对一些毒性药物，确能中和其毒性反应，故前人就得出解毒的认识。目前通过药理化验和动物实验已发现甘草中含有甘草甜素及甘草次酸素等成分，上述物质具有抑制胃肠平滑肌活动而解除痉挛的作用，使胃液分泌减少而降低胃酸浓度，故对胃痛疾患有效。又因甘草次酸有类似肾上腺皮质激素作用，能使水钠潴留，升高血压则钾的排出增加，通过学习前人的成功经验和药理分析研究的报道，结合多年来对甘草在临床使用上的认识，除前人已经肯定的用途外，又总结出以下几个方面的新的使用方法。

用于合化

1. 甘酸化阴　阴虚火浮是虚劳病常见的病理机转，由脾虚失运，阴精亏损所致。《内经》虽有甘酸合化之法，却未见明确的实例。余曾在治疗阴虚火浮病时，有意单纯使用酸味药物与大量甘草配合，获得了满意的疗效。多年来在使用过程中充分体验到，阴虚病理之所以形成，大都是长期脾胃虚衰，津血素亏。重用甘草，取其温中益气之功，有助于精微的生充，阴液即能无缺。再以酸味药物收敛在上滋扰之浮火，火降阴润，病即可已。用虽合化，理属分工，通过实践针对五脏阴虚之不同情况，合理配伍，如肝阴虚之急躁易怒、头痛眩晕、耳鸣、舌干质红、脉细弦数，则用生白芍为配；心阴虚之烦躁失眠、盗汗、

舌红且光、中心有直裂、脉细数，则用五味子配伍；肺阴虚之咽燥干咳，咯血或失音、舌红苔光、脉细数、则用乌梅为配；脾阴虚之口干唇焦、便秘或溏少、不思饮食、舌干、脉细数，则用木瓜为配；肾阴虚之耳鸣耳聋、眩晕、咽痛、颧红、足痿腰酸、潮热、舌红、脉弦细，则用熟地黄为配等各种细微的区分。另依据阴虚的轻重。在两味药物同等用量的基础上，视各脏具体情况可将生甘草从30g渐加至60g、90g、120g不等。总之从实践到理论，不但进而明了前人合化的本义，而且又获得了治疗虚劳的新途径。

2. 甘辛化阳　虚劳久延不复，气衰力惫，脏腑虚寒，恢复则须采用温补。单予辛温药物回阳，振阳，虽能改善一时的形证，但难以持久。依甘酸化阴之例，必奠以大补中气之措施，方可阳热与气力并增。前人总结出甘辛化阳的理论，即是由此而来。补气仍用甘草，辛阳之药配伍如下：肾阳虚时，可见肢冷恶寒、腰酸、遗精阳痿、晨泻、舌淡苔薄、脉沉迟，则用附子为配；脾阳虚时，可见食少便溏、怯寒倦怠、舌淡苔白、脉虚弱，则用干姜为配，至于其他杂病则应视病理病机的需要，再行斟酌。一般用量亦应甘辛同等，肾脾阳虚甚时，除适当加重甘草之量外，附子、干姜亦须随之增加，这又与补阴用酸药的剂量有所不同。

用于升陷

清气养生，来源于水谷之精微，脾强运健则清气升布。脾虚运差，则清气陷。其关键皆取决于脾气的强弱。李东垣立补中益气法，重点即是复脾。我自对甘草的功能有新的认识以来，关于脾虚诸病，用以代替参、芪，疗效至为满意。如治内脏脱垂证，以前均使用参、芪，今改以甘草配升麻，不惟服后症状得到改善，而且效果稳定，长期服用，一般多能巩固。另有短气息促，并非哮喘，时呵欠，疲乏倦怠，虽饮食尚可，而舌淡，脉弱，已表现出脾肺不足及于心肾之证。用大量甘草，佐以茯苓、白术，每能气续力增，这也是甘味归脾的作用。因肺主气，而气来源于水谷精微，必强脾健运，方可源源而生，故甘草之用乃“补之以味”的措施。所谓若清气之陷而不升者，服之则能迅升，即属此理。

用于培肾

先天之本在肾，肾亏则五脏悉虚，况久病之后，肾藏之精已不断四布充补了五脏，则本脏必有所亏耗，复因病情有增无已，故于补肾固本之药中加入重量之甘草，则诸证立见好转，此乃振肾兼予温脾之效。根据这种认识，就与一般单予归脾药物疗效有明显的不同。况甘草的类皮质激素作用也属于温养肾阳者。故于各种疾病之依靠使用激素者，无论是暂用或常用，重用甘草于对证方药中，颇能代激素而获安。尤其慢性气管炎患者，已长期服用大量激素不能或离者，将方药中之甘草用量予以加大从60～90g，服后症状即能减轻，若服后出现浮肿，只需加入泽泻18g即可消除。

诊余笔谈三则

符友丰

龙齿安魂，量小亦效

失眠古称不寐，病因多端。前贤谓人卧则魂归于肝，魄藏于肺，魂魄归宅，则眠自安。宋·许叔微《本事方》倡用珍珠母丸、独活汤即是其义。方以珍珠母为君，龙齿佐之，称“珍珠母入肝经为第一，龙齿与肝同类”，云“龙齿安魂，虎睛定魄……东方苍龙，木也，属肝而藏魂……龙能变化，故魂游而不定……治魂飞扬者，宜以龙齿”。后世治不寐多相沿用。清·吴仪洛《本草从新》谓“龙齿涩平，镇心安魂。治大人惊痫癫疾，小儿五惊十二痫”。按虎睛已属罕有之物，龙齿亦生于古代化石，资源日少，久必枯竭，不若珍珠母之易得。故笔者用龙齿常小其量而功效不减。忆昔从师之时，曾治肝虚不寐病例，以养肝之剂合安神之品如柏子仁、合欢、炒酸枣仁、夜交藤之类，似效不效，师加龙齿2钱（6g许）。初窃怪质重之物，量小如此，颇不惬意。然患者竟得安然入眠。始知用药对证，不在量大。如同用兵，兵不在众而在精，将不在勇而在谋。自此凡用龙齿及拟方投剂，均不专事以量取胜。顾近时初学医家，用之动辄两许、数两（以数十克计）。恒念物力维艰，故录之以供参考。

诊指甲以知肝家久病

《内经》以“肝为罢（疲）极之本”“其华在爪”，故诊指甲可见肝病征兆。如大家熟知，甲下色淡则血气不足；甲面凹凸不平，甚至下塌则为肝虚之征；指甲青紫则常为血瘀、动风或欲作战汗之兆。笔者临证之际，留意指甲变化有年，发现肝病日久，导致气滞血瘀者，可见指甲有红色、深红色、紫红色、紫黑色条索状色素沉着，通常等宽笔直，少则1条，多则2条、3条，或见于一甲，或数甲并见，亦有整个指甲均有色素复盖者，以此推测病情之新久微甚。证之临床，凡属指甲可见上述改变，问之必有情志不遂，郁郁寡欢，或纠纷连连不断，郁怒难平，或屡遭压抑，怀抱难开之情，若仅投舒肝理气，解郁柔肝

之剂，日浅往往难克全功。可酌加通络散瘀之品，盖久病入络，非散瘀别无长策。并辅之以必要的开导，嘱以怡情为务，勿以琐屑为怀，缓图可望病愈。随之色素沉着亦减，以致消失，若再生郁勃，原处色素沉着可再度出现，故以此常可判断病情之轻重及预后。

按肝家之病，问其胸胁（痞胀与否），闻其呃嗳，诊其脉象（有无弦状），皆可诊断，而古人特以“望而知之谓之神”者，望诊之神，有助于提高医家威望，以利扼要问诊，参以切脉。进行正确开导或心理治疗，实为提高疗效的重要一环。又早年报导晚期肿瘤患者可见指甲色素改变，且出现率颇高，提示精神创伤实为多种疾病之共同因素之一。则进一步证明早期望指甲的意义，故不藏己拙，特录以供诸同道。

沙参、知母利弊一得 ｜焦树德｜

沙参能补胃阴而生肺气，故肺热而气虚者，用之可清热补气。

沙参又为肺家气分中理血之药，因肺气上逆而血阻于肺者，用之可清除血阻使血脉通畅，且疏通而不燥烈，润泽而不滞腻。凡热伤肺气，气伤而血阻，血阻而扰心，心乱而有惊气诸症，沙参皆能主之。

外感风寒的咳嗽和肺中素有内寒的咳嗽均忌用。

古人虽然有“人参补五脏之阳，沙参补五脏之阴”的说法，但本品若与人参相提并论，则实为差之太远，用者要心中有数。

知母可以润肾燥。肾恶燥，燥则开峆不利而水湿蓄郁不行，本品能润肾燥故对湿热郁阻而肢体浮肿之证，有良效。

知母性寒滑，下行，在治热时，有热去阴生之可能，若用之太过可致脾胃受伤，真阴暗损，此药并非滋阴补益之品。用之于祛邪则可，用之于扶正则不可。

香薷过量可致汗脱 ｜宋祚民｜

香薷与麻黄性味皆属辛温，都可发汗解表，但在临床使用时各有所长。麻黄发散风寒，有发汗行水之功，而不能怯暑湿，因此多在风寒凛冽之冬使用，即或夏秋选用，亦为除风寒祛湿邪而用，如与生石膏配伍则四季适宜。但对水肿（非心脏性）或寒湿之邪蓄表，用麻黄量宜大，否则不易得汗，而其小便排量可见增多，因而麻黄较香薷在发散表湿方面，则略逊一筹。

香薷除具备辛温芳香发散之力外，尚有祛暑湿之功，此乃与麻黄差异之处。但在剂量使用上，必须适当。

余曾治一名16岁男性青年，因避酷暑之热，夜露宿于院中，晨起自觉头痛，身热畏冷，周身拘紧，遂步行来院门诊。察其体温39℃，无汗，两目充血，面色黄滞，舌红苔白腻，六脉浮紧有力，系内蕴暑湿，外受寒邪，即用香薷饮2剂，因其体壮表郁较重，香薷用12g。于次日下午由两人搀扶前来复诊，言其服药1剂后即见汗出，当服第2剂一煎后大汗如洗，身热虽退，但疲倦乏力，心慌气短，汗出不止。见其大汗淋漓，头身如浴，面色苍白，手足不温，动时喘息，六脉软大，重按皆无。遂予固脱法改用生脉散2剂，服后汗减，惟口干思饮，头目昏沉，脉象有力，复用清络饮加北沙参30g 2剂而安。

究其因，香薷发汗之力不逊于麻黄，况夏暑之季，阳气发越于外，腠理易开，卫气充斥于表，药尽1剂见汗当止，此吴鞠通氏早有禁言，今香薷用量略大，又过服2剂发散太甚，因而汗出不止。汗多气阴受损，气液外泄以致虚脱，此香薷量大之过，数十年来未敢忘怀。

苦参多服败胃

|宋祚民|

苦参味苦性寒，为清化湿热之品。用其治疗急性肾炎、肠炎、痢疾都有一定效果。妇科用以治滴虫。但一般多用于外洗剂，内服剂量宜小，亦不可长期服用，恐其过苦伤胃，亦防其阴燥。在《本草汇言》中，姚斐成云："苦参，祛风泻火，燥湿祛虫之药也。盖此药味苦气腥，阴燥之物，秽恶难服，惟肾气实而湿热胜者宜之。"此论甚中肯。

山区人患蛔虫病者甚多，且不易驱除，一般中西药都不大能驱下。当地苦参甚多，而用于治病者较少，经与乡村医生研究，用苦参一味驱蛔。遂将苦参轧成细粉，过筛后加红糖少许。成人每次服3g，小儿减半，每日空腹服用1次，5日为1个疗程。服用后，约半数人有效，亦未见有何不良反应。乡村医生见能驱下蛔虫，甚为喜悦。欲急于取效，即给未下虫的一部分人加量3倍服用，继服5天。服药2天后，大多出现恶心、头晕，不欲食，二便不畅，腹痛尤为剧烈。停服后，体壮者一二天后症状消失，但大多数人在头晕、恶心、腹痛消

失后，一二周内仍不思饮食，其伤败胃气，竟近于轻度药物中毒。此即用药中病即止，虽参芪亦有所偏，况苦参之苦寒伤胃，凡体虚胃弱者不可服用，体壮者多服亦能败胃，用者当慎。

墨厢医庐诊余拾零

| 李介鸣 |

一

十八反、十九畏见于历代药书，后世奉为圭臬，不敢有违。然古方亦常有半夏、附子合用者(《金匮要略》附子粳米汤)。余于临证中每用附子、半夏以治胃脘寒痛，寒痰阻闷，其效弥佳；又常用五灵脂合人参以疗气虚心痛，其效亦佳；用郁金、丁香以疏肝郁气痛亦多应手而愈。未曾听到病人服药后有何不良反应。但是，却受到泥古者之非难。1969 年余曾在河南干校治南阳军分区政委刘某之心痛（冠心病），即用人参合五灵脂，处方之后，该军分区卫生处认为不妥，而其政委对余尚为信赖，乃于百数里外专人来询，余告以无妨，且列举数例病人用此之后，未见其弊而屡获其效。此外，亦数次被药剂人员拒绝配此等处方（其不肯配方是有一定道理的），余更在药方上再予签名，以示负责，然仍有少数药工不予配方。于此往往引起患者对医生之疑虑。古人云“尽信书不如无书”，良可慨也！

细辛有用不过钱之诫，初见于宋·陈承之《本草别说》“细辛用不过钱……多则气闷塞不通者死，虽死无伤”，《本草纲目》曾引之，后之医者亦多慎戒。余初亦遵信古训，不敢越雷池一步。后因治疗肢体关节疼痛患者，试用细辛 4.5g，伍以凉润活血之生地黄，证情减轻，逐渐增至细辛 9g，证痛若失。

近年余以细辛为主，结合辨证（气虚者合保元汤，血瘀者合四物汤及丹参饮，气阴虚者合生脉饮等），治疗心率缓慢病人，盖脉迟者，寒也，汤不足也。凡脉迟莫有不温其阳气者。细辛温通阳气，用之最宜，开始用 10g（煎服，个别人用量多者高达 30g（住院病人），一般用 12 ~ 15g 为宜。患者服药后多于 1.5 小时左右起效，心率有所增加，3 小时后心率又渐减缓；有的病人感阵阵燥热，旋即消失。但对有“房颤”及“心率时快时慢者不宜，往往引发“房颤”或自觉心中慌乱不适，若病人有此反应者，则不用细辛，改用人参 9g，心率亦可稍有增快，且结代脉亦可改善，但久服人参所费不资耳。

孙思邈曰：“愚者读方三年，便谓天下无病可治，及治病三年，乃知天下无方可用。”所以我辈必须精勤不倦，博极医源，尊重前人，而不可泥古不化，用前人方以治病，必需信而有徵。否则虽圣人之言亦不可迷信也。

近世医有善用附子、乌头者，尤以四川、云贵西南湿著之地为甚。北京亦有余某，在旧社会原业律师，解放后改业中医，亦尝以“御医”自命。其用川乌，附子量恒达60g，多则一方120g。然求医者大有人在，因其治风寒湿痹痛颇有著效。其所用乌附必先煎1小时，然后共煮诸药。如此，则乌头碱毒多被破坏（古人用蜜煎亦采其高温以减乌头之毒）。然而余某原非业医者出身，因其滥用乌附，所以服其药有剧烈反应者甚众。彼曾为其老友张某治疾，患者夙日血压高，彼仍用川乌120g，患者夜卧前进药，翌晨即头面红胀，毙于床间。彼曾几次因用大剂乌头、附子杀人，后被判刑。

余某亦善用蜈蚣，每方恒达30条，患者虽有服药不适，然尚未闻被其毒死者。文艺界某大师，患“神经血管痉挛性头痛”数年，发作时头痛如裂，不可忍耐，曾访各大医院及本地名医，遍治罔效。后服余某药，每方用蜈蚣三十余条，服药累计蜈蚣千余条，而头痛根除焉。

嗟乎！世间仅讽议其庸医杀人。余认为彼亦有所长，盖其用药虽猛，而求医者门庭若市，其必有过人之处。余细析其原由，因有一部分痹证久治不瘥者，得大剂乌头、附子温寒驱湿，殊有显效。余因之亦仿其用乌头、附子多至两许（必须久煎），更配以甘草；用蜈蚣常至10条，解痉止痛，亦能为疑难患者解一时之苦。吾人临证之时，要善学他人之长，而避人之短，此等学问非书本上可以多得者也。

中医同道善用乌头、附子者颇不乏人，因地区关系，亦有畏之如虎者。曾忆1955年余在卫生部工作时，有浙江省某县委书记患风湿痹证（西医诊断为风湿性关节炎、风湿性心脏病）多年，久治不瘥，往沪求医，蜀籍刘医居沪，颇有名气，为之处方，重用乌头、附子，每服常至60g，服药数十付，症有减轻，即停服大剂乌头、附子。事隔半年余，某书记又至无锡市某中医院治疗。甫三日，中夜暴卒（可能为急性左心衰竭），其家属诉之于浙江省卫生厅后转上海市卫生局（当时华东区卫生局所在地），责之无锡市某中医院，答曰：“病人久服大量乌头、附子，热毒内蕴，一旦暴发而死，非我之过也”。沪市卫生当局以刘医颇有名声，时值毛泽东主席对中医工作指示不久，未肯妄责刘医，乃将原案材料转请卫生部研究处理，余适承办此案，乃思某县委书记虽服乌头、附子甚多，当时未出现任何症状，而且病情有所减轻，又停药已半年，而患者死时面色苍悴，何云热毒暴发？殊属中医院推卸责任。彼时中医研究院成立不久，余即将原案转该院讨论。中医研究院老中医多来自蜀郡，经讨论后，大多数人均认为非服乌头、附子致死。于是此案与上海蜀籍刘医无干。由于中医应用乌

头、附子各异，学术派别见解不同，吾人对此等事要实事求是，不可不慎！

二

余在心血管病专科医院工作，配合心脏外科手术后或心内科心脏病之治疗，时时遇到难题，兹述数则于下，以供参考。

第一，心脏直视手术往往因用麻醉药之关系，术后出现肠胀气。西医谓："肠暂时停止蠕动，听不到肠鸣音，或肠蠕动极为缓慢。"患者术后在恢复室腹胀如鼓，不可忍耐，虽施行胃肠减压，而腹胀依然，如此影响手术效果，证情至急！延中医会诊，余覃思之：患者术后气血大伤，今又出现腹胀如鼓，大便不通之实证，气血伤耗，一时不可即复。当前之计，亟待通腑排气，以缓眉急。乃拟承气汤急下之。所谓有是证，用是方，有病则病当之，有故无殒，是无殒也。方用：厚朴15g、枳实15g、大黄15g、沉香粉6g（分冲）。服第一煎药而知肠鸣蠕动也！再投第二煎而腑气通，矢气连连、大便下矣！腹胀之证，随之而解。患者转危为安。本方重点在厚朴，枳实，沉香，推气下行，大黄通腑，相辅而行，一泄而瘥。此后每遇此证，则大黄减量为10g，以防泄泻，再伤正气。

第二，有的心脏手术后三四天，患者出现齿龈渗血或皮下出血，甚则内脏渗血、咯血，或大便潜血。西医谓："弥散性血管内凝血"，出血不能一味止血，还须防止血管内凝血。西医惟有用肝素，往往效果不理想。延请中医会诊。余思此证，既不能用凉血、涩血、止血之法，又不可活血。然而，祖国医学之治血证，有"止血不能留瘀"所谓不行不止，古人早有此经验，天津曾有用血府逐瘀汤之经验。余则用三七粉5g分冲，云南白药先服保险子1粒，每服白药1g，日服4~6次，其效甚佳，更取其简便。后遇一患儿手术后亦系此证，用三七、云南白药其效不佳。又延中医会诊，余于原方基础上增用人参15g，另煎浓汁分2次服下，其渗血即止。人询其故，余答以益气摄血此自然之理也。

第三，心脏手术后病人，有的继发低热（查白细胞不高），影响术后恢复，用青蒿鳖甲汤效不佳。改用二甲复脉汤3剂服后低热即退。盖青蒿鳖甲汤以清热养阴为法，此等患者阴分无热无邪可清，乃因手术后阴液消灼，真阴耗损之虚热也，故用二甲复脉汤为宜。

第四，曾数遇"心肌梗死"病人，合并"心源性休克"，患者入院之时，多有剧烈之心绞痛，四肢逆冷之候，经治疗后心绞痛渐缓，而后发生"心源性休克"，血压急骤下降，命在旦夕，用西药升压，血压仅能维持到9.33/6.67kPa（70/50mmHg），不能再升。中医会诊：见病人卧于床榻，谈笑自如，亦无心痛、脉弦，苔薄若常人。余根据其入院危状，用四逆散加人参，药后一二日血压即逐步上升而至正常。但曾遇一患者用四逆散，制附片用至15g，即出现脉结代、心律不齐之证候，约半小时左右消失。因为心肌梗死病人往往由于心律不齐继发“室颤”而死者颇多。应该接受此次教训，故余后来应用附子之时则倍加小心，更不以附子单独为主药，而改用参附汤合生脉散，如此感觉其效益佳。盖附子温阳，生脉散两益气阴。“休克”病人处于阳脱阴竭之候，阴阳不能相互维系，当此时，温阳是一个方面，阳复则不致虚脱；救阴又是一个重要方面，阴充则可维阳，阴阳两救，使之阴平阳秘，则自可救危亡于一旦！

第五，有的“休克”或严重心功能不全病人，汗出如洗，日需更换内衣数次，有大汗亡阳之虞。患者亦感心中惶惶无主，疲惫至极。余曾屡遇此危证，亟应益气固表，乃选一味黄芪60～120g，一次煎服。严重者或日服2次。多于一二日内大汗即止，危象亦除。此类危候，用人参15g浓煎一次服下，亦可有效，但不如黄芪既可益气且善能固表止汗耳。

第六，垂危病人，有时感觉胸中灼热，渴欲饮冰而后快，此乃气阴消竭而然。余曾用西洋参10～15g，浓煎滤汁，冰片0.3g化入，服后，患者觉服一剂清凉散，精神体力有增，可以收效一时，或多延时日，惟终难救其性命也。

第七，有的危重心脏病人，因为缺氧及体质过于衰弱，常常大便出血、吐血、鼻衄等，尤以胃肠道出血量较多，用一般止血药少效。余用血余炭15g研末、乌贼骨10g研末，以降香15g、苏子15g，煎水，分二三次冲服药末，须于1小时内服完。盖血余炭补阴下达止血（李时珍语），用于胃肠道止血颇速，其他病之胃肠道出血亦可应用。但对肝硬化门静脉破裂大吐血者无效。

第八，某妇患“风湿性心脏病”三十余年，周身浮肿，腹胀似鼓，饮食不下，小便短少，溲利则诸症减轻，用西药利尿剂如氢氯噻嗪，尿量增加，水肿即可暂缓，然周身乏力，疲惫不堪，殊感苦甚。住我院中医病房，用五苓散或实脾饮、车前子之类，如石投水。加用商陆15g，小便依然不多，乃予舟车丸1.5g，日服2次，服后腹感不适，当日大小便齐下，日行约10次。西医骇然，认为如此攻逐，患者必然“电解质紊乱”而病危矣！但经查“钾、钠、氯”均在正常范围内，而患者腹胀、水肿，得以暂缓，亦可进饮食，但感疲乏而已。当然，此类攻逐剂，亦只取快一时，不可常服。然而，于此可知，中药利尿虽不如西药效速，但是，用之得当，对患者无疲惫不堪之弊，且可保持其电解质不致紊乱，此当为其优点。

第九，自20世纪70年代来，用中医中药治疗胸痹、心痛（冠心病、心绞痛）有很大进展。但有些人以活血化瘀治法，认为是治疗有效之惟一途径。余以为治病不可守一途，不可执一法以应多变之病，尤以中医为然，必须以祖国理论为指导，重视气血、虚实、寒热等，其途多方，未可只守一法一方也。余曾治一妇人，五十余岁，患冠心病、心绞痛，其心痛多发作于夜间或休息之时，

稍劳累或稍紧张均不发病。西医诊为“变异性心绞痛”，服诸般缓解心绞痛之中西药均少效，余亦无计。偶忆曾治一心绞痛病人服全蝎甚效，故为之处调养气血之方，加全蝎粉 1.5g、蜈蚣 1 条研末，于夜间发病时一次服下，止痛其速，且可安睡，连服半月余，其痛渐缓，而发作亦大为减少。按全蝎、蜈蚣为止痉散，虫蚁搜剔，善于通幽，且可止痉，其功用不等同于活血止痛药也。

三

冠心病的主要证候为心绞痛。因此，寻求中医中药中止心痛之有效剂为治疗此证要着。西药如硝酸甘油等重在扩张血管，而中医中药不仅如此，则应遵循祖国医学理论为指导，根据各个患者证情，分别辨证施治，余在多年临症中亦摸索一些止心痛效果比较好的药物，试述点滴经验于下。

1. 单味药

（1）荜茇：对遇寒则痛者有殊效，用量一般为6g。惟其味辛辣，久服易升火，有实热郁火者慎用。

（2）麝香：此药香窜，用之治心痛至佳，一般用 0.15 ~ 0.3g，胶囊吞服。惟此药至缺，且多赝品，可用苏合香丸代之。余仿苏合香丸方意，拟心痛丸方效佳，亦因麝香缺货无法配制。前余曾有用人工麝香制成气雾剂及口含片剂，其效亦可。然终因货源缺乏或种种原因易停产，殊甚可惜。

（3）土沉香（山鸡椒）：此药产于南方两湖等地，其味辛香，止痛之效颇佳，现湖北省广济县人民医院已制成“冠脉通”，实际只是辛香止痛，而并不能通血脉也。

2. 配伍药（药对）

（1）延胡索合冰片：延胡索3g、冰片1g，研细末冲服。延胡索辛温，利气止痛，活血化瘀，止心腹诸痛。古人曾谓“心痛欲死，急觅延胡索”；冰片辛苦微寒，通窍止心腹痛，患者服后，觉凉入沁脾，殊感舒快。

（2）檀香合丹参：檀香 9 ~ 12g、丹参 12 ~ 15g，古人曾用丹参合降香，张锡纯先生曾用之，治心痛甚效。余于临证用时，降香改为檀香，其止痛之效更佳，此方一气一血，取丹参饮之意。盖檀香调膈上诸气，较降香为优。

（3）蒲黄合五灵脂：此为失笑散。生蒲黄 12g、五灵脂 6 ~ 10g，适用于久痛不止或胸间阵发刺痛，以瘀血为主者。蒲黄能活血，治胸前痛，李时珍曰：“蒲黄与五灵脂同用，能治一切心腹诸痛。”

（4）佛手合香橼：佛手、香橼各 10 ~ 12g，此均行气止痛之药，适用于气滞之心痛，自觉胀闷，嗳气则舒者。

（5）蜈蚣合全蝎：全蝎 3g、蜈蚣 1 条研末分冲，此为止痉散，适用于顽固性心绞痛，自觉痛发时先由牙龈发作，然后引及胸背者。或痛时如有人扼杀喉间，痛及胸中者，用之多效。

（6）乳香合没药：乳香、没药各6～9g，以均为树脂，取其香窜入心经，活血定痛，惟乃活血之功尔。此药气味不佳，有一股异香，使人作恶，但止痛作用颇好。

以上仅举余临床常用止心绞痛之药，多出自前人，总以调理气血为主。仅供同道参考而已。

范某出国在大使馆工作4年，调回国内因旅途劳顿（乘火车十数日），突然发作心肌梗死，住某大医院，继发肺部感染，住监护病房四十余日，病情日重，体气至衰。用先锋霉素等，感染不能控制，反起皮疹反应，医者束手无策。其家人延某中医会诊，予败酱草之属、清热解毒。友人邀余会诊，见患者面部微浮肿，胸闷、微痛，向右侧卧则憋气，气喘不续，语言含糊不清，终日昏昏，目不欲睁，体温不高（37℃左右），白细胞11×10^9/L左右，喉间痰声漉漉。两脉微而数，苔薄黄而燥。右下肢溃破，皮肤发黑。余察其全身情况极差，病至危重，不可再予清热祛邪（实际无热可清），否则热清身冷而毙矣！乃亟为拟生脉饮加味。方用：西洋参15g、麦冬12g、五味子12g、丹参15g，服药3剂，全身症状改善，已能渐渐仰卧，而不感憋气，”再增玉竹15g、赤芍12g，进至12剂，危象渐缓，亦能进食，患者甚为感谢！吾人临证，主要掌握两个方面：一为祛邪，一为扶正。当其正气衰极者，必须扶其正气以胜邪。此患者虽然邪气未净，但是，主要为正气衰微不足以拒邪，故余断然以生脉饮扶其正气，而正盛则邪自衰矣！

治久泻，诸药少效者，常用天生磺0.6～1.5g，研末分冲，与参苓白术丸、理中丸、四神丸、痛泻要方等辨证施治，往往收效。天生磺为温泉边水蒸热气所结而成，性大温，不可多服久服，然其温补命门真火，治虚寒久泻，功力远逾他药，然似此等药，药肆中已不备久矣！将为医者所遗忘也！

某大医院老职工刘某患失眠多年，常至终夜不能峮目，服安眠通、安定等药毫无作用，服速可眠、水化氯醛等只能蒙眬一二小时，适余在该院西医学习中医班任教，并带临床实习。因刘某每日检送病例，乃求治于余。余告以中药效佳，但不如西药效速，请其暂停镇静安眠之西药，服中药3剂，先事调整，以酸枣仁汤加生龙骨牡蛎、首乌藤等与之；彼服中药后睡眠更差，昼夜反侧，予再为拟方以补心丹为主方加生龙骨、牡蛎、琥珀末0.9g、朱砂末0.3g夜临卧吞服，并嘱勿服西药，服至第4剂药，安睡一夜，彼大喜过望，继服汤剂后改服朱砂安神丸等，失眠虽未痊愈，然大有改善。当时，有西学中班学员感觉奇怪，何以服水合氯醛少效之失眠症之患者，服中药其效如此之佳？余告以中医

药旨在调整，其强制镇静之作用，远不如西药。但患者因为五六夜未服强烈镇静西药，亦即五六夜未曾合眼，如此困惫至极，再加之服中药养心安神之剂，自然安睡矣！

世之所重“儒医”者，所谓医家不但通医术，而且通经史诗词者，方为高手。以愚见，医生为人解除病痛此乃术士也，“医”何必“儒”哉！儒者，以博通经史，以及齐家治国之道，秦始皇之焚书坑儒，正因为儒者喜欢干涉国家政治。始皇所焚之书，乃儒者之三憤五典、五经四书等，而医药卜筮之书不与焉。盖医乃雕虫小技。唐宋以前医家所著之《内经》《伤寒论》《金匮要略》等书文字古奥，可以由少数人研究训诂小学者，校注古籍，以便医者学习，古人贤如叶天士当时誉满江南，以无多著作，又何曾以“儒医”自命？医家以能治病为本，何必以“儒医”标榜飏人耶？余听见之所谓“儒医”者，多为士大夫之流，只是舞文弄墨，而临床治病并不高明，殊可叹矣！

临床所见“风湿性心脏病”不少，且多为二三十岁之青年人，且以女患者较多。良可慨惜！患者一般表现为心慌，气短，甚则浮肿，两颧红紫，气血虚衰之状。余治此常用两益气阴之法，其效平平，久服自获殊功。兹采原方及其加减法于下，以供同道参考。药用：黄芪 20g、玉竹 15g、五味子 10g、麦冬 10g、沙参 20g、太子参 20g、茯苓 30g、白术 12g、葶苈子 10g（包）。

加减法：气虚甚者加生晒参 9g 另浓煎兑入；浮肿甚者加车前子 30g（包）、泽泻 15g；阳虚浮肿者加制附片 9g（先下）、桂枝 9g；咳嗽者加紫菀 12g、贝母 10g；痰多者加旋覆花 10g（包）、海浮石 12g、橘红 10g；咯血者加仙鹤草 15g、大蓟炭、小蓟炭各 10g；纳少者加焦三仙各 9g、鸡内金 9g。

此方所治患者颇多，有的常年间断服用，诸症若失（较轻患者），有的原来步行稍多即喘，或登二楼即喘，以后可登四楼而不喘促。但须注意感冒、过劳、以及情志忧郁等，青年女患者尤禁生育子女，否则病情可能加重。

赵树屏先生临床经验点滴

陈家扬

博采众方，增减调易，变化自若

赵老用药组方，悉有所本。在博采众方的基础上，又有增减调易，素以配方严谨，药味少，疗效理想而见长。他常根据病情需要，机动灵活地合并二三个方组为一方，举下例以说明。

例如："内蕴湿热，外束表邪，内外之邪并结于肺，咳喘，喉中拽锯，舌红苔黄腻，脉滑数。师仲景法复方治之"。

处方：麻黄、生石膏、杏仁泥、甘草、清半夏、白芍、五味子、细辛、炒葶苈、大枣、射干。

从方意上看，为仲景麻杏石甘汤、小青龙汤、葶苈大枣泻肺汤、射干麻黄汤4个方组成。小青龙汤为仲景治伤寒表不解，心下有水气所致咳喘的方剂，此例以临床所见舌红、苔黄腻，脉滑数，皆一派湿热之象，故称内蕴湿热，非心下有水气，表邪也非寒邪，乃外感风温，且内外之邪已合并结于肺，而致咳喘。而先生巧妙地用辛凉之生石膏，易去辛温之桂枝、干姜，这样辛温之剂就变为辛凉之剂。方中半夏、细辛性虽属于辛温，无此又不足以宣肺开气，用适当量的白芍、五味子配伍，使辛开酸敛互为作用，开合得当，咳喘可止，仍不失小青龙汤止咳喘之意。而肺有实邪，不用葶苈大枣泻肺汤，不足以泻肺中实邪。所以先生加射干于方中，治喉中拽锯。由本例看来，非熟读《伤寒论》《金匮要略》深解仲景之意，岂能发扬经方，使其运用得如此灵活变通，得心应手。

又如：先生用仲景"白头翁汤"合和剂局方"逍遥散"治疗肝郁血虚、血不荣筋所致的四肢瘈疭、震颤、痿软等症，应手而效。

我继承先生此方运用于临床，治疗神经系统疾病所致的四肢瘈疭、震颤、癔病瘫痪等，无不应手而效，且在临床教学中传授多人，皆证实其效果。白头翁为凉血药，《本草备要》说："有风不动，无风自摇，其象像肝，治血热风动"。配以秦皮，有补肾之功；黄连泻心火；黄柏益肾水；此为治肝补其母、泻其子之意，古人常称之为"泻南补北"之法。四味皆为苦寒药物，互相配伍，有清肝凉血之效，以缓肝之急。与逍遥散合用又有养血解郁治本之功，且逍遥散中有白术、茯苓、甘草等性味温和之品，佐以苦寒药中，则无伤脾胃之虑。使用木瓜、桑枝、丝瓜络等，以柔筋活络，直达躯肢病所。先生借鉴于经方，而又非其治，不仅善习群方，还需善识药性，始能调动自如。

又如：先生用旋覆代赭汤合香砂二陈汤治肝气冲逆所致的眩晕、呕吐证，亦颇有见地。以旋覆代赭汤有平肝降逆之效，治肝气冲逆于上。香砂二陈汤以藿香易木香，加竹茹，有化痰和胃止呕之功，治痰湿内阻中焦，两方合用，使肝气不冲逆于上，眩晕自平。痰湿既化，胃得和降，呕吐自止。

由此例可以看出，先生不仅在组方上巧妙，而且在治肝经病方面，也有独到的见解。大多治疗眩晕证者，均归咎于肝阳上亢、肝风内动，势必以平肝、潜阳、熄风法治之。这些方法如用于此例，将使冲逆之气不得降，胃阻痰湿也不能除，其证自然不解。

又例如，先生用钱乙的泻青丸合局方芎菊茶调散治疗“肝胆风热”所致的头痛证，不但辨证新颖，选药组方亦恰到好处，更体现了先生擅长治疗肝经病的突出特点。

组方：生石决明、白蒺藜、龙胆草、炒栀子、当归、川芎、羌活、防风、白芷、细辛、杭菊花、薄荷。

方义：石决明、白蒺藜平肝熄风为君；龙胆草、炒栀子泻肝胆热为臣；当归、川芎和血，取血行风自灭之意为佐；配以芎菊茶调散，散头目风热为使。

再细分析此方中的药物功能，石决明、白蒺藜有平肝、潜阳、熄风之效，治阳亢头痛；龙胆草、炒栀子治肝热头痛；川芎治少阴；厥阴头痛；羌活治太阳头痛；白芷治阳明头痛；细辛治少阴头痛；防风为风药之卒徒，随菊花、薄荷轻散于上，而清头目风热。方中每一味药无不治头痛，汇各经治头痛之药于一方，可谓面面具到。先生组方制剂之才能，堪称有胆有识。

例如，用《金匮要略》中仲景治脏躁证之甘麦大枣汤与治百合病的百合地黄汤合局方丹栀逍遥散去白术、茯苓，治由情志病引起的哭笑失常，突然昏倒(精神因素引起的癔病发作)。

组方：生甘草、淮小麦、大枣、百合、生地黄、当归、杭白芍、银柴胡、牡丹皮、炒栀子。

方义：甘麦大枣汤泻心火；百合地黄汤清肺金；丹栀逍遥散解郁舒肝。本病究其病机为肝郁化火，累及膻中；膻中者，臣使之官，代心用事，主喜笑，火盛则笑不休，火盛刑金，肺主悲，其声哭，肺因火刑则虚，故哭。所以在此用甘麦大枣汤泻心火；百合地黄汤补肺清金，哭笑可止。病因为肝郁不舒所引起，用丹栀逍遥散去茯苓、白术不用，取其舒肝解郁以治其本。

由此也可体现出先生擅长于治疗情志病。结合病因病机，取各家之长组成一方，似信手捻来，且无拼凑之感，实为我辈在临床调剂组方时学习的榜样。举以上数例以说明先生博采众方，而又不墨守成规，取各家所长，融会为一体的特点。

掌握药物配伍规律深明分量轻重的法度

赵老对药物的配伍要求严谨，药物之间的对比，分量轻重悉有法度，这也是他能够取得满意疗效的关键。先生常教导我们：“仅记方和药，不知规律，不明法度，难以取效”。他举仲景用麻黄汤为例，必须是麻黄三、桂枝二、甘草一，否则就达不到发汗的目的。桂枝汤中芍药增多，就不叫桂枝汤，作用也就不同了。所以跟他临床实习，主要是掌握他配伍药物的规律和药物之间对比的轻重。用俗话说也就是掌握火候。现举一实例说明这一问题。

我同学之母患泻痢，该同学就以老师之经验方开始给其母服用。处方：苍术、川厚朴、陈皮、甘草、茯苓、杭白芍、炒山楂炭、车前子。此方治泻痢，1剂痢止，2剂痊愈。而其母服3剂后仍无效，不得不请老师诊治。老师诊后，原方一味未改，仅将苍术增大一倍，服1剂则痢止。同学问老师其故何在？老师微笑着说："本方治湿滞泻痢其效固佳，但你母之泻痢，里急不甚，色白如冻，无后重感，食纳尚可，说明湿盛而滞不重，用原方中苍术与厚朴的比重自然无效，苍术加重一倍，湿化故自愈"。在座的同学听后均得此受益，更加重视老师的用药规律，掌握他药物对比的法度。

例如：先生用银翘散时，方中的荆芥与薄荷的比重也有讲究，遇发热重、恶寒轻者，薄荷的比重大于荆芥。恶寒重、发热轻者、荆芥的比重大于薄荷。所以他治风热外感时，多为一剂而愈。

同时先生治风温新感时，还注意防患于未然。凡遇初感发热重，口渴，舌苔白燥，脉数，病邪在卫分时，先生即在银翘散中加入适量的生石膏。我们也曾问过，病在卫分，而加石膏，会不会将病邪引入气分？先生答："病虽为初感，邪在卫分，但发热重、口渴甚，舌苔白较燥，非是薄白苔可比，脉数则病进，这些都表明有渐入气分之势，为何不来个迎头痛击，坐待其已入气分，然后追而治之。先生又举例说，"如太阳中风、伤寒，如治疗及时得法，自无传入他经之理。一部《伤寒论》大家都用好桂枝汤、麻黄汤，病即时可愈，其他方即可不用，真可谓善解仲景之意。

在谈到先生用药配伍的规律和分量的轻重法度时，以前面谈过的他博采众方中的治咳喘的组方为例。其方中麻黄与石膏的配伍比重，其范围为生石膏的分量大于麻黄3~5倍，其规律需视内热与表邪二者之间的程度来衡量，内热重者，适当增大石膏的分量，否则疗效就不会令人满意。

再就是方中的清半夏与白芍的对比，一股来说，半夏主开，有宣肺开气、化痰的作用、白芍主合，有敛气、止喘的作用。在治病时又需互用两者的功能而作用于机体，那就需视病人的具体情况，关键在于应开还是应合，开与合之间各以多少为适宜，这就是经验的核心。大体上说，如病人表现为邪盛、气憋、痰多、呼吸困难，可适当将半夏的量增大；如患者正气较虚，呼多吸少，气不衔接，或有肺心病时，应将白芍的分量增大。

方中的细辛与五味子，两者分量对比也是十分重要的。细辛主开，五味子主敛，其意同半夏与白芍。在正常情况下，细辛与五味子的比例为1：2，如邪盛气憋，呼吸困难，可适当加大细辛的分量。如正气虚，气不衔接，出现缺氧或心力衰竭的现象时，可加大五味子的分量。在一般情况下，方中的半夏与细辛、白芍与五味子又有着横向联系，除个别情况外，往往它们之间又成正比。

也就是说，需要用开的时候，半夏和细辛同时需要增大量；需要合的时候，白芍与五味子同时需要分量增大。但在特殊情况下，又不是绝对的。所以说只学习先生的治疗经验方，仅是学到皮毛，尚需要细心体会他在组方配伍上的规律、用药比例，才算真正学习到赵老的治疗经验，运用于临床时，自己尚须再摸索、衡量、揣度，始能深刻地理解先生组方用药的科学性与灵活性。大凡要学习别人的间接经验，也应溯本求源，否则即是盲从。先生之所以能博采众方，来源于博览群书，要博览群书，需要有一定的时间和记忆能力，这在每个人还有个条件问题，为了创造条件，再将我所知赵老的一些学习方法介绍给大家，以供学者借鉴。这是作为他临床经验之外的一点补充。

科学的学习方法，超人的记忆能力

用赵老自已的话说，“现存医籍，汗牛充栋，学说如林，举毕生精力，亦不能尽其窍要”。要想博览群书，不但要有科学的方法，而且还要有一整套的记忆、储存和反馈等较强的能力。如果仅有前者，而后者功能较差，虽熟读五车书，也等于没有读。

先生教导我们学习时说：“我国医学数千年传统文明，一事一物之微，莫不有其相当历史，因因损益，悉有由来，自非追溯渊源，不足以明时代之转移，学术之进退”。所以他为了下一代便于学习医学发展史，著有《中医系统学概要》一书。

人的智和愚相差无几，赵老也并非有过目不忘的天才，主要是他肯于钻研。他有几种方法，帮助巩固记忆。

其一，借助读书笔记，学有所得，随时信笔著录。他常备有三种笔记：一为《读书札记》，专记学习《内经》《难经》《伤寒论》等经典著作之心得体会以及质疑等。二为《困学丛录》，专记先贤的嘉言懿行，学说主张、治疗方法、师承授受以及可供相互参证之处，皆择要记录，积叠素材。三为《零金碎玉》，专记读书偶得和医疗验例，以及所见所闻的重要资料，虽一方一技之微，莫不随笔记录。

其二，简记法。如对历代学者的论别、医学正传、明医杂著、医门群经辨论、青　丛录，医学源流论，医人传、名医传、学术名流列传、历代名医姓氏、医鉴、医说、古今医统，这些难以记全的书名，他可以用简记法，如“医传杂著群经辨，从录源流人传传，学术名流姓氏鉴，医说古今流失繁”。用四句歌诀背诵了历代论传的十二部不易记住的书名。

其三，谐音记法。此种方法常用于难记的名词或事物，如他把“释迦牟尼”的全名“乔达摩悉达多”就用“乔大妈洗的多”的谐音记忆。我们继承了他的一些学习方法，对于帮助巩固记忆颇有成效。

以上介绍了先师赵树屏先生有关学术思想和临床治疗经验的点滴，限于学习的水平、理解和体会得不深，不妥之处，尚希指正。

章次公老师的医话

陈明见

前在上海市新中国医学院学习时，承分配到上海菜市路底章次公老师诊所实习，亲聆章师长期的教导，积累了不少的医话，兹录1则于后。

一患者病温而壮热多日，胸中烦闷不安，中焦有燥实，由其家属用担架抬至章师寓所就诊，病情甚为危急，呻吟不已，气息奄奄。章师未诊前，同学们都抢先去观察，大致认为病重、不大便时间已久，必须养心通下，否则恐大便攻下后，正气不能任药，将告脱绝。章师诊后，认为急当攻里透热，嘱同学们开凉膈散，并说：“取其清透上焦郁热，通其中焦燥实，俾得上焦郁热外解，不被中焦燥实所牵制，中焦燥实下行，则上焦郁热不致下陷而变剧，药后病情即告转危为安。事后乃请章师说明当正虚邪实，病久体弱不大便的温病，其所以然单用凉膈散而取效敏捷的机制。章师告曰：“祖国医学在辨证论治上，全凭证候的表现为依据。病温不更衣日久而见体弱，诊其脉出现沉细有力者，或两手不相符者，可以考虑攻下疗法，兹病者虽然脉不与前说相符，但不见烟煤鼻舌者一也，神识不迷蒙者二也，手面不浮肿者三也，脉不乱者四也，有此四者，可以采取攻下疗法，绝不致有脱绝的突变。如见烟煤舌，虽有可下症，但只宜用增液承气汤类，不用急下攻法。至于神识迷蒙、手面浮脉、脉乱等症出现，均须慎用攻下法。另方面，热性病要用攻下法时，必须问明当发病后曾否泄泻过，防止肠伤寒初起之溏泄，以免犯上误下禁。”其审慎入微，为粗工者所望尘莫及。

瞿文楼先生经验点滴

赵绍琴

吾师瞿文楼先生治学严谨，博学多识，在临床上多有独到见解，兹述三则如下。

治疗眼疾有独特见解

先生幼年日夜苦读，患眼疾经年未愈，通过治疗及钻研体会，故对眼疾有独特的见解。先生说："目虽为火户，但五脏六腑之精气皆上注于目"，眼病根于五脏，发于六腑，虽内外原因甚多，治之仍重在辨证，不可谓目赤者火热之邪，用苦寒泄之即可。他指出："目为火户，火郁发之，郁结当宣，切忌用凉，遏其气机，热不解而日重矣。"又说："肝开窍于目，目得血而能视，手得血而能握，若血分不足，肝失其养，肝为藏血之脏，体阴而用阳。凡阴受病，阳必亢，亢则化热，热邪上灼，目疾必作矣，岂苦寒甘寒能治之耶！"先生尝谈："眼不治不瞎，耳不治不聋，必须详审细辨，从本治之，否则不利于病。"

1933 年先生治一暴发火眼，其势过猛，一夜间眼球突然肿大，疼痛难忍，诸医畏之不敢治。瞿老对我讲，此肝经风热，久郁于内，暴然发之，故疼痛甚剧，此人素体阴虚薄弱，正气不足。必须急清其热，急开其郁，二者并行则热解郁开邪祛则安。方中以散风为主，开郁次之，用羚羊角粉、大黄粉泻其气血之热，1 剂则病已，2 剂则恢复如初。

1949 年除夕，侄儿患目疾，当时有眼科医生谓眼疮，不能治。后转至瞿老处，经余介绍情况，瞿老谓：病已日久，其势甚重，必须先将郁热发出，俟热发后再议化瘀以泄热，方中用防风、赤芍、蝉衣、僵蚕、大黄等，并送服加味牛黄清心丸 2 丸，1 剂而病势大减，2 剂则病已霍然。余观察瞿老前后三十余载，对眼科病确有神效，非一般之清火泄热也。

治温病决非用寒凉

民国初年（1920～1930 年），北京温疫流行，烂喉丹痧比比皆是，时医皆以普济消毒饮、黄连解毒汤等方治之，余目睹数次患温而过服寒凉，导致坏病者。某病者高热不退，口干渴饮，甚则便结溲少，面目青黯，气息粗促，甚则四肢不温，神志昏迷，他医束手。先生曰：过于寒凉，气机闭遏，三焦不利，势将内闭至厥，必须先以温开通阳，俟三焦气机通畅，可有生机。先用疏解肺胃之闭郁，常以升降散少佐通阳之品，一剂而面青紫暗渐解，再以疏调气机，以开为务。寒则当温，郁则以开，从舌脉色细察其闭郁程度分途调理，皆为霍然而愈。自己通过瞿老的启发，所以对温病中的认识与一般不同。如"在卫汗之可也，并非应用汗法""到气才可清气，不到气不能早用清气药""入营犹可透热转气"等。

治疗痢疾独具一格

痢疾乃常见病之一，瞿老对痢疾的治法，非一般之芍药汤、香连丸、黄芩汤等。他说："无积不化痢，痢无补法，痢疾先分表里，次分气血，久则重在升降"。"治痢先从祛暑邪、化湿滞入手"。他认为，暑热积滞不除，郁久化热，解热先当开郁，郁开气通热散，病势先去大半。次以开郁宣肺化湿，郁宣、肺开、三焦通畅，湿邪自化矣。他引证喻西昌逆流挽舟之说告诉我，表不解，郁不开，热势日增，若表解气通，就似室热蒸闷，开门窗通风，室热自减矣。

1935 年秋，张某患痢，医令其吸鸦片烟以缓痛止泄，半年未愈，求治于瞿老，先生说痢乃暑湿热郁闭阻，内伤积滞不化，故而成久痢，痢为有形邪热互阻，非通不愈。今用兜涩之剂，故日加重，疗无愈期矣。瞿老以攻消化积，活血导滞，疏调肺气，半年甫愈。

温热病杂谈

刘渡舟

巧治大头瘟

我有一个朋友，叫贾义社，是中医大夫。他治疗一个患"大头瘟"的病人，头面肿胀而痛，时发寒热，脉来浮弦而数。辨为温热时邪，上客高位，凝而为肿。于是，毫不犹豫地开了一张"普济消毒饮"的原方，自认为已操必胜之券，而定是药到病除了。但是，事与愿违，非但头面之肿不消，而两侧腮颐竟红肿疼痛不已。医者莫名其妙，正在推敲方证如何治疗之时，其师兄许君恰登门来访，遂告其惑。师兄听完，诊察病人后，即在原方加夏枯草 30g，嘱病人服用。患者服药后头面之肿渐消，而"发颐"之势已退，因之而病愈。朋友不明其故，乃请师兄指教。师兄曰：此证用普济消毒饮，是无误可言。惟脉来带弦，而又颐下作肿，此乃少阳胆经相火结而不开，时邪被其所引，则留而不散，故服药无效，因内有所援也。今加夏枯草 30g，专清少阳郁勃之热，俾少阳热解，则邪热无容身之地，故普济消毒饮方得毕其功也。至此，朋友疑团顿释，自称增长了才智。

问题犹未解决

我的朋友因有前次之教训，凡治大头瘟时，往往先加夏枯草，以为预防之计。有一次又治一个大头瘟的病人，服此方竟无效可言，并且反添烦躁不安的证候。不得已又请师兄前来会诊，共决此疑。师兄诊毕而言曰：此证不但头面肿，而且舌黄便秘，脉来有力，为表里皆病之象。普济消毒饮治头面之表，清

瘟解毒而至高巅为其所长，惟其方不能泻在里之实热，以致服后无效，而何疑之有？凡兼挟之证，必用加减之法方能有效也。乃于方中减去陈皮、夏枯草两药，另加酒炒大黄10g。服1剂即大便畅通，小便黄如柏汁。而头面之肿，由此而消，其病竟愈。

从以上两案观之，可以看出用方之妙，在于机动灵活，方必随证而变，不要死于书下，以犯胶柱鼓瑟之弊，始能提高疗效也。

循经治病之法

1. 治愈足趾发：有一次我在昌黎县治一姜姓病人。他的左脚大趾的“三毛”处发生了炎症，红肿热痛，虽经西医诸般治疗，而疼痛不止，以致彻夜难眠。余切其脉弦滑而数，视其舌苔黄腻而厚，问其二便情况，声称大便通，而小便难，色赤而且短少。足大趾三毛之处，系足厥阴肝经循行之起点，今被湿热之邪所注，结毒于斯，发为肿痛，而小便不利，舌苔厚腻，故知其证为湿毒也。遂予龙胆泻肝汤加蒲公英、紫地丁、土茯苓，凡6剂而肿消痛止，其病获愈。

2. 治愈颞颌炎：我带学生在矿区实习时，有一个姓黄的女工，26岁，患颞颌关节炎，以致口不能张，张则疼痛难忍，故饮食极为困难。并兼见口渴、心烦等热象。其脉长大充盈，而舌苔薄黄，然大便不秘，惟小便发黄而已。余辨为口紧难张，病位属阳明胃经循行之处（足阳明胃经环口绕承浆），而脉长口渴，又为阳明有热之证。因其经中热邪不解而使气血不利故有此象。处方：葛根18g，以疏通经络之邪，以升阳明之津液；生石膏30g、玉竹12g以清阳明气分之热，滋津液之燥；白芍10g、甘草10g酸甘化阴，以解筋脉之急。此方共服6剂，而口逐渐张大，颊车处已不疼痛，病获痊愈。

以上两案，根据经络学说辨证方法用药，取得了满意的疗效，这是中医学的特色之一，必须加以发扬。宋朱肱曾说：不识经络而治病，如同盲人夜行。他的话有一定的道理，我们临床辨证时应借鉴其说，则庶几近之矣。

湿热上痹作咳之治

咳嗽一证，如从邪气来论，有风寒袭肺者，有温热上受者，有燥热伤阳者，有痰阻饮聚者，此皆为人所知，而治之不难。惟湿热上痹于肺，而使肺气不降，三焦不利之咳嗽，则知之者较少，往往治不见效，而使人无法可施。近二三年来，北京地区发现此证较多，而且缠绵不愈，值得我们加以重视。

湿热上痹之咳嗽，多见胸中发满，咳嗽声重，痰多而难咳出。饮食减少，面色灰黄不泽，大便尚可，惟小便色黄，而且量少为异。

其脉多濡缓，舌苔则白腻而厚，亦有舌体硕大者，然为数不多。

此证治疗之法，应开肺气之痹，化湿浊之邪，淡渗与芳香兼用，使湿去热除，则病可愈。方用：射干9g、象贝9g、茵陈10g、滑石10g、石菖蒲10g、郁金10g、薏苡仁12g、杏仁10g、白蔻仁10g、藿香9g（后下）、通草10g、竹叶10g。服药必须忌口，凡油腻、糖果、厚味、肉食皆不能用。此方服至五六剂，则咳止胸宽其病即愈。

湿热作咳，方书甚少谈及，然临床不鲜见之，故表而出之，以为临床家之参考云。

湿温重证治验

甘肃张掖地区周某，男性，24岁。病外感发热不退，头身作痛，胸中痞满，恶心而不欲食。赤脚医生为其注射安乃静两支，葡萄糖两支，虽汗出甚多，而发热不退，体温为39.6℃，并时时作呕，入睡则呓语不休。切其脉数而浮，惟舌苔反白腻。余辨为湿温误汗，津伤而邪不解，因见胸满时呕，为湿阻上中二焦，乃用三仁汤原方，而意其必效也。至下午，余甫返诊所，病家来人，请余再诊。患者服药后，发热不解，而体痛难捱，且口渴喜饮，神志昏糊，时时谵语。切其脉濡数，而面缘缘正赤，舌苔反白腻，两足反冰冷。

余细思此证，胸满苔腻脉濡，辨为湿邪无疑，口渴喜饮，谵语面赤，又为阳明津伤热甚之象。治法非白虎不足清热生津，非苍术不足以化浊去湿。乃选用苍术白虎汤原方，一剂知，二剂已。从此案忆及文革前，北京夏季患乙型脑炎者甚多，根据河北钱乐天先生用白虎汤治疗的经验，而收效不大，且死亡相继，令人心惊，后请蒲辅周老大夫，改用苍术白虎汤，始反败为胜而全活不少。蒲老认为白虎汤清热治燥，故温热病者宜之；苍术白虎汤清热祛湿，故湿温病者宜之，若以此例彼，而不分燥、湿之气，则鲜有不败者也。

李稚余老中医医话二则

郑春元

先师李稚余老大夫（1911～1982），自幼继承三代太医院御医家学，又积五十余年临证经验，用药灵活而谨慎，师古而不泥古，对内、妇、儿诸科痼疾重证，多以和平寻常之药，而收奇异之功。先师著医话二则，乃述其家传医学之大法，向不轻易示人。余蒙先师授此心传，命熟读之，临证治疗，谨遵其意，确可寡过而卓疗效。今公诸于世，以为振兴中医事业之一助耳。

用药宜灵活而谨慎说

苏东坡曰：“药虽出于医手，方多传于古人”。然古人立法于后世，不过略示规范云耳。必须医者灵活而择之，谨慎而用之，盖同一病也，表里分焉，寒热异焉，燥湿别焉，虚实殊焉，必也变治分歧，用药灵活，始能奏功病场耳。内损病药之应分南北，外感病药之须别弱强；室女妇人，病同药原不同，童子成人，药同量本当异；同一病症，用药而分季节；病药均同，用之尚有轻重，万不可师古不化，演成方书误人。一旦遇症，卒然投药，笼统治之，一方万能，致使轻疾小恙，一变素病沉疴，糊涂过失，粗糙杀人，偶有不慎，害实非浅。

药也者，用之当无方不善，用之不当，无方能效，其巧妙惟在用之灵活，使之谨慎也。缘有证同因不同，因同证不同，证同病不同，病同药不同，药同量不同，种种异样，常出意想。倘不细心追求，四诊互考，诸症环质，探索穷源，焉可得其真谛哉！真谛既得，药之遂意，斯时也，欲其东则东，欲其西则西，即以甲病之药，移而活乙之疾，亦无不可，所谓无往而不利，无疾不可克，正不必刻舟以求剑，削足而适履，又何必是病、是方、是药、是量耶。故曰，运用之妙，存乎一心，万勿徒记，某经某方治某病，尽信诸书即以为工也。夫用药诚如用兵，焉能尽如人策，良医有良相之比，岂可依样来画葫芦，窃愿后我而生者，姑妄听之，留心察之，所谈或有可取，至于高明罪我，实非所计也。

古方宜活用说

古人立方，大都主治一证，各走一经，故药少而气纯，力专而效速，一方有一方之妙用，一方有一方之特长，岂可妄行增损，致失本旨。

然时有古今，地有南北，人有强弱，邪有浅深，若气虚概进以四君，血亏概补以四物，风寒概施以麻黄汤，疟疾概投以小柴胡，曰此古人成法，古人不任其咎也。

夫同一解表，桂枝汤解风邪之表，三仁汤解湿温之表，六一散解暑邪之表，银翘散解温邪之表，非一方所能通效也。同一祛寒，理中汤祛太阴之寒，真武汤祛少阴之寒，当归四逆汤祛厥阴之寒，四逆汤通治三阴之寒，亦非一方所能尽也。且一病而主两方者，金匮尤不一其例，如同是溢饮，大青龙汤主之，小青龙汤亦主之，盖水饮流溢，亦随人脏气寒热而别，饮从热化，则以辛凉发其汗，而主大青龙，饮从寒化，则以辛温发其汗，而主小青龙。又同是胸痹，苓杏甘草汤主之，橘枳生姜汤亦主之，盖一则水盛于气，故主苓杏以行水，一则气盛于水，故主橘枳以行气。且也同是承气，而用意各有不同，大承气通治三焦，小承气不犯下焦，调胃承气不犯上焦。犹如同是陷胸，而所入又各不同，大陷胸为足太阳药，小陷胸为足少阳药，以上皆显而易见者也。更有药味皆同，而主治不同者，如小承气汤与厚朴三物汤、厚朴大黄汤三方，同用大黄、厚朴、枳实三味，而命名既殊，主治亦异者何哉？则以药味虽同，而份量不同，君臣不同也。小承气意在荡实，故君大黄；后二方意在行气，故君厚朴，而厚朴之份量，一则仅用二两，一则多至八两或一斤也。吾人于此中区别，苟不细心研究，焉知古人制方之妙哉。然若墨守古方，不知变化，胶柱鼓瑟，削足适履，其弊亦复相等。须知运用古方，贵通其意，而不必泥其迹，师其法，而不必袭其方。即如仲景复脉汤一方，生血之源，导血之流，可谓补血第一方，然叶天士治血症常用此方，去姜桂而加白芍，唐容川亦有加减诸法，但能不失仲景遗意，又何不可。即人参养荣汤亦从此方套出，可见初无一成不易之法，神而明之，存乎其人耳。试观小建中汤，而归脾汤即从其重浊处套出，补中汤即从其清轻处套出。有葶苈大枣汤泻肺中之水，即有人参泻肺汤泻肺中之火。有大陷胸汤下肺中之火，即有厚朴大黄汤下肺中之水。盖通其意、得其法则无处不可以行也。

又成方之附列加减法者，如张仲景之理中汤、小柴胡汤，李杲之补中益气汤等，亦复不少，古人亦曾以活法示我矣。孟子曰：能与人规矩，不能使人巧。古人立方，与人以规矩而已，善学者，取其方而圆用之，其庶几乎。

温病之“热”与“汗”

董建华

温病临床，证情急骤，变化瞬息，对其主要证候辨证迅当，遣方确断，在诊治中有重要意义，兹将温病临床辨热与辨汗的体会录之于下，以供参考。

发　热

发热是人体对病邪的一种全身性反应，它具有二重性。一方面，发热是正邪相搏，正气抵抗温邪入侵的一种防御；另一方面，发热会消耗正气，损害机体，严重的会引起不良后果。温病初起发热，以阳性发热为主为多，而且大多温病呈急性或亚急性（除个别外），一般热势较高，并常伴有阳热亢盛的一系列表现，这与内伤发热根本不同。当然，在温病后期，由于余邪未清，气阴亏虚，也可出现类似内伤发热的虚热或虚中夹实证，但二者是截然不同的。根据发热时体温的升降和持续情况，有以下几类。

1\. 一脚热　所谓一脚热，体温并非徐徐上升，而是热势一开始就很高

（39°以上），久不下降，而且每日波动不逾1℃左右。如属温病初起，不恶风寒的，不管那种温病，均可用辛凉重剂白虎汤加味。《温病条辨·上焦篇》第7条："太阴温病，脉浮洪，舌黄，渴甚，大汗，面赤，恶热者，辛凉重剂白虎汤主之。"我认为这是很有科学道理的。因为脉浮洪为邪在肺经气分，舌黄口渴，大汗是热逼津液外出，面赤，乃火热炎上，恶热者，是表邪入里侵袭气分，银翘散、桑菊饮一类轻剂，均不能胜任，惟辛凉重剂白虎汤方能胜之。

2. 起伏热　就是体温时高时低，时起时伏，伏时不降到正常，起时可达39~40℃。遇到这种情况，就要看它发病季节，以及发病过程。如春季，舌红苔黄汗少，为邪伏气营，属气血两燔，治用玉女煎加减为宜；如有大热烦渴，脉大，汗出及唇舌绛等候，治宜清气热，凉营血，亦可用玉女煎。《温病条辨·上焦篇》第10条："太阴温病，气血两燔者，玉女煎去牛膝加元参主之。"指的就是气、营、血都有较高的热象。凡气血两燔，不可专治一面而忽略另一面，玉女煎中牛膝趋下，不合太阴之证，故去之，熟地黄改为细生地黄，取其轻而不重，凉而不温之义，且细生地黄能发血中之表，加玄参者，取其壮水制火，预防咽痛失血等症。此法为辛凉合甘寒，治气血两燔甚佳。因为起伏热体温时高时低，时起时伏，正是反映了人体邪盛正衰的过程，玉女煎具有祛邪扶正两种作用，用治起伏热有较好的效果。

3. 定时热　定时热者就是发热有一定时间，或日发一次，或双日一次，发热期与无热期交替出现，有一定规律性。临床上常见的定时热以疟疾为多，疟疾在《温病条辨》中列有温疟和瘅疟，均为发热有时，汗出后体温正常。但温疟先热后寒（或无寒但热），骨节痛烦；瘅疟则但热不寒（或微寒多热），舌干口渴，此乃阴气先伤，阳气独发，所以治法有所不同，治温疟用白虎清热保津，加桂枝引邪外出；治瘅疟当清气生津，抢救胃阴，用甘寒救阴之法，五汁饮或白虎加入参汤主之。

4. 往来热　所谓往来热者，就是寒时不热，热时不寒，交替出现，界限分明，这是与定时热不同之处。此类病候持续出现，但不是疟疾，而是温病之邪在膜原，即在少阳半表半里之间。临床常见是卫分证已罢，气分证未曾出现，病在卫，气之间。在伤寒是以柴胡剂和解，在温病则以蒿芩清胆汤等方以和解清热。

5. 灼热　似火烧灼，体若燔炭，手足如烙，热势很高。一日之间变化很大，高时达40℃以上，低时在正常以下，常在邪热入侵营血时见之，易于耗伤心阴或肝肾之阴。临床上遇见灼热，并伴有心烦；不寐、谵语等候，可用清营汤主之。例如，《温病条辨·上焦篇》第30条："脉虚夜眠不安，烦渴，舌赤，时有谵语，目常开不闭，或喜闭而不开，暑入手厥阴也，手厥阴暑温，清营汤主之”。失眠因阳不入阴；烦渴舌赤系热扰心神；目开为火旺泄热；目闭乃阴为阳亢所损，故恶见阳光。清营汤泻火清热，清营中之火，釜底抽薪，可期良效。

6. 低热　就是热势略高于正强体温，常在37.5~38℃之间波动。温病低热常见有两类：其一是温病初起，邪在肺卫，并伴有微恶风寒，咳嗽等证，咳重热轻者可用辛凉轻剂桑菊饮，这是因为病在上焦肺卫，故用轻清散邪之品；其二是温病后期，余邪未清，体温持续不退，阴津耗伤，手足心亦有热象，这种低热，要视具体情况用药，如热伤肺胃之津，可用竹叶石膏汤或清络饮；如热伤肝肾，肝肾阴虚，当用滋阴清热之剂，如三甲复脉汤或大定风珠均可。

临床上一脚热常见于春温、暑温、温毒、风温等病；起伏热以湿温（热重于湿）、或伏暑等病为多见；定时热以疟病为多见；往来热可见之于各种温病之邪入少阳膜原或病在半表半里时，灼热于伏气温病，阴精内亏，或诸温热毒，内陷心营时出现为多；低热常在温病后期，余邪未清，阴津内伤，或肝肾阴虚，虚多邪少时见之为多。

汗

在治疗温病过程中，随时注意汗之有无、泄汗多少、有无气味，以及汗出时身体反应如何等等，对于辨别证候，判断病情，预测转归，都有很重要的实践意义。

1. 无汗　指应有汗而不出汗。温病无汗，常见的有二类：一是寒邪束表，表寒里热，此为里有伏温，复感外邪，肺卫之气被遏，腠理闭塞而无汗，症见发热无汗，微恶风寒，口渴，咳逆，气短，咽痛，苔黄白相兼，脉数，治宜清热宣肺，麻杏石甘汤主之；二是邪热入营，高热不退，烦躁不眠，灼热耗阴津过多，以致不能作汗，症见浑身高热似火，舌绛而干，口不甚渴，脉细，治宜清营透热，清营汤主之。

2. 微汗　是周身微微有汗。邪郁肺卫，其病在表，病邪有外越之势，症见发热，微恶风寒或不恶风寒，咳嗽，口渴，头痛，苔薄白而干或微黄，边尖红，脉数，如风温初起常有此候，治宜辛凉解表，以驱邪外出；咳重热轻者以宣肺为主，用桑菊饮；热重咳轻者，以清热为主，用银翘散。

3. 大汗　汗出淋漓不止。暑热内蒸，迫津外泄，故汗出过多。温病中期，正气未虚，邪气尚实，正邪相搏，汗出淋漓不止，汗出愈多，正气愈伤，症见壮热，烦渴，气喘，舌质红，苔黄干燥，脉虚大无力，重证有神昏不语。暑温多见此候，治宜清暑益气，生津养阴，白虎汤加味主之。

4. 臭汗　气味酸臭。湿热之邪，恋于气分，缠绵不解，蒸郁肌表，虽有汗出，但邪不去，湿热有外透之势而未得宣扬，症见热势起伏不定，汗出连绵不

断，但流不畅，气味酸臭，胸闷，恶心，或大便溏薄，伴白痦，形如小水晶泡，布于颈、胸、腹各部。舌苔黄白而腻，脉象濡涩，此系湿温病的一种类型。治宜清透气分湿热，薏苡竹叶散主之；若湿热熏蒸肝胆，胆汁随汗外渍，发热，汗出酸臭色黄，口渴不思饮，肢体浮肿，舌苔黄腻，脉象沉滑，治宜清热利湿，茵陈四苓散主之。

5. 黏汗　汗出量多，黏而似油。常见于温热病之后期，正气大伤，阳不敛阴，阴阳两脱，精气将尽，系危重之证。常伴有四肢厥冷，声短息微，精神疲乏，舌卷少津，脉微欲绝或大而无力等候，治宜益气、回阳、固脱，生脉散加味主之。

6. 战汗　是发热时，身先战栗，而后出汗。温邪侵入气分，正气与之抗争，症见发热，烦渴，躁扰不宁，突然全身战栗，而后汗出，苔薄黄，脉浮数。遇见战汗，应视具体情况，分别处理，如汗出病退，脉静身凉，烦渴顿除者，此为正气胜于邪气，病渐转愈，属佳象，可不必治疗，或饮热米汤，以强养胃气；如战汗之后，热势不退，烦躁加重，脉见躁动，此为正气虚弱，不能胜邪，而热复内陷，属危象，应根据病情轻重给予适当处理。

发热误治案

宗修英

先父在十年动乱中，被遣回乡，劳动之余，乡里求医者络绎不绝。曾医一老媪，发热经月，汗虽出而热不退，遍求社队诸医，均予发汗退热剂，服后汗出，热势稍退，移时复热，屡治无效，现已疲惫难起。

先父往视之，时值荷月，而门掩窗闭，且悬门帘，入其室，热气蒸腾，先父早已汗流挟背矣，视其人，倚坐炕上，腰下覆被，背披棉衣，额鼻有汗，问其所苦，但云身痛头痛，不敢着风。察其脉浮缓，望其舌苔薄白欠润，先父历阅前医之方，除桑菊、银翘之剂外，还有人参败毒饮、参苏饮等，乃援笔立书桂枝汤原方 2 剂，旁有一业医者劝之曰："汝今在劫难中，时值暑令，热病而投辛温，倘有不测，其奈贫下中农何?"先父谢之曰："前方之所以不效者，无论其辛温与辛凉，均为汗解之法，而患者汗出恶风，发热不退，脉浮而缓者，纯属营卫失和之太阳中风证，发热虽久，而太阳中风证具备，有是证，用是药，古有明训，余素不敏，如舍此方则别无他策矣。"患者执意服此方，家属从之，一剂知，二剂愈。

寒热如疟并非全是柴胡证

|文 棣|

在临床治疗外感热病时，常常可以听到病人诉说自觉冷一阵、热一阵的症状，有的医生一概谓之往来寒热，认为是少阳病主证，根据“伤寒中风，有柴胡证，但见一证便是，不必悉具”投予小柴胡汤，有的药后病退，有的则寒热如故。分析起来，总是因为医律不细、辨证不确的缘故。

疟疾属于杂病，以寒战壮热，休作有时为特征。在外感病中，或见恶寒发热交替发作，或见寒热发作有一定时间，因其症状类似疟疾，故称之为寒热如疟。

《伤寒论》中寒热如疟有“如疟状”和“往来寒热”两种提法，有关论述分布于三阳病篇。

在太阳病中称之为“如疟状”，症见发热恶寒，热多寒少，或一日再发，或一日二三度发，症状如疟。病位在表。当正气奋起抗邪时，阳气浮盛，则见发热，当正气退，邪留肌表，风寒外束，则见恶寒。因其表邪势衰，正气数与邪争，所以一日可出现二三次寒热症状。治当小汗法，视其病情轻重及兼证，选用麻桂各半汤、桂二麻一汤和桂二越一汤。

在少阳病中称之为“往来寒热”，发无定时，作无休止，其状如疟。是邪在半表半里。正邪相争，正不胜邪则见恶寒，正胜于邪则见发热。法宜和解。根据兼证不同，选用小柴胡汤及其衍变方。

《伤寒论》第240条提到阳明病的“如疟状”，是指病属阳明而太阳之邪未尽，由于发热有一定时间，如同疟疾一样，故曰“如疟状”，更从其发热时间多在日晡，从而推断出病机属阳明。在治疗上，若表邪未尽里实不甚，应先发汗，予桂枝汤，若阳明燥实已成，即用下法，为大承气汤。

还有热入血室的“如疟状”是月经期感受外邪，邪热内陷与血相结，血气与邪相争，而出现寒热如疟的症状。治疗上用小柴胡汤酌加血分药，助其枢转，驱邪外出。

可以看出《伤寒论》中寒热如疟证有太阳、阳明、少阳及热入血室的不同。仲景恐人但见寒热如疟证即与柴胡剂，特把少阳如疟名之“往来寒热”，以别于太阳、阳明和热入血室的“如疟状”。由此可见仲景遣词之严谨，教人之苦心。

根据我多年运用仲景书中方剂的临床实践体会，寒热如疟的辨证关键在于判断疾病的病位所在，从而采取相应的治疗方法。

首先是平脉辨证。仲景书每篇题目均标为“××病脉证并治”，以脉居于首位，可见对脉诊的重视。正如尤在泾所说：“审其脉之浮沉，定其邪之所在，而后从而治之。”寒热如疟证见脉浮属太阳，病位在表；见脉弦细属少阳，病位在半表半里，见脉大（洪大或沉实）属阳明，病位在里。

其次是细辨寒热。太阳寒热是恶寒发热并见；少阳寒热是恶寒时不发热，发热时不恶寒；阳明病则是发热，不恶寒反恶热。

再次是审其兼证。太阳如疟，因其邪微，故热多寒少，面赤身痒，且不呕，清便欲自可；少阳往来寒热则多兼呕，或兼胸胁苦满等；阳明如疟多兼口渴，日晡发热，大便燥实；热入血室则发生于月经期，经水适断。

例1：李某某，男，32岁，干部。发热持续3天，体温38.5℃，每于傍晚发作，开始恶寒，无汗恶风甚，继而发热，晚间热退，头痛，鼻流清涕，面微赤。前医谓之寒热往来，曾予小柴胡汤未效。余诊之脉浮缓，细询之知其不呕不渴，二便自调，舌苔薄白。诊为太阳如疟证，即予麻桂各半汤原方，1剂汗出烧退而寒热解，2剂病愈。

例2：张某，女，46岁。发热2日，体温38.9℃，时怕冷，时恶热，午后尤甚，头痛，咽干、恶心、口渴思饮，脘痞，两胁胀满，纳差、舌红苔白微黄，脉弦数，诊为少阳阳明合病，予小柴胡加石膏汤，1剂即热退病除。

总之，在外感热病中，凡见寒热如疟症状，不可全视为少阳病而予柴胡剂，需审察精详，判明病位，然后确定相应治法，这样才能真正达到辨证施治的目的。

临床拾零

朱桂茹

患者，张某某，男，42岁，煤矿工人，住院病历号299913。患慢性肺脓肿已6年，反复发作，曾先后4次住院，服中西药治疗，终未根治。近1周，因着凉而引起高热，胸痛，咳嗽咯吐脓痰。西医诊断：慢性肺脓肿急性发作。于1976年10月4日住院。住院期间曾用多种抗生素治疗，病情仍无好转，且日渐加重，高热持续不退。西医认为有伴发脓毒血症和败血症的可能，已下病危通知，患者家属要求请中医诊治。

中医会诊所见：发热，体温39～42℃，已二十余日，胸痛、气急而喘、不得平卧，咳吐脓痰，色黄而腥臭难闻，烦躁不安，时有神昏谵语，形体消瘦，饮食尚可，仔细观之，清醒时，病人双目有神，二便均正常，舌质红，苔黄腻，脉滑数而有力。

辨证：病起感寒，郁而化热，邪热壅肺，灼液为痰，结而不散，以致血脉凝滞，血败肉腐，蕴酿成脓，此病属肺痈也。

方药：予千金苇茎汤合桔梗汤加味治之。金银花 30g、连翘 18g、芦根 30g、冬瓜仁 18g、薏苡仁 30g、桔梗 30g、黄芩 12g、板蓝根 18g、桑白皮 12g、桃仁 9g、甘草 6g，水煎服，3 剂。

二诊：药后病情好转，发热已退，体温为37.8℃，脉已不数，且按之少力。原方加黄芪 20g、沙参 15g、百合 15g，再 3 剂。

当病人服完第 5 剂药时，突然阵咳不已，半小时后，咳出 1 枚苍耳子。此后，热退病瘥。再予四君子汤（党参、白术、茯苓、甘草）加入黄芪、陈皮，做善后调理，半月后病愈出院。随访 3 年，未再复发，并已恢复正常工作。

笔者体会：

第一，肺痈一证，其病机为热盛痰结，血脉凝滞，热壅肉腐，生痈成脓。在成脓期，邪气极盛，治宜攻邪为主。故立清热解毒、祛痰排脓之法，以救金灼之急，故选用千金苇茎汤合桔梗汤治之。本方正中病机，故在短期取效。

第二，该患者病程较长，久病必虚。此时虽邪气鸱张，病情危急，但观其人，饮食尚可，双目有神，此属胃气尚存，神气未衰之象，病可治也。正如《内经》云："有胃气则生，无胃气则死""得神者生，失神者则死"。此时，不必虑其体虚，应抓住治疗时机，当机立断，大胆投以大剂量清热解毒、祛痰排脓之品，以治之。药后，病势日缓，邪去正亦渐衰，随之加入扶正之品，黄芪益气托里排脓，沙参、百合补肺清热，扶正祛邪兼而有之，故取效甚捷，此中医辨证论治之妙也。即所谓"祛邪正易复，正复邪易祛"之理。

第三，本方选用金银花、连翘、黄芩、板蓝根清热解毒；冬瓜仁、薏苡仁、芦根祛痰排脓利湿，以消内痈；桃仁活血化瘀，促进血行；桔梗开宣肺气，止咳化痰，诸药合用，使热清痰祛，脓除病愈。

该病反复不愈，主要是气管异物作怪，遇有寒热失调，诱发起病。那么，促使异物排出，我认为主要是方中重用桔梗之故。经药理分析，桔梗的有效成分为桔梗皂苷，内服能刺激咽喉黏膜及胃黏膜，反射性引起呼吸道黏膜分泌亢进，稀释并排出留于支气管和气管中的痰液，有较好的祛痰镇咳作用，桔梗可将痰稀释，为促使苍耳子排出提供了有利条件，再加上桔梗有开肺气作用与甘草同行，共为"舟楫之剂"，可载药上行，使药力集中，以达病所，促使异物排除，消除病灶，使病告捷。

第四，病魔缠身 6 年之久，终未根治，但服中药半月，得到根治。从中使

我深刻体会到，祖国医药学的确是伟大的宝库，临证时，只要辨证准确，把握时机，大胆用药，效如桴鼓。所以，我们要努力发掘，继承发扬祖国医学文化遗产。

第五，我在临床，每遇气管炎、肺炎、支气管哮喘、煤矽肺引起继发感染者，凡属肺热痰壅型，常用千金苇茎汤合桔梗汤配伍清热解毒之品治之，每每获得满意效果。临证拾零，点滴体会，难免有误，望同道斧正。

论 治 疟

|袁鹤侪|

人之病疟，寒热往来，临证辨治，要在视其寒热之多少，以为遣方用药之依据。其寒热之多少相等，左脉弦，右关脉虚，用小柴胡汤最为有效。

柴胡6g、酒黄芩6g、人参4.5g、姜半夏10g、炙甘草6g、生姜3片、大枣3枚。水煎，于病发前三四小时服。

方中人参，如遇普通人家，可易以党参。如用人参1钱（3g），可用党参三四钱（10～12g）。

用小柴胡汤，《伤寒论》中有加减法，宜遵用。依我之经验，其用于治疟之时，可据其寒热之多少，有如下化裁。

若寒多者，加柴胡10～12g，青皮10～12g，酒黄芩6～10g。余同前。惟柴胡加多，其服法可参照西药服法。一剂分3次服，服于疟发之前。例如：下午5点发病，则早上8点服第1次，11点服第2次，下午2点或3点服第3次。余依此类推。

热多寒少者，重用黄芩而柴胡减少。

又有不头痛而腹胀者，则于方内加炒白术10～12g，草果6g，茯苓10g。盖腹胀由于湿，故加茯苓、白术等药，以祛湿而病可愈也。

若但热无寒之温疟，则此方不适用矣。

大凡疟疾，无论寒热多少，一经汗出则热解，后略如常人。如终日热不解，则或为温病兼疟，不可用柴胡等方矣。据此，制治疟方如下，轻者用此一剂即愈。

姜厚朴4.5g、青皮10g、柴胡6g、苍术4.5g、黄芩6g、茯苓10g、陈皮10g、姜半夏10g、甘草6g、党参6g。

将上药共为粗末，分3次煎服，服法同上述。

20世纪30年代中期，余据此法治疟，收效甚佳。后次女赴河南，适值该地疟疾流行，病者甚众。乃至书于余，述其病情，以求治疟之方。余仍据此法而制方。事后，次女告余，服此方者，多获良效。故留于心中，以为临证之一得。

（袁立人 整理）

随诊一得

赵智恭

早在20世纪50年代，随师出诊，遇一妇人患头痛症，经中西多方治疗罔效，病情日重，症见头痛目眩，心烦呕恶，多日饮食少思，寒热时作，蜷卧不欲见人，恶闻声响，响则痛甚，抱头闭目不可忍，家人都蹑足而行，脉象沉弦，舌胖苔白。诊毕，先生命我书小柴胡汤和吴茱萸汤原方两剂。复诊时病人已坐于堂中候诊，告曰："服药一剂，诸症减半，二剂诸症消失，但尚觉纳差乏力"。师曰："此病久体虚，胃气待复，再拟调理脾胃进食之剂，即可收效。"后果如其言。遂问师曰："此病何故取效?"告曰："用小柴胡者，《伤寒论》有云：'但见一症便是，不必悉俱'。此病为少阳厥阴表里同病，故与吴茱萸汤合用，古人配伍巧妙，勿须更改其量，只要认证准确，一定效验。"

此后余在临床时，每遇此类患者，认真辨证，宗法加减，多收捷效。1962年春，余一女同学参军于某部医院做护士，在外出集训中发生头痛，辗转反侧无暂安时，抱头闭目，泛吐痰涎，寒热烦躁夜不成眠。在部队医院神经科检查，未能确诊，缠绵半年有余，病休回家，求余诊治，诊其脉弦细且涩，舌胖质暗苔白，面色晦暗发青，头痛呕吐涎沫，饮食少思，倦怠懒言，发热即烦躁，恶寒即蜷卧，每逢夜半子时减轻，经水闭止半年，经用小柴胡汤和吴茱萸汤加川芎、当归等品，调治半月，痛止经通，痊愈归队。病达1年之疾，短短10日即解，部队首长诚为致谢。

风痱重症续命有效

吕秉仁

痱者，肢体痿废不用之谓。《诸病源候论·风痱候》云："风痱之状，身体无痛，四肢不收，神智不乱，……时能言者可治，不能言者不可治。"对风痱之见症、预后皆已载明。治疗痱证，临证多用《宣明论方》之地黄饮子，滋补肾阴肾阳，以疗其痿软无力。然亦有不适用者，不可不辨。

1969 年 5 月下旬，一位 18 岁男青年患感染性多发性神经根炎而住入神经科病房。患者来自农村，因劳动后下河游泳而得病。先觉下肢发酸无力，继则发麻不能走路，上肢亦相继出现无力、麻痹以致四肢瘫痪不收。并突发呼吸麻痹、全身发绀、意识不清。经抢救意识恢复，气管切开用呼吸机维持呼吸。住院治疗近 1 个月，除呼吸肌活动略有进步外，四肢瘫痪如故。邀余会诊时，见患者被置于若大呼吸机中，无疼痛之感，惟停机则憋气欲绝。此病与《诸病源候论》所述之风痱候极为一致。忆及《金匮要略》所附之《古今录验》续命汤："治中风痱，身体不能自收，口不能言，冒昧不知痛处。"此与本例亦甚合拍，故经加减试投之：麻黄 9g、桂枝 9g、干姜 4.5g、川贝母 6g、人参 9g、甘草 4.5g、生石膏 30g、当归 9g、川芎 4.5g，每日 1 剂，水煎服。

进药 1 剂，无不适，依方加减连进 10 剂，病情明显好转，完全停用呼吸机可以自主呼吸，上肢略能活动。更以活血通络兼以补气之剂，治疗半年多，四肢瘫痪好转，可以独立行走，站立，生活已能自理而出院。回家继续治疗一段时间后，可以参加农业劳动。

按：自汉晋以迄唐宋，率多以温燥祛风之剂治疗中风，续命汤是其常用之主方。然而中风多为阴虚阳亢、风火煽动，最忌温燥之药。续命汤以温燥药为主，不可轻用于中风病。临床实践表明，续命汤适用于风寒外袭之"真中风"，如本例即是。故续命汤"治中风痱"，确有实践经验为据。

漫谈高血压

方和谦

高血压系现代医学病名。每见不少中药处方，总以大量潜阳重镇或清热降火之剂动员患者服用。或又云"生白芍、生杜仲、怀牛膝、生石决明、草决明、白菊花、白蒺藜等多类药物有降血压作用"。还有某些庸俗之谈说："米醋泡鸡卵，食治本病"。引起大量的药物浪费和给患者带来很多不必要的麻烦。

测血压是体检手段，通过人体血压情况，用以测知身体各部器官生理、病理的活动状态。在现代医学上，尚有原发性高血压、继发性高血压的不同。原发性高血压又有缓进型与急进型的区别；继发性高血压多为症状性高血压，治法都不可千篇一律。而我们中医治病又岂能离开辨证论治单从某方、某药而为治呢？

大部分高血压病人固然是脉见弦大有力或强劲的，然而个别患者也有沉弦而细，或虚弦无力的。有的病患脉证相应，也有的病患脉证不相应。脉证之间的取舍也当本诸沿则，标本所在。我曾治一动脉硬化症心脏病患者，非但不宜潜阳重镇，且当滋补先天，引火归元。服桂附、地黄饮子数十剂得效。又患者张某某，患慢性肾炎、肾性高血压，经服真武剂数月而复。当然我并不反对肝阳上亢，肝风驰张时的血压升高，需以潜镇降逆为治的应用，我认为作为中医学术体系来说，可以引入血压计，借为判别疾病的诊具。但不应忽略我们传统治病总则——辨证施治，这是很重要的。

狂证治验

吴作君

张某之女，8 岁，其母代诉两月前因受同学欺侮，反受老师批评，遂见夜不得寐，头痛如裂，哭笑无常。经某医院检查脑电图异常，诊断为“儿童精神病”，经治未效，故求余诊之。

余观前医用过之药方，为：礞石 15g（先煎）、石菖蒲 10g、郁金 10g、清半夏 9g、黄连（打）6g、莲子心 3g、沉香 6g、朱茯神 12g、朱麦冬 12g、朱连翘 12g、寒水石 10g、柴胡 10g，乃清心滚痰丸合定志丸化裁而来。辨证论治尚确切，为何多剂而不效?！余暗思之，细观患儿面赤目瞪，语无伦次，谩骂多疑，狂躁不宁，疯狂外跑，不听劝阻，力逾成人。遂顺从其性，因势诱导而诊之，其脉弦滑数大，舌质暗红，苔黄厚腻，问其大便，已数日未行。余恍然大悟：此因恼怒惊恐而发狂。证属肝胆火郁，痰火扰心，热扰神明，心神逆乱之重症。前医所治，虽方证相合，然病重药轻，犹如杯水车薪，狂症岂可复平？紧守“诸躁狂越，皆属于火”之病机，当拟清心泻热，豁然开窍之重剂，方能克敌制胜。患者大便秘结，故在原方中加大黄 15g（后下），礞石 30g（先煎），加安宫牛黄丸 2 丸，每次 1/4 丸，日 2 次。礞石祛风痰顽疾，可为治狂症之主药，重用方能奏效；大黄性味苦寒，泻实热，破积行瘀，开下行之路；安宫牛黄丸清心泻热豁痰开窍。患者服数剂后，排出大量黏腻臭秽大便，睡眠转安，与前判若两人。效不更方，守前方加减，巩固治疗 3 个月，而获痊愈，后查脑电图正常。

或问：与前医之方，药仅二味之别，量仅一味之差，而疗效迥异，其理何在？盖患儿病已两月，火炽而痰盛，今大便数日未行，脉滑数而苔黄腻，其狂躁之状可谓甚也。前医用药意在涤痰清热，因患儿仅 8 岁，似恐泄下太过而不用大黄，重在涤痰而清热不足。余据其证用大黄以泄热，倍礞石以涤痰，加牛黄丸助清心豁痰开窍，虽系小儿，然病重热甚，故重用大黄亦“有故无殒”之

谓之。药后便通而未致泄，热除而神清即是明证。余临症之时，凡遇此证，每每重要礞石、大黄而多获良效。非吾高明，乃有是证，用是药也。

牙痛拾余

宋孝志

两位老工人来串门，谈到牙痛。一位说："我 30 岁时，经常牙痛。一天去医院牙科，见有一老人正在看牙，大夫为他检查后说：'您这牙不能拔，因为您有心脏病，又有高血压，先去看中医吧！'轮到我了，大夫问了问我哪颗牙痛，便要给我拔牙。我告诉他：'我这牙痛，没有定处，上下左右，内牙臼齿，打游击一样，到处转移，拔哪颗为好呢？'大夫说：'凡痛的都得拔，拔后安假牙。'我看这位大夫的两种服务态度，失望而告辞。出门适逢一老人，问我到医院看啥病？了解了我的情况后说：'我过去每逢牙痛，都是买点生大黄泡水喝，服后定能止痛，你试试看，'我照办了，果然止住了痛。以后每逢牙痛便买两分钱大黄泡水饮服，疗效甚好。34 岁时，一次因食辛热油腻，满口牙痛，两分钱大黄服下后无效，估计可能剂量小了，生大黄买至一角钱，约有一两余，泡服后大泻五六次，痛楚若失，以后再未牙痛过。迄今 60 多岁了，牙齿完整，能啃硬物。如那时所任拔牙，现在何堪设想"。另一位五十多岁的工人接上话茬："我如早知道泡大黄喝能止牙痛，便不致拔得七零八落，如今装上假牙了。"

牙痛病因复杂，古人谓"外感风寒或口吸寒冷致痛者为外因；实热虚火，骨蒸气郁，湿热虫蛀者为内因；硬物所伤、打击所致者为不内外因。"上龈乃足阳明胃之脉所贯络，下龈为手阳明大肠之脉所贯络，又牙齿为骨之所络，髓之所养，其痛有喜寒喜热之不同，其治有从标从本之异法，并不是都用大黄而有效。可以通用之方只有消风散，方用炒黑香附 9g、炒青盐 3g。共研细末，搽于患处，止痛率是比较高的。

至于虫蛀龋齿，古人有很多简便良方。如王海藏用梧桐泪治火毒风疳岬齿；林元礼用蟾酥治牙蚀，药到痛定；孙思邈用莨菪子炮气熏齿击岬；朱丹溪用韭子入艾烧烟熏䘌；吴崑用新石灰，以蜜为丸，著于齿蚀之处，应手而愈。这些我都反复试过，确实有效。在没有牙科的农村，是很适用的。

有一牙痛患者，男，四十余岁，牙龈肿，齿动摇，经牙科要求拔牙。医师谓诸牙皆动摇，龈又肿甚，劝其先服中药而来求方，诊其脉细涩，舌质淡，苔薄白，大便难，曾服滋阴降火之剂不解，此乃肾虚犯寒，阴虚于下，格阳于上，法当温散。处方：麻黄（捣成绒）9g、川附子 9g、细辛 6g、玄参 12g，1 剂，水煎分温2次服。药后痛定肿消，以后迄未再犯。又有一壮年男性患牙痛，六脉洪数，口中秽气熏人，大便二日一行。此乃胃热郁蒸所致，法当清降。处方：芒硝18g、大黄12g、生甘草6g、细辛1.5g，水煎服1剂而解。

本文因两位老工人聊天，拾其余唾，稍抒己见而成，故名《牙痛拾余》。

补中益气汤治疗面瘫

|刘凤英|

治面瘫一证，大多用牵正散，但有的单用此方收效不大，究其原因概未审证求因，辨证论治。1983年夏秋之际，房山县豆店乡豆店大队青年农民刘某，饭后在树荫下午睡，醒后突觉左侧面部麻木不仁，口眼㖞斜，急来求余诊治。余未详辨，照例开牵正散5剂，药后症未好转，又投3剂，病情依然如故，乃详问病情，言其有两年半之久的腹痛、泄泻病史，现症有口角流涎，倦怠乏力，自汗腰酸，口淡纳少，腹部虚胀，体瘦，形寒肢冷，少气懒言，语声低微，舌质淡，苔薄白润。脉证合参，余恍然大悟，此乃久泻中气虚损，又卧潮湿之地，重伤脾胃，卒感邪风所致，改用益气升阳，调补脾胃法，与补中益气汤加少量牵正散每日1剂，经半月大获全效。尔后又治疗与上述相同病因的十几例面瘫病人，年龄均在20~30岁之间，用同样治疗方法，均治愈，余以此为训。

医者临证应审证求因务求详尽，然后辨证施治，切忌草率从事，更不能拘于一方一法，以免贻误。特录于此，以为借鉴。

调五脏治胸痹说

|郑春元|

祖国医学之胸痹证，包括了现代医学之冠心病，是中老年人多发病种之一。在中医药治疗中，各家的着眼点不同而途径不一，立法处方亦异，如有“活血化瘀”“益气活血”“芳香温通”“宣痹通阳”“滋肾”等多种途径，均能收到疗效。胸痹证之症情复杂，绝非某一途径可以通用治疗者。我在临床上常用调五脏之法以治之，疗效尚属满意，故录于此。

人之五脏，本互相影响，胸痹证之病位在心，为主要之病所，但与其他脏腑亦密切相关。心主血脉，如心阳虚，心气不足，则鼓动无力，而血行不畅；如心阴虚，心血不足，则脉道不充，亦血行不畅，心失所养而胸痹心痛。如肾

阳虚，不能温助心阳，而使心阳不振；如肾阴虚，肾阴不能滋养心阴，心火上炎，而心肾不交。如脾胃气虚，运化失司，痰浊内生，痰浊阻塞心络，而血行阻涩。如肝阴不足，而肝阳亢盛，阳盛耗津，使脉络失养；如肝郁气滞，气滞则血瘀，不通则痛。如肺气虚，不能贯充百脉，而心气亦虚，气为血帅，气行则血行，气虚则血瘀，亦能诱发本病。以上说明，五脏亏虚均可导致胸痹心痛，然以心、脾、肾三脏最为重要。五脏亏虚是胸痹证之本，而气滞血瘀、痰浊内生、脉络不通，不通则痛等是本证之标；七情、六淫（主要是寒邪）和饮食失节，不过是外来之诱因。

治病必求于本，五脏亏虚是本，故用调补五脏之法治之，五脏中以心、脾、肾为重点，尤以心肾相交、水火既济为核心也。常用方药，以生脉散为主，常与二至丸、黄精丹、金铃子散合方加减治之。

生脉散，由人参、麦冬、五味子三药组成。有益气生津，敛阴止汗之效，有稳定而持久的强心作用，亦治久咳伤肺之气阴两伤者。据近年临床报道，生脉散注射液作静脉点滴，用于抢救心源性休克，收到良好效果。对调整、提高血压的效果最为明显，又能增进全身腺体功能，尤其增进内分泌腺功能而使全身功能得到调整。临床可酌情选用人参、党参或太子参，用麦冬或天冬、麦冬并用，是治疗胸痹证常用有效方药。

二至丸，由女贞子、旱莲草二药组成。有益肝肾、补阴血之效。治胸痹证，补肾之品，甚为重要，临床又当根据肾阴、肾阳之偏虚情况，如地黄、枸杞子、菟丝子、杜仲、补骨脂、附片等灵活选用。

黄精丹，由黄精、当归二药组成，有补气养血之效。《本草从新》载：“黄精甘平，补中益气，安五脏，益脾胃，润心肺”。李稚余老师常谓“黄精为健脾之猛将”。但脾虚便溏者，应去当归，改用功兼四物之丹参，则活血之功更著，对本证尤属相宜也。

金铃子散，由金铃子、延胡索二药组成，有疏肝泄热，行气止痛之效。延胡索能行气活血止痛，李时珍谓其能治“一身上下诸痛”，《本草从新》载，“治上下内外诸痛”。故凡胸痹心痛，又兼肝郁肝热者，用之甚效。

其他如瓜蒌薤白桂枝汤、丹参饮、小陷胸汤、温胆汤、颠倒木金散等，均可酌情选用也。

常选加之药：菖蒲，能行气止痛，古人谓“芳香而散，开心窍，利九窍”，对本证有除闷止痛之效。远志，有补心肾、安神、化痰之功，古人谓“散郁通心肾，利九窍”“能通肾气上达于心”。茯苓，有益脾养心，利水渗湿之功，古人谓其“能通心气于肾”。菖蒲开窍醒神，远志散郁化痰，二药合用能开心窍，散心郁，有强脑醒神作用。远志能通肾气上达于心，茯苓能使心气下达于肾，二药合用能交通心肾。故以上三药为常用之品。其他如炒酸枣仁、柏子仁、首乌藤、鸡血藤、焦三仙、苏梗、藿梗、陈皮、半夏、生龙骨、生牡蛎等，均常酌情选用也。

上述调五脏治胸痹之法，多年来临床用于经现代医学诊断之冠心病、心绞痛、心律失常、心房纤颤等，疗效满意。另有部分病例，现代医学未明确诊断，而症情属胸痹范畴者，用之亦甚验。此千虑之一得，故书之以供医界同志参考，并借之就教于高明。

肝与胸痹心痛

张问渠

众所周知，胸痹是本虚标实，乃上焦阳虚所致，病变在心，但临床所见，与肝息息相关。1983 年初冬，余赴东南亚讲学与诊病，见一翁商，五十余岁，因生意不景气，郁闷不乐，恼怒不堪，终日饮酒，解闷作乐，导致胸痹作痛已半年余，经多方医治无效。余观脉证，乃属肝气郁滞，湿热内蕴所致，予以柴胡疏肝散，疏肝利湿化湿之药，病证好转，收到良效。

由于精神刺激或突然受到创伤，会引起人体阴阳气血的偏盛偏衰，从而发生疾病，临床往往见病人情绪激动时，容易诱发胸痹心痛，这是因为气郁不畅所致，与肝有密切关系。肝性喜条达，如果长期精神紧张或恼怒，致使心肝气滞，气机阻遏，气滞血瘀而致心脉痹阻不通，发为胸痹。

心主人身血脉，肝主藏血，而血通于诸脉，心肝关系密切。清代陈士铎说："肝旺则心亦旺。"所以肝气通则心气和，肝气滞则心气乏，说明肝与心在生理、病理上有着联系。肝主疏泄，若肝郁疏泄失调，就会影响气血运行，临床出现气滞，血瘀、疼痛等症状。以气滞为主，可见两胁作胀，胸闷发憋，喜叹息，脉弦，治当解郁调肝理气之法，可选用逍遥散、四逆散、舒肝丸。当临床所见肝木乘脾，会引起脘腹作胀、呃逆等症，可在加味保和丸、越鞠丸、枳实导滞丸、枳术丸等方药的基础上，加入柴胡之类。如胸闷纳差、脉滑，乃肝气郁结，湿热内蕴，可疏肝解郁，佐清热化浊，酌加藿香、佩兰、豆蔻仁、黄芩、川黄连之类。气为血帅，血为气之母，当肝郁气滞，日久不愈，可遵循气行血亦行，气滞血亦滞的宗旨，可治肝配活血，选用柴胡疏肝散、膈下逐瘀汤、沉香化滞丸、丹参饮等方药。若日久不愈，乙癸同源，除两胁作痛外，伴有头晕目眩，腰酸腿软，脉弦细等症。可选用四逆散合杞菊地黄丸或一贯煎加味，进行柔肝之法，实属肝肾同治，也可选用地黄饮子、归芍地黄丸。心为阴液，肝

藏魂，当肝气郁结，日久耗津，心失所养，以致血脉不足，临床可见，两胁作胀，心悸气短、怔忡，脉细数，可选用天王补心丹或柏子养心丸或生脉散、加减复脉汤为主，加入杭白芍、枳壳、丹参等养肝之品。

综上所述，肝在胸痹心痛中，具有重要位置，故临床采用治肝、调肝、疏肝、柔肝、养肝、和肝治则，诚然属胸痹心痛中一大治法。

漫话治肝

曲溥泉

余自20世纪50年代从事肝病（肝炎）研治转瞬卅易春秋，征途崎岖，得失参半。初事探索，渐次策进，积有浅识，愿供探讨。早年曾事化瘀软坚组方冀消肝脾之肿大，结果事与愿违。后又因科研设协定处方，机械执用，如型为肝肾阴虚者，选定一派养阴滋腻药，按疗程守服，虽生腹满便溏之变，碍难易其制，结果适得其反。至若苦寒渗利有过，香燥温补偏激，解郁理气欠当，见诸人而验诸已，在实践中备受教益，从而拓开思路，纠正偏误，冀有进取。

窃以肝为藏血之脏，其体柔，其性刚，体阴而用阳，其条达舒展则脾胃冲和，气机畅达，五脏相安，反之则为“五脏之贼矣”！王旭高有治肝三十法，且谓“肝病最杂”，诚经验有得之论。魏玉横曾云：“肝无补法四字，误人多矣，遂使千万生灵，含冤泉壤，或以疏散成痨，香燥成膈，或攻伐成臌，或以辛热成玚，其于变症，笔难尽述”。当头棒喝，发人深思。有鉴于既往走过之弯路，近年来在临床实践中进一步体会到治疗迁延性、慢性肝炎应侧重“养”“和”“化”三字，即“养肝和化”为法。所谓“养”是滋养、温养、扶养、益养以调养肝体、肝血、肝阴（肝之实质，寓保肝之意），以益肝之体用，非滥事温补、腻补，滋补致蛮补无益，反酿湿、助热、蕴毒，进而窒肝之体，滞肝之用也。所谓和者，阴平阳秘而致平和之谓。和法用于治肝病（肝炎）有其深远之意，和法不只囿于小柴胡汤、逍遥散辈之和解少阳，燮理经产等治，扩而展之，举凡调理脾胃，疏肝利胆，畅展肠道，通和气血，调和阴阳，均可致一身气机调达，血脉舒展，肝脏安和，达到和法治肝之广泛目的。所谓化者，化生肝家阴体之丰固，阳用之输布；化分违和气血之和展；化解湿热壅毒导之清除，庶肝细胞免疫功能改善，损害之肝功能修复，终期化险为夷，化干戈为玉帛耳！余如时邪外袭之用辛凉疏化；肺令不行之用清宣肃化；脾胃蕴湿之用芳香和化；心络窒阻之用通营益化；肝阳上亢之用清柔抑化；肾失封固之用清滋摄化；湿热下注之用清泄渗化，化之用亦大矣。先师孔伯华擅治温热病，尝拟清解凉化，涤热透化等法则，每收良效。余师其意以治肝病（肝炎），承其化用之长，颇多应手。

兵贵精战，药贵专能，温腻守补，重峻滋填，有如“资寇兵以赍盗粮”“养瘿贻患”，破气化瘀，苦寒败胃，势若“开门揖盗”而“诛伐无过”。因而基于上述认识，近年来治疗迁延性、慢性肝炎多取杭白芍、何首乌、沙参、枸杞子、五味子、鳖甲、女贞子、墨旱莲养肝益肾而不腻；西洋参、太子参、阿胶、当归、仙鹤草、黄精益气养血而不燥；需侧重温补者，生黄芪、党参必佐川楝子、郁金、玫瑰花、陈皮等以展气机，俾气得补而不滞；宜备用解毒者，力避大苦大寒而选白花蛇舌草、虎杖、草河车、土茯苓、紫草、连翘、贯仲等味以辟苦燥伤阴，寒凝伐阳；活血化瘀尝用丹参、牡丹皮、赤芍、泽兰等不事攻破；清热利湿入选茵陈、金钱草、生滑石块、泽泻、车前草等取其清渗；芳香醒化，藿香、佩兰、砂仁、豆蔻最善；化浊托毒，蜂房、蚕沙、山楂、决明子尤精，以此类推，始终贯穿培育和养，化展气血之机转，修和肝体之残损，启舞阳用之本能，治肝虽杂，思过半矣。

胃病补法小议

董建华

胃病的治疗，目前有趋补之势。胃为后天之本，后天有病，多由气血寒热阴阳、脏腑功能失调所致，当先调整，使之归于平衡，非必以补，方能助其后天。胃与脾互为表里，脏腑络属。胃主纳，脾主运；胃宜降，脾宜升；胃喜润，脾喜燥。其纳、运、升、降、润、燥六字，既概括了脾胃的生理特性，又体现了治法内容。即其中升、运、润三字，虽寓有补法之意，但也示人不宜呆补、漫补、壅补。因此，胃病的补法应补中有通，静中有动。使补而不滞，润而不腻，能升能运，以顺其脾胃升降或通降之性。

胃病虽言初病多实，久病必虚，但必须结合临床实际，久病未必皆虚，例如久病由气入络，可表现为瘀痛实证或血瘀气滞；久病脾虚，痰浊困之，或久病及脾，运化失司，气滞于中，水湿不化，或复加情志、饮食所伤，往往又兼气滞、痰湿、食滞等，表现为实证或虚实挟杂。在治疗上，虽有脾虚，但如气滞明显，一味补之，往往滞气生满，导致痛、胀等症加重；气虚挟滞，食积难化，如一味补气健脾，影响消导，反加胀痛；又如脾虚挟湿，或痰浊阻中，虽病由脾虚不运所致，临症如不细察舌苔，急于进补图本，过用甘腻之品，反滋脘痞腹胀，甚至厌食、泛恶；再如中焦脾胃气虚，兼见湿热，或胃火内炽，或

胃阴不足、虚火内扰，或脾胃伏热内蕴又兼脾虚之象，这等虚实寒热错杂之证，不能只见其虚，忽视其实；只重其本，不顾其标。如误用补法，或甘腻滋湿恋热，邪不易撤；或益气生火，助长其热，所谓“气有余便是火”也。

上述仅属举例，临床尚有更多复杂的情况。因此胃病虚证之用补法，不仅要“先其所因，伏其所主”，针对病因治疗，还要权衡标本、缓急、轻重，或先祛邪而后补虚，或补泻并用。

胃病之使用补法，我一般只限于下述几种情况：一是脾气虚热，中气下陷，症见腹胀作坠，食后不化，形瘦纳少，或伴内脏下垂等，方用加味补中益气汤，以党参、黄芪、白术、甘草益气升阳；配升麻、柴胡以助升提；当归补血；陈皮、枳壳、香橼皮、佛手、大腹皮等助其通降，使补中有通，升中有降，脾阳升发，胃气下行，清升浊降，虚实更替，不使壅塞通降之路。二是脾胃阳虚，症见胃脘冷痛或绵绵隐痛，喜温喜按，饥时痛甚，得食痛缓，舌淡、脉沉细等。此时当以辛甘或甘温，建中通阳以缓其急，方用黄芪建中汤加高良姜、金铃子、延胡索、陈皮等。三是胃阴不足，症见胃脘灼痛或隐痛，口干纳少，大便干结，舌红少苔等。我常用自己配制的加减益胃汤治疗，以沙参、麦冬、石斛甘凉濡润、养阴生津，白芍、乌梅、甘草酸甘化阴，酌配金铃子、香附、丹参以行气和血，舒肝止痛。

至于胃病之虚实兼挟，我多着重祛邪。主张先治其标，使胃复通降，脾得健运，从而食进胃强，水谷得以充养，则不补自补，脾胃自能恢复正常功能。而不早用补剂，防止祛邪不尽，窒塞脾胃升降气机。例如脾虚兼气滞，先用香附、苏梗、陈皮、香橼皮、佛手、枳壳、大腹皮等行气通降，虚证明显才用党参、炙甘草顾本；脾虚中焦湿浊不化，常用藿香、佩兰、川厚朴、清半夏、茯苓、滑石、通草等芳化淡渗，脾虚明显才加山药、扁豆、薏苡仁等运脾助中；脾虚夹有食积，则先用鸡内金、枳壳、陈皮、莱菔子、制大黄、谷麦芽、胡黄连、吴茱萸等消导化积，如脾虚明显才加太子参、白术等消中兼补。

可见胃病之治法，着重于通，补法亦需寓通。正如高士宗所说：“通之之法，各有不同，调气以和血，调血以和气，通也；上逆者使之下行，中结者使之旁达，亦通也；虚者助之使通，寒者温之使通，无非通之之法也。”

朱丹溪说过：“痛无补法”“诸痛不可补气”，但后来他又说：“脾虚正气不行，邪着为病……若不补气，气由何行?”他通过临床实践，认识上有了发展。我则主张治胃宜通降。即使有可补之征，一是要确属虚证，还要看其是否受补；二是要补之得当，补之得法；三是要补中兼通，反对漫补、呆补或壅补。这也是我多年临症所悟得的体会。

（江杨清　整理）

溃疡病可参用外科治法

| 巫君玉 |

溃疡病因痛在脘部，大都就胃脘痛辨证论治，因其有纳少、脘胀、脘痛、嘈杂、吞酸等症，从脏腑论，重点在胃、脾、肝三脏，究其病因，属于七情者有忧思伤脾，郁怒伤肝等，属于饮食者有饥饱不节，暴食久饥，酒、辣、硬、冷偏嗜致伤等，两者往往交结为病，或者湿热不化，或者寒湿稽留，或者肝横犯脾胃，或则脾虚受肝侮，致胃腑气机失利，继而血随气滞，终致气血俱壅，无论气滞、血滞、气血俱滞，均可因气血之不通而痛，所以痛是常见的主症，仅有饱时、饥时、日间、夜间、或轻或重等随正邪虚实变化而致的时间及兼症的不同。

正因为气血瘀滞为溃疡病的主要病机之一，故可以由此外延而扩展到与外科肿疡病机相同之处。肿疡的形成，受邪机制中亦有正虚邪实一环，亦有由气滞而血瘀而红肿成疡之过程，胃脘痛证之近代检查，对应疾病范围中的溃疡病（包括胃炎），竟然就是肿与疡的情况，只是内脏与体表的患部不同（当然形成机制上另有不同，但无妨于中医辨证），所以运用外科治法中的清热消肿，活血化瘀，托里定痛，养血生肌、益气生肌等法治疗溃疡病是可行而且有效的；外科药常用于溃疡病者如蒲公英、金银花之清热败毒消肿；地黄、白芍、当归、川芎之养血和血生肌；乳香、没药、丹参、三七之活血化瘀，黄芪之益气生血生肌等，运用得当，均可收到较好效果。余曾遇一病延二十余年之血瘀血热型溃疡病患者，遍用脾胃之方痛势不止，憔悴困顿，经用“醒消丸”配合理气清热养血煎剂而愈。当然，中医是整体辨治，运用外科法时，不仅要顾到兼症、夹症、正邪虚实情况，才能丝丝入扣，针对性强，而且此法也只是常规治法的延伸或补充，不过多备一法，多一思路，可以拓宽辨证论治意境，而此法本身则仍在辨证论治范围之中。

读经有感话呃逆

| 路志正 |

呃逆一症，《内经》称为“哕”，发于喉间，呃呃连声，不能自制。《内经》论述呃逆非止一端，病症有虚实之异，预后有顺逆之别，须细究经旨，才能窥

其全貌，不致于以偏概全。

凡大病久病之后，年高羸弱之躯，虚损妄攻之际而发生呃逆，其声重而长成低沉难续，其来缓而迟，时而一声者，是肾失摄纳，胃气败绝之兆，最为危候，多属不治。《素问·宝命全形论篇》说："病深者，其声哕"，譬之若琴弦将绝，称为"坏府"。

余曾诊一男性患者，耋耄之年不幸中风卒倒，神志不清，昏睡声鼾，卧床不起，饮食不进，二便闭结，仅靠输液以维持生命。病人经中西医救治后，神志转清，饮食稍进，大便得通，小便已下，病情日见好转，家属喜悦，众医宽心。余会诊见病人精神较好，喉中痰鸣，痰黏稠而不易咳出，舌短缩，质晦暗，苔干少津，右脉濡，中取虚短，沉取无力，尺脉弱，左脉虚弦，按之无力。诊中闻病者呃声时作，来缓而迟，声低难续。自思病叟虽神清纳谷，二便得通，似属佳象，但年高病重而突然见呃，是肾气失摄，胃气败绝之兆，为病家大忌，恐凶多吉少。余遂遵《内经》之言，告家属以其败，并嘱主管医生要高度警惕，疏方益气养阴，固肾纳气之剂以抢救之。病人终因年高体衰，肾气亏虚，胃气败竭，救治无效，不数日而辞别人世。《内经》所谓"坏府"之论，果然有验。

《素问·宣明五气篇》中说："胃为气逆，为哕，为恐。"一般呃逆由胃中虚冷，气逆上冲所致。胃为阳明燥土，主受纳、腐熟水谷，以和降为顺，如受寒侵则胃气失和而浊气上逆，呃逆遂作，故治多用温燥之品，如丁香、柿蒂之属，温燥降逆止呃，或可取效。但呃逆发于喉间，气出于胃而主于肺，故《灵枢·口问》篇又说："肺主为哕"。临床治疗呃逆，不能囿于降胃止呃一法，还需注重治肺，肺气肃降，则胃气亦随之而降，此亦治呃之一大法门。观《灵枢·杂病》篇治呃逆有三法：用草刺鼻取嚏，气达而哕可止，此法之一也，肺开窍于鼻，嚏则肺气和利，肺气宣通，肃降有权，呃逆自止；闭口鼻之气，使之无息，哕可止，此法之二也，闭口鼻暂停呼吸，则肺气下降，胃气因而随之下降，故呃逆可止；以他事惊之，哕可止，此法之三也。惊恐之，则上焦闭，其气下行，故气逆可平。

此三法细细考究，俱与治肺有密切关系，故治呃逆宜从三焦辨析，如上焦气郁痹阻，不可不注重肺，即胃失和降，浊气上逆之呃逆，亦可佐入肃肺之品。病叟燕某，呃逆有年，每次发作十余天可自行缓解，近年来呃逆频作，不能自已，经多方治疗，投以降胃理气之品，病不能稍减。邀余往视，见病人呃逆频作，呃声洪亮，不能自制，咳嗽口干，胸部胀满，舌质红，苔薄黄，脉弦细。此系肺失清肃，胃气上逆所致，治须从肺入手，以清金降气法，方用杏仁 9g（后下）、枇杷叶 15g、沙参 15g、麦冬 9g、姜竹茹 12g、半夏 10g、玉蝴蝶 6g、旋覆花9g（包煎）、山药15g、炙甘草6g。服药7剂，呃逆止，胸满咳嗽大减，又以原方加刀豆子以巩固疗效，得以痊愈。治肺止呃法从《内经》悟出，验之临床，确有疗效。

（王　健　整理）

宋向元先生诊余话泄泻

聂惠民

宋向元先生是我国著名中医，致力于中医事业数十年。我于60年代初实习于东直门医院，跟随先生学习1年，受诲颇深。十年动乱中先生不幸早辞人间，为悼念先师，将部分听课笔记整理成章，以示怀念。

宋向元先生说："历来对泄泻的证候分类，有不同看法"，兹结合临证，就其证治，分述如下。

1. 飧泄　多因湿盛挟风，症见恶风，自汗，泄下完谷，肠鸣，脉弦。宜平胃散加防风、羌活、葛根之类，健脾燥湿，兼祛风邪。

2. 溏泄　一指大便稀溏、鸭溏、鹜溏，乃为寒；一指大便溏泄而兼大肠污垢，属湿热为病，其便污积黏垢，小溲赤涩，烦渴脉数，宜平胃散加黄连、黄芩、栀子，健脾燥湿，清除内热。甚者加大黄攻积泄热。

3. 火泄　亦称热泄，因热邪迫肠。多为腹痛肠鸣而泻，痛一阵，泻一阵，或泻下黄褐秽臭，或泻如水下注，泻如热汤，烙肛灼痛，后重不爽，宜葛根芩连汤清热利湿，或紫葛芩连汤、加味四苓汤，皆可选用。

4. 鹜泄　即指鸭泄。大便稀薄，呈水样，挟杂粪块，澄彻清冷，俨如鸭屎，溺白，脉迟，甚则手足清冷，或见四逆，此属寒湿。治以理中汤，温中散寒，调理中焦，甚者宜附子理中汤。

5. 濡泄　亦称湿泻。泻下多水，腹多不痛，肠鸣，身重，溲短，脉沉，此湿盛为病。即所谓"湿盛则濡泄"之意。治宜胃苓汤加草果，健脾利湿，分泌清浊。

6. 痛泻　多因气滞脾弱，肝失条达，横犯脾胃，气机不调，脾不健运，清浊失序，而致泄泻。症见腹痛泄泻，泄后仍痛，宜痛泻要方，扶脾抑木，条达气机。

7. 伤食泻　泻下腐秽，臭如败卵，腹痛肠鸣，泻后痛减，脘腹胀满，嗳气吞酸。治以消食导滞为主，宜保和丸。甚者可取"通因通用"，选入大黄，推陈致新。

8. 虚泻　指脾虚与肾虚泄泻而言，多久泻不愈。脾虚泻乃脾胃阳虚，运化无权，食后即泻，日行数次，纳呆少食，脘腹不适，面黄少华，精神倦怠，脉缓无力。治宜参苓白术散，健脾化湿。肾虚泻，亦称五更泻。肾阳不足，命门火衰，肾虚失于闭藏，其泻多在五更，五更为天将明之时，阳气未振，阴寒尤盛，故令人作泻。症见脐腹作痛，肠鸣即泻，泻后痛缓，脘腹畏寒，时作胀满，形寒肢冷，脉沉微细。治宜四神丸。

慢性腹泻证治随笔

|张育轩|

慢性腹泻之本在于脾虚，其中以脾气虚或脾阳虚最为常见，少数为脾肾阳虚。然纯虚者少，挟实者多。实邪以湿为主，可兼寒或热，甚至寒热相兼，或兼食滞，有时兼见肝气郁结。临证时除辨其所属脏腑外，尤须细辨寒、热、虚、实之有无及其轻重，而采取不同的治法。

在正确辨证立法的前提下，取得疗效的关键在于用药。个人体会，健脾益气可选用党参（或太子参）、白术、山药、莲子、薏苡仁、芡实等药；温运脾阳以干姜最为有效，惟其性燥热，易致“上火”，用量不宜过大，一般3～5g即可，必要时可佐以川黄连3g或尾连10g；温补肾阳可用肉桂，祛湿可选用茯苓，猪苓、泽泻、车前草以淡渗利湿，苔腻纳差者选藿香、佩兰、砂仁、草豆蔻仁以芳香化湿，兼腹胀者选厚朴、陈皮以苦温燥湿理气；湿热选用白头翁、黄连、黄芩、黄柏等苦寒清热燥湿，或以茵陈清利湿热；腹泻较甚或滑脱者可在辨证论治基础上酌加止泻药：乌梅、石榴皮酸收止泻，赤石脂、禹余粮、陈皮炭、炮姜炭、黄芩炭等吸附止泻；金樱子、石莲子、罂粟壳固涩止泻，惟罂粟壳久用可成瘾，一般不应随便使用。

腹泻次数较多者，可因脱水伤阴而致气阴两虚。治时不必气阴兼顾。曾遇一胃癌术后腹泻气阴两虚患者，某医治以益气滋阴，药用太子参、茯苓、沙参、麦冬、生地黄、当归、白芍、炙甘草诸药配伍，服后腹泻加重而致阴虚更甚。后经笔者治以健脾益气、固涩止泻之法，药用太子参、茯苓、白术、山药、薏苡仁、莲子肉、芡实、黄芪、升麻、陈皮炭、炮姜炭、肉豆蔻、乌梅、炙甘草，服药2剂泻止，阴虚证候也随之逐步恢复。腹泻伤阴时一般可选用乌梅、石斛等药。

腹泻经诊治数次无效者，除应考虑辨证用药是否欠妥外，还要考虑西医的诊断是否正确，特别要警惕有无肠道恶性肿瘤之可能。我科门诊曾诊治一沈姓患者，男，54 岁，因腹泻 2 个月西医诊为结肠炎而在我科诊治 3 个月无效，后经肛门指检触及硬块，并经乙状结肠镜检查病理证实为直肠腺癌，手术治疗而愈。

腹泻患者除服药治疗外，尚需配合饮食调理。饮食以清淡易消化食物为主；以健脾药物代替食物，对小儿或老年腹泻初愈患者颇有裨益。方一：山药 250g、鸡内金 15g，共研细末、每日 2～3 次，每次 15～30g，煮成粥，加入适量白糖。方二：山药、莲子、芡实、白扁豆、茯苓、薏苡仁各等量，共研细末，每日 2～3 次，每次 30g，煮成稀糊食用。

脾阴虚泄泻诊治一得

| 路志正 |

泄泻为临床常见之疾，凡外感六淫之邪，或情志不遂，饮食所伤，脏腑功能失调等均可引起。外感以寒、热、暑、湿之邪较多，尤重于湿，故有“无湿不成泻”之说；内伤以脾胃肝肾脏腑失常为多，而尤重于脾，所谓“泄泻之本，无不由于脾胃”，并多主脾阳虚。其治疗大法则以《医宗必读》治泄九法，堪称全面。究其源不可谓不细，论其治不可谓不精。证之临床，湿邪固是泄泻常见之因，而由阴虚致泻者亦不乏其例。

患者雷某，女性，64 岁，因患痔瘘十余载，便血年余，于 1982 年 2 月 9 日在某医院行瘘管根治术，术后腹泻频作，昼夜达二十余次，经口服黄连素、输液、药物灌肠等治疗，未见奏功。转服苦寒泄热、涩肠止泻、芳香化浊等中药亦罔效，病情日渐加重，体质日衰，1982 年 3 月 2 日邀余会诊。

自述腹泻频作，脘腹胀满，口渴心烦溲频，倦怠乏力，手足心热，不思饮食。察其色，两目呆滞，精神萎靡，面色萎黄，两颧发红，形体消瘦，唇焦齿燥，舌红无苔，脉细弱而数。乃素体阴虚，久泻伤津，脾阴不足，不能运化精微。即唐容川所说：“脾阴不足，水谷仍不化也”之病机。治宗缪仲淳“甘凉滋润益阴”，叶天士“病后，阴伤作泻”案处方之意，药用太子参、莲子肉、白扁豆、山药、茯苓、玉竹、炒白芍、乌梅肉、谷芽、麦芽、炙甘草，水煎去头煎不用，以去其燥，用二三煎分服，此即周慎斋“淡养胃气，微甘养脾阴”之旨。

患者进上方 5 剂后复诊，泄泻止、腹胀除，精神见振，食欲渐增，惟感身倦嗜卧，口微干，舌红苔薄，脉来沉缓不数。此脾阴见复，精微得布，脏腑已得营运滋养之征，再以前法续进，上方去玉竹，少佐白术以振奋脾胃而生津液，

又服3剂，而获痊愈。

由于脾主运化，喜燥恶湿，以升为贵；胃主受纳，喜润恶燥，以降为和之特性，故临床多以脾喜刚燥，胃喜柔润论治，而对脾阴虚则易忽视。缪希雍在《先醒斋医学广笔记》中提出："……脾阴亏则不能消，世人徒知香燥温补为治脾虚之法，而不知甘凉滋润益阴之有益于脾也"。至是以来，益脾阴之法代有发展，如吴澄之中和脾阴汤，胡慎柔之养真汤以及资生丸等均有启迪作用，他如叶氏《临证指南医案·泄泻门》中之酸甘化阴方等，均可参考。总之，治疗大法当宗："欲令实脾……宜甘宜淡"之旨，而不宜专事辛香燥烈，以免再劫脾阴胃津，但津能化气，气能生津，两者又互为因果，务求适中，要做到补而不燥，滋而不腻，始能收到较好效果。

（刘文贵　整理）

试治口糜泻1例

魏龙骧

祖国医籍，浩若渊海，一人有限之韶光与精力，实不可胜读也。各科病种之多，尤难责详尽。吾人所能知者，固沧海一粟耳。大抵常见病易知，而罕见病则难晓。所谓罕见病者，以文献记载少，师生授受少，临证见者少。惟其有三少，即偶遇之，一见则能识其病者亦难，故余之于罕见病亦寡闻焉。

1975年夏，余医友黄君来访，谈及某中学之一女教员，其病颇异，上则口舌糜烂，几无完肤，下则泄泻，偶或便血，每日多则二十余次。是病特点，口糜甚则泄泻缓，泄泻重则口糜轻，此起彼伏，上下互移，中西医治之久矣，似感棘手。"病者求医若渴，先生能否为之一诊乎！"余漫应之，可以一试。来我院中医科就诊，证候一如黄君所述。脉细弦，苔因溃已剥，难辨真象，质则嫩红。以口碍于纳，肠不吸收，又兼肝病，因之气怯神衰，形体削减。检阅前方，大概皆理脾土，清上焦之味，治颇不误。何以竟顽固如此？当时余亦大有无路可走之势，窘困之际忽忆幼年习医，尝读《医宗金鉴》一书，载有所谓口糜泄者，病者所患殆非即此证耶！金鉴有歌：

口糜泄泻虽云热，上下相移亦必虚，
心脾开窍于舌口，小肠胃病化职失，
糜发生地通连草，泻下参苓白术宜，
尿少茯苓车前饮，火虚苓桂理中医。

〔原注〕 口疮糜烂泄泻一证，古经未载。以理推之，虽云属热，然其上发口糜，下泻即止，泄泻方止，口糜即生，观其上下相移之情状，亦必纯实热之所为也。心之窍开于舌，脾之窍开于口，心脾之热，故上发口舌，疮赤糜烂。胃主消化水谷，小肠盛受消化。心脾之热下移小肠胃腑，则运化之职失矣，故下注泄泻也。口糜发时，晚用泻心导赤散，滚汤淬服之，即生地、木通、黄连、甘草梢也。下泄泻时，早晚用参苓白术散，糯米汤服之。若小便甚少下利不止，则为水走大肠，宜用茯苓、车前子二味各等分，煎汤时时代饮，利水导热。若服寒凉药口疮不效，则为虚火上泛，宜用理中汤加肉桂大倍茯苓，降阳利水，降阳而口糜自消，水利泄泻自止，并可愈也。

余即师其理法，略参己意，以参桂理中汤间投木通、甘草梢、黄芪、茯苓、合欢皮、车前子之味随证进退，佐培益肝肾之药。病者坚持服药二三月中，以病久正虚，虽时有反复，但症已确见好转，口糜经月不发，大便逐见转实，汤药之外，并以细辛为末敷脐部，对口糜泻泄均大有裨益。惜医者因心疾病休，患者亦中断就诊，未能继续观察，未竟全功，颇感憾耳。

医界友人，有对此证，疑为属于胶原病者，与白塞氏综合征，有近似之处，可靠之有关记载不备，故无从推断云。

中药治痢开噤口

| 糜纬真 |

余治一老妪年逾古稀，患“噤口痢”重症，住医院十余日滴水不入，呕吐不止，便痢脓血日数十次。虽经医院输液抢救无效，病势沉重，邀余协助治疗。古稀老人气血本亏又兼十余日水米不进，脓血便下无度，诊见肢体消瘦，说话无力，脓血便随粪门排出，舌绛无津，脉沉微细，此乃湿浊热毒蕴结于肠，邪毒亢盛，胃阴受劫，升降失常，气血两败之危候。幸得输液补充才能维持十余日，当务之急宜火速开噤，冀胃气得存才能挽救于万一。用人参、麦冬益气救津；吴茱萸、黄连辛开苦降之品以安胃逆，药浓煎，勿凉服，徐徐灌之。患者饮水即吐而药汁灌咽未再吐出，但痢下如故，约 6 小时后病人指口索食，进以米汤、藕粉以调胃气，噤口渐启胃逆已降，急治痢疾，进益胃汤合白头翁汤佐以地榆、血余炭 3 剂，痢止神清。最后以补益脾胃、清利湿热而获全功。

临 证 偶 得

袁立人

吾友徐某，西医内科医生。曾患口腔溃疡，经治不愈。欲求中医，向余求诊索方。望其舌，红赤而鲜，口腔及舌上有大小溃疡五六处，脉微滑略数。遂嘱其服呋喃坦啶，按常规量连服3日。其不禁大笑：治尿路感染的西药如何能治口腔溃疡！劝其不妨一试。数日后，又见徐某，问及病情，其笑而不答，伸舌一望，疮面大都愈合。友笑问其故，余告之曰：十余年前在农村巡诊时，不意用此药治愈一尿路感染同时又有口腔溃疡的患者。病人欣然来告："这药真灵，两病皆愈矣!"初觉愕然，进而细思，口舌生疮乃心经有热，倘移热于小肠，其分清泌浊之功能受扰，必上见溃疡而下有尿急尿痛，心与小肠相表里。当时虽意在治淋，然热随小便而出，心火随之外泻，利尿而清心，有如导赤散之功效，焉有不愈之理。此正合中医医理。呋喃坦啶虽为西药，不妨西药中用，病在上而下取之。前贤张锡纯氏曾有石膏阿司匹林汤之论，近人亦有以黄连素治胃脘痛之说，皆为西药中用之实例。故此后，每遇此症，皆以呋喃坦啶，先后治愈者甚多，此乃余不意之一得也。

临证之时，每有不意而效者，亦有不意而误者，此种得失，看来偶然，但稍加细思，即能悟出一定道理，不仅开阔我们的思路，也可提高疗效，扩展视野。医者于此等处，倘多加留意，则受益无穷矣。

误 治 一 得

王齐南

1984年，曾诊一口腔溃疡病人，由于误治，曾使病情一度加重，至今难忘。

患者自诉一年来口腔唇部、舌尖边，溃疡持续不断，且日益加重，甚则影响饮食。仔细询问，知其便干，溲黄，口渴喜饮；又诉便后及久立则气短，且感腹内发空而喜按，曾多次用药治疗不效。观其舌边尖红、苔薄黄，辨为心、胃积热，拟以导赤、清胃散合用，加减治之。

上药连服十余剂未能见效，因思其有腹空、喜按等气虚表现，试以补气法治之。方予：太子参9g、生白术9g、茯苓9g、炙甘草6g、山药12g、砂仁6g、肉桂 2g、大枣 10 枚，嘱服 5 剂。

3 剂后，患者来诊说症状加重，疼痛难忍……。望其溃疡面积扩大，周围出现脓点……知治不得法，遂复用原法，加大清热解毒之品，如蒲公英、败酱草、土茯苓之类，同时用枳实、大黄通便。连服 20 剂，症状明显好转，只剩舌尖一小裂纹，大便已通，精神转佳。本例说明，临证要仔细审察，万万不可忽视舌质、舌苔的变化，因其最能反映病的本质，否则将会延误病情。

论腹满有虚实寒热之辨

|索延昌|

腹者府也，五脏六腑之所居也。脾为中州，胃为水谷之海，《素问·经脉别论篇》曰："饮食入胃，游溢精气，上输于脾；脾气散精，……水精四布，五精并行……。"乃言水谷精华借脾气输布于脏腑及全身。倘脾失运化之权，脏腑失和，阴阳失序，或偏于寒，或偏于热，而腹满之病作矣。然证有寒热，满有虚实，不可不察也。

大抵腹满之证，拒按为实，喜按为虚，按之痛者为实，按之不痛者为虚，《金匮要略》云："腹满时减，复如故"，此为虚寒之证，当与温补之剂。"腹满不减者"，为里实之证，当与攻下之法。

《内经》云："岁寒生胀满。"是胀满之病，虽有偏寒、偏热之别，然终为寒多热少，多由虚寒而得，故腹满之证应先辨其寒热，而后决其虚实，由虚实而再定攻补之法。

论痢无止法以通为止

|索延昌|

善治水者必濬源顺流，使水无壅滞之患，医之治痢亦然。

痢者湿热之邪，热胜于湿为赤痢；湿胜于热为白痢；湿热俱盛，赤白痢兼见也。治法应以香连丸、芍药汤为主方，清涤肠中湿热，调和气血为治疗大法。正如治水以疏通为治，则痢不求止而自止矣。若专以敛涩之药如赤石脂、禹余粮、石榴皮等，何异垒土以遏洪水乎！总之，痢无止法，若不求其所以而止之者，恐转为久痢，成为难医棘手之重症，医者慎之。

漫话老年便秘

|路志正|

老年便秘以虚秘较多见，其因虽繁，但不外伤津耗液、气血不足、纳化失常、肾虚四端。人到老年，脏腑生理功能日见衰退，正气不足则传送无力；血虚津少则肠道失于濡润；脾胃薄弱则中脘痞塞，运化迟滞；肾虚则精血枯槁，开阖失司，均可引起便秘。

对于老年人便秘，最好未病先防，防重于治，要坚持力所能及的体育锻炼（如太极拳、气功等），保持心情舒畅，忌恚怒，注意饮食有节，少吃辛辣刺激性食品，多吃粗食蔬菜，饭后进适量水果，养成按时登厕的习惯，只要持之以恒，自能收到成效，达到益寿延年之目的。

至于已有便秘之患者，可用下列单方防治。

1. 生何首乌30g煎服，或单味制成丸药，日服2次，每服9g。
2. 火麻仁20g，炒苏子12g，水浸研细，合粳米煮粥服。
3. 黑芝麻15g、蜂蜜适量。将黑芝麻捣碎，以蜂蜜调后冲服。

便秘证治疗一得

|魏龙骧|

便秘者，非如常人之每日应时而下也。此证恒三五日、六七日难得一便，有大便干结坚如羊矢者，窘困肛门，努挣不下，甚则非假手导之不能出，亦有便不干结，间有状如笔管之细者，虽有便意，然每临厕虚坐，尽力努责，依然艰涩，往往力迫求通，而不通益甚，故谓之“大便难”。

便秘一证，医籍所载，名目繁多，治方亦多。然有有效亦有不效者，轻则有效，重则无效；暂用有效，久则失效，迄少应手。孟浪者，但求一时之快，猛剂以攻之，以致洞泄不止，非徒无益，而又害之。东垣所谓“治病必求其源，不可一概用牵牛、巴豆之类下之。”源者何在？在脾胃。脾胃之药，首推白术，尤须重用，始克有济。然后，分辨阴阳，佐之他药可也。或曰：“便秘一证，理应以通幽润燥为正途，不见夫麻仁滋脾丸、番泻叶等已列之常规，君今重用白术，此燥脾止泻之药也，施诸便秘，岂非背道而驰，愈燥愈秘乎！”余解之曰：“叶氏有言，脾宜升则健，胃主降则和，太阴得阳则健，阳明得阴则和，以脾喜刚燥，胃喜柔润，仲景存阴治在胃，东垣升阳治在脾。便干结者，阴不足以濡之。然从事滋润，而脾不运化，脾亦不能为胃行其津液，终属治标。重任白术，运化脾阳，实为治本之图。故余治便秘，概以生白术为主力，少则30～60g，重则120～150g，便干结者加生地黄以滋之，时或少佐升麻，乃升清降浊之意。至遇便难下而不干结，更或稀软者，其苔多呈黑灰而质滑，脉亦多细弱，则属阴结脾约，又当增加肉桂、附子、厚朴、干姜等温化之味，不必通便而便自爽。”

1977年6月，有北京电车公司工人于某来诊。自称患便秘六七年矣，中西医迄未停诊，竟无寸效。7年来，汤药近千剂左右，滋阴如麦冬、沙参、玉竹、石斛、知母有之；润下如火麻仁、郁李仁、柏子仁、桃仁以及大黄、芒硝、番泻叶有之；补剂如党参、黄芪、太子参、山药、肉丛蓉、狗脊、巴戟天等药备尝之矣、丸药若牛黄解毒丸、牛黄上清丸、更衣丸、槐角丸、麻仁滋脾丸；他如开塞露、甘油栓等，直似家常便饭，且常年蜜不离口。然与便秘已结不解之缘，言下不胜其苦，颇为失望。余诊之，其心烦易汗，眠食日减，脉细，舌苔薄滑，余无他象，皆由便秘过久，脾胃功能失调所致。当投生白术90g、生地黄60g、升麻3g。患者虽未形诸言表，但眉宇间已形半疑半信之态，以为仅仅三味又无一味通下，默然持方而去，实则并未服药。终以便不自下，姑且试之，幸其万一。不期，4小时后，一阵肠鸣，矢气频转，大便豁然而下，为数年之所未有如此之快者。正所谓一剂知，二剂已。嗣后，又继服二十余剂，六七年之便秘，竟占勿药。患者喜出望外，称谢而去。

高龄患便秘者实为不少，一老人罹风疾偏枯，步履艰难，起坐不利，更兼便秘，何以堪此。尝指腹而叹曰：“大便不通，如之奈何！愿医者善为我图之。”查其舌质偏淡，苔灰黑而腻，脉见细弦。此乃命门火衰，脾失运转，阴结之象也。疏方生白术60g为主，酌加肉桂3g，佐以厚朴6g，大便遂能自通，灰苔亦退，减轻不少痛苦。类似病人，亦多有效，勿庸一一例举。

论慢性肾炎蛋白尿的治疗

时振声

慢性肾炎蛋白尿的治疗，目前还比较困难，中医治疗主要是根据临床表现来分析其病因病机，如果病人伴有水肿时，因为水肿的形成与肺、脾、肾三脏的功能失调有关，肾炎水肿往往伴有蛋白尿，所以蛋白尿的治疗也要从肺、脾，肾三脏来考虑。肺主治节，能助脾布精，肺又为娇脏不耐受邪，遭受外邪以后，肺失宣降，则不能通调水道，不能助脾布精，使精微下注，出现蛋白尿。临床

上凡是咽部反复感染、皮肤疖肿长久不消，皆可从肺论治。如宣散风热、清宣湿毒等皆可用之，代表方剂如银蒲玄麦甘桔汤（金银花、蒲公英、玄参、麦冬、生甘草、桔梗、薄荷、淡竹叶、野菊花）、桑杏汤、麻黄连翘赤小豆汤。虚证明显者，气虚可补益肺脾，用补中益气汤、黄芪大枣汤；易感冒者用玉屏风散；阴虚宜滋养肺肾，如麦味地黄汤。临床上常见慢性肾炎咽部反复感染，在急性咽部感染时，可用银蒲玄麦甘桔汤，急性咽部感染控制后，即改用麦味地黄汤滋养肺肾，可望使蛋白尿减轻或消失。皮肤疖肿严重者，如用麻黄连翘赤小豆汤效果不明显时，还可着重清热解毒，用五味消毒饮加牡丹皮、生地黄、玄参等，常可获得满意效果。曾治一例慢性肾炎肾病型的病人，皮肤疖肿长久不消，改用五味消毒饮加味，以清热解毒、育阴利湿治疗后，很快皮肤感染好转而痊愈，尿蛋白由原来(+ + + +)逐渐消失，达到完全缓解。

脾主运化，升清降浊，转输精微，脾虚则不能升清。而肺气不行，不能降浊则肾气独沉，脾虚也使肾不能封藏，如《医经精义》说："脾土能制肾水，所以封藏肾气也。"脾虚又使谷气下流，精微下注，出现蛋白尿。临床上凡有脾虚表现者，均可健脾益气治疗，但是要注意时间长久者，往往脾肾俱虚，或者脾肾气虚，或者脾肾阳虚，或者脾肾气阴两虚，所以常是脾肾同治。一般健脾益气多用黄芪，脾肾气虚者可用保元汤合二仙丹、或五子衍宗丸加参、芪，脾肾阳虚者可用参芪桂附地黄汤，或右归丸加参、芪；脾肾气阴两虚者可用参芪地黄汤、大补元煎。

肾主闭藏，肾虚则封藏失司，肾气不固，精微下泄，而出现蛋白尿。临床上凡属肾虚者（包括肾阴虚、肾阳虚、肾阴阳两虚），皆可用补肾法治疗蛋白尿。肾阴虚者可用六味地黄丸、二至丸；肾阳虚者可用右归丸、金匮肾气丸；肾阴阳两虚者可用人参龟鹿丸、地黄饮子。曾有一例慢性肾炎隐匿型的病人，属阴阳两虚，用地黄饮子治疗 3 个月余，尿蛋白（ + ） ~ （ + + ）逐渐转（ - ）而完全缓解。

除了从肺、脾、肾三脏论治外还可从祛风胜湿及活血化瘀论治。风药可以胜湿，可以健脾，脾虚病人虽无明显水肿者，但脾虚即可生湿，用风药可治之，如羌活胜湿汤、升阳除湿汤。近年来所用昆明山海棠及雷公藤均可归入此类。一般祛风胜湿的药物有防风、防已、羌活、苍耳子、秦艽、紫苏叶、蚕沙、木瓜等；搜风通络的药物有僵蚕、穿山甲、蜂房、地龙、蜈蚣等；临床上可以酌情使用。活血则用于病程长久而有瘀血内阻者，但多宜与扶正同时运用，如属气虚、阳虚，可用补中益气汤合桂枝茯苓丸，如属瘀血可用血府逐瘀汤。一般活血通络的药物有当归尾、赤芍、桃仁、红花、川芎、泽兰、牡丹皮、茜草、王不留行等，活血化瘀的药物有三棱、莪术、水蛭，虻虫等；临床上辨证确切也可酌情使用。

虽然慢性肾炎蛋白尿的治疗有以上各种途径，但是实际应用中往往又是数法同用，如健脾益气合祛风胜湿，滋养肾阴、清热解毒、活血化瘀合用等。应在临床上细察病机，选择使用，有的确能获得满意效果。

越婢加术汤治疗水肿

郜香圃

20世纪60年代末我曾负责治疗肾炎患者。有意识地挑选10例经过各种治疗无效的慢性肾炎严重水肿的患者，做探讨性治疗。我当时认为用一般的补脾利湿之剂不能解决问题。考虑采用仲师越婢汤，大胆地重用麻黄、石膏。以麻黄、石膏为主，麻黄用到30g；石膏根据情况，血压不高的患者用到80～100g，血压偏高者用到120～150g，另外加生白术30g而收到满意的效果。幼年学医，听说用大量麻黄能导致大汗亡阳。通过这次经验体会到机体有水肿用大量麻黄并不发汗，反而达到辛散水肿的作用。由于麻黄辛温配大量辛凉的石膏可以抵消麻黄的辛温，共奏辛以散之的作用，加生白术补脾利湿。有的患者因浮肿消除而尿蛋白亦随之下降。证明古方之奥妙，仲师不欺我也。

谈大黄在慢性肾衰中的应用

聂莉芳

从近年来国内报道的文献来看，以大黄为主通腑泄浊治疗慢性肾衰已较普遍，并且取得满意的疗效。其用药途径有合入复方中水煎服、单服大黄粉、煎汤保留灌肠及注射液等等。多数人认为大黄有降低尿素氮的作用，有人认为大黄能改善肾功能，促使体内毒物排出。目前大黄已成为治疗尿毒症的一味常用药。

如何在中医理论指导下，更为恰当地运用大黄，这对于进一步提高临床疗效，无疑是十分重要的。《素问·阴阳应象大论篇》说：“清阳出上窍，浊阴出下窍。”如此则维持机体的动态平衡，使“阴平阳秘，精神乃治。”慢性肾衰患者，因于脾肾衰败，气化无权，二便失司，临床上不仅可见尿闭，亦可出现大便秘结，即下窍不利，浊阴难以从下窍而出，潴留体内，从而造成病情危笃的局面。《素问·阴阳应象大论篇》说，“此阴阳反作，病之逆从也。”因此，此

时应用大黄通腑泄浊，使浊邪有出路，对于缓解病情是十分必要的。

但是慢性肾衰患者病程缠绵，病机错综复杂，多为本虚标实证。通腑泄浊须兼以扶正攻下法方合病机。若一意攻下，往往正虚不支，可导致正随邪脱的险候。正虚有气虚、阳虚、阴虚之分，所以扶正攻下可选用益气、温阳、养阴攻下诸法。

温阳攻下法：大黄为寒下之品，凡阳虚便秘者，若不配用温阳之药，必更伤阳气。常用方有温脾汤、大黄附子汤等。有时可用温润通便的肉苁蓉收功。

养阴攻下法：临床上因于阴液亏虚而致便秘者并不少见，若单用大黄泻下，虽可使大便暂通，但津亏肠燥，阴液不复则水浅舟停，还会再现便秘，故以增水行舟之法方较适宜。

此外，有的尿毒症患者大便并不秘结或反溏薄、甚或腹泻，舌胖色淡，边有齿痕，苔薄白而润，脉虚，其表现系一派脾肾气虚或阳虚之象，倘若泥于大黄能降尿素氮之说而概用之，则有“虚虚”之弊，使全身情况恶化，尿素氮不但不降，反而上升。因而慢性肾衰患者不现大便秘结者，不宜选用大黄。曾遇一男性慢性肾功能不全患者，入院时尿素氮很高，酸中毒，神疲乏力，厌食恶心，胸脘痞满，大便日二行，质偏稀，口中尿味较大，舌胖，边有齿痕，苔白稍腻，脉弦软。始予大黄粉每次2g，每日3次，以冀降低尿素氮。用后遂现腹泻，为水样便。患者述乏力厌食，脘痞呕恶之症较前加重，复查尿素氮更高。鉴于此，停用大黄，改拟温中益气，和胃降逆，选香砂六君子汤加干姜、黄芪治之，药后神振纳增，恶心全除，大便转调，守方十余剂，尿素氮明显下降。可见必须在中医理论的指导下恰当地使用大黄。

再者，运用大黄应选择适宜的时机，早期应用往往收效颇佳。晚期应用则无济于事，反而促使全身情况加速恶化。这是一个不容忽视的问题。

无排尿感治验

王洪图

北京某厂工人李君，年约25岁，缘于3年前初夏赴什刹海游泳，返家后即现发热恶寒，头身疼痛，继之则腰胀痛而无尿排出，赴某医院就医，经查为双侧输尿管不通，确诊为肾盂积水。于是住院手术治疗，月余出院回家休养。不期延时3年，始终无排尿感，遵前医之嘱，每隔2小时，以手按压小腹，被动排尿1次，终年寝卧不宁。

经人介绍求我医治。诊之，李君术后瘢痕尤显，腰间两侧各有一凹陷，可卧鸭卵。除腹满不知小便外，尚有口渴，脉略浮，不论春夏秋冬，四季均无汗出，皮肤干涩，证属“膀胱蓄水”无疑。虽然其尿如米泔，显微镜下可见脓球满视野，仍须尊张仲景先师之法施治，用五苓散（汤剂）加味，暂予3剂，以观后效：茯苓10g、猪苓10g、白术10g、泽泻10g、桂枝8g，用此五苓以利膀胱之气化，更加麻黄粉1g（冲服），取其宣发水之上源，盖肺气宣降，则腠理开而使汗出，水道通畅而小便得下，津液得布，口渴自除。

4日后复诊，口渴已去，身有微汗出，余证如前，原方再进。共服此方10剂，即能正常排尿，尿色已清，镜检有白细胞5~10个。用原方倍量为散剂，每日6g，代茶饮之，兼服六味地黄丸，每日早晚各1丸。如此3年疾苦，严守《伤寒论》之法度而治，3个月康复，回厂工作。患者乐之，医者尤乐在其中矣。

癃闭1例追访纪实

鲍友麟

我始独立行医，一日邻居介绍黑某某前来诊治癃闭症。该患者男性，年已八旬，小便不通月余，经北大医院检查，确诊为“老年性前列腺肥大症”，给予导尿，未施其他疗法，家属念在老人年高，不耐长期导尿，故请中医求治。患者体质尚健，惟小便不下，自谓少腹胀满作痛，妨碍饮食，不能活动，诊时插有导尿管；表情痛苦，舌苔白厚，脉弦滑有力。我因初步医林，经验有限，对治疗老年性前列腺肥大影响之小便不通之症，尤感棘手，故开了以八正散为主的加减方两剂，并嘱家人如无效请另找他医，不要贻误病情。

事经多日，邻居来我诊所看病。问及患者病情，言服药无效，又请附近一老中医杨大夫治疗3次，病已痊愈。因要求将杨大夫所开之方取来学习，次日其即将治疗之方全部拿来。展观之下，第一次方只有4味药：苦参12g、黄连12g、黄柏12g、黄芩12g，水煎服2剂。二诊案云：“药后病情好转，效不更方，照服2剂。”三诊仍为原方，另外加了西黄丸6g，并嘱该法继服2剂如愈停药。前后共服药不到10剂，小便畅通告愈。俟后我以求知的精神追访5年，未见患者尿闭复发。事过三十多年，记忆犹新。多年来每当临床见有患高年体壮尿不利（西医诊断为老年性前列腺肥大）患者时，采用其法加减治疗，都收到明显效果。

诊余话验案

张　吉

癃　闭

癃闭以排尿困难、少腹胀痛，甚则小便闭为主症。其证有虚有实，有寒有热，多与膀胱气化不利有关，气化之源在于肾，故又多与肾阳不足有关。

曾治一男，年过七旬，体质壮实，患小便不利十余日。病起于旅途劳累，途中即感排尿困难，小便后尿道灼热，微痛。两日后，诸症加重，小便点滴难出，不能自解，经某医院诊为“前列腺肥大”。当时给予留置导尿管，嘱其日后手术治疗。因患者高龄恐惧手术，遂求余用中药治疗。自述不欲饮食，口苦且渴，大便干燥，小便黄赤。观其气色尚好，小腹拒按，脉弦滑而数，舌质红，苔厚而腻，中间淡黄。综观病情，由湿热郁结下焦所致，弦滑之脉为肝经湿盛，肝胆之气上蒸则口苦，舌苔白腻而厚，中间已现淡黄，且年逾古稀，肾气已衰，气化不利，湿热之邪，不得速散，胶结于下，阻塞尿道，而致小溲不通。经曰：“必伏其所主，先其所因”，当以清利下焦湿热为法，以龙胆泻肝汤图之。龙胆草、泽泻、车前子、猪苓、茯苓、淡竹叶、滑石、台乌药，生地黄、当归、瓜蒌、黄柏、甘草梢、木通、柴胡，水煎服，2剂。药后复诊，自述小腹胀满已减，尿量渐多，能自行排出，患者十分高兴。诊其脉仍弦滑，白腻之苔渐退，病已好转，仍宗前方再投2剂。2天后，患者自行前来门诊，诉说大病已去，白腻之苔已退，饮食正常。为巩固疗效，前方去滑石、淡竹叶又投2剂，日后随访，其病尽除，未再复发。余每用此方治疗下焦湿热所致的小便不利、排尿困难之证，屡用屡效。但癃闭之证，又多为肾阳不足，膀胱气化不利，与本案有何不同？盖肾气虚，气化不利，其证为虚，由于肾阳虚衰，命门火不足，蒸腾化气之源已竭，膀胱空虚，无尿可排，故当温肾阳，补命门之火，以助气化。本案为湿热郁阻，其证为实，如以补法反使病情加重，更实其实。临证由于湿热阻滞下焦而致癃闭者，屡见不鲜，故宜辨证论治，以收实效。

音

曾诊一女，年三十余岁，因感外邪，周身不适，咽干微痛，声音不扬，身微热，咳嗽频作，少痰，呼吸气急，曾服丸药，未见明显效果。经某医院门诊，诊为“急性喉炎”。因家境清寒，未能入院治疗，约余诊治。见其卧病在床，呼吸不利，声音嘶哑，两天来只进稀粥，身体消瘦，触其肌肤，有微热感，手足发热，令其开口，见其颃颡及悬雍垂微红，舌尖红少苔，脉细数。由于平素体弱，每春秋之际，易患感冒，时有低热缠绵。此阴虚之体，更因烦劳，感受夏秋燥热之邪，内犯于咽喉，渐及于肺，津液被灼，肺失濡养，肺金不鸣；喉为肺之外窍，发声之所，颃颡为气流通过之处，声道涩滞，发声不利，故声音嘶哑，呼吸气急；肺失肃降则干咳少痰；舌质赤，脉细数，均为阴虚有热之象。此患者病程虽短，但病证为燥热伤阴，有是证用是药，故以养阴润燥、清肺利咽为法，宗清燥救肺汤化裁。药用：党参、枇杷叶、生石膏、阿胶、杏仁、霜桑叶、桔梗、麦冬、黄芩、玄参；水煎服。2 剂后，自述咽喉轻快，呼吸稍平，药已中病，效不更方，前方酌加川贝母，又进 2 剂。再次来诊，语音清晰，并能进普通饮食，为巩固疗效，又进 2 剂。

养阴清肺汤所治范围较广，对白喉、喉痹、失音、肺燥咳嗽等病证，均有较好疗效。

“千口一杯饮”治疗阳痿

晁恩祥

学医之初，曾随方鸣谦老师实习。一次见方老为一阳痿患者诊病，四诊之后，遂开一方，嘱其配成丸药服用。患者服丸药治疗月余后，来院告知，病情大有好转，效果显著。故将该方录存。1962 年毕业之后，从事内科临床工作亦常有阳痿患者来院求诊，便多用方老治疗阳痿之方化裁，治疗数十例，均获满意效果。

1976 年参加全国中医研究班，跟随名老中医王文鼎老师于门诊学习。一日，见王老为一阳痿患者处方，观其药味与方鸣谦老师所用治疗阳痿方近似，遂向王老询问该方的来龙去脉。王老言：“此方名为‘千口一杯饮’，系配成药酒，服时一杯药酒做千百口饮之，并意守丹田，缓缓使药下行，有道家方术之意。”并言此方治疗阳痿效果甚好，有补肾、健脾、培补元气、填补精髓之效用，又取其缓缓饮之，并意守丹田，使药达病所。

近几年来，在翻阅资料时，偶见《验方新编》中，载有“千口一杯饮”方，言“此方专治阳痿不举，一杯作二三百口缓缓饮之，能生精、养血、益气、安神”，并言“其功不能尽述”。方中有“高丽参（好党参亦可）、熟地黄、枸杞子，沙苑子、蒺藜、淫羊藿、母丁香、远志（去心）、沉香、荔枝肉等，上药浸入好烧酒 1kg，三日后蒸三炷香久，取起浸冷水中，拔出火气，过卅一日饮

之。”方老所用之方又增加桑螵蛸、芡实、炒山药，并以蜂蜜为丸服之。王老则以原方配成酒剂服之。

从药味中可以看出该方有补脾肾、益气血、生精助阳效用，但并非辛热壮阳大补之品，诸如常为人们应用治疗阳痿的海马、鹿茸、鹿鞭、牛鞭、海狗肾……等药，该方并未选取，而是以平和草木之品为主，该方虽有益阳生精之药，但大都是补肾、益气以养心、生精、助阳，并非以骤补之法以求图得一时壮阳为快，而是根子补脾、益肾，其效果同样显著而且并无伤正气、耗损真阴之弊，观其效果也较持久、巩固。若兼有相火偏旺则复加知母、黄柏。我还曾用汤剂服，只是沉香取面冲服，而后用丸药治之。“千口一杯饮”治疗阳痿的确效果好，同道不妨一试。

遗精不从补治

聂惠民

遗精证多由肾气虚衰，精关不固所致，故以补肾固精为治者多。但亦并非尽然，曾遇杨某，青年未婚，遗精数月，时感头晕乏力，服用各种中、西补养药品，诸如人参、鹿茸、巴戟天之类，屡服不效。详察脉证，伴有口苦口干，渴欲饮水，心烦易怒，小便短赤，大便正常，饮食如故。视其体质壮实，脉象弦数有力，舌质红，苔薄淡黄。证属温热之邪，鼓动相火，扰其封藏之本所致，从虚而补，悖其病机，犹如火上加薪，反致火旺迫精，诸症有增。又另患者李某，年仅 18 岁，遗精频作，其母忧虑，曾竭力多方求医，选用大量补肾固精佳品，病情不减，反增口干且燥，烦热不适，观其面红且润，口唇干燥樱红，舌红，根部苔黄且腻，脉弦滑有力，此例同前，亦为一派湿热阴伤之象，怎奈温补品屡进，反致增热助火。据其脉证分析，乃肝经湿热居于下焦，前阴为宗筋所聚，足厥阴肝经“抵少腹”“绕阴器”，湿热之邪，循经下注，内扰精室，相火妄动，精关不固。两例皆以龙胆泻肝汤化裁，清利湿热，少佐滋阴降火之品，取龙胆草、栀子、黄芩、车前子、黄柏、泽泻、茯苓、牡丹皮、生地黄、柴胡、木通、甘草，服药数剂，诸症皆减，又于原方基础上，再佐龙骨、牡蛎固摄，继服十余剂，使湿热得清，诸证得瘥。

遗精证虽以肾虚不固而论治者为多，但由于心肝之火内动，影响封藏，湿热下注，扰及精室而致遗精者，并非少见。所以执补弃泻，是其偏见，须当审证论治。兹例举遗精 2 则，非肾虚者，故不从补。

虚劳重证应缓图真元

陈子富

“劳”有二义，一是虚极为劳，再是病久为劳，二者相合方为虚劳。由于虚劳病中有劳瘵，又称传尸劳，其所述之症与今之结核病雷同，故近代将劳瘵之“劳”改为“痨”，将防治结核病称作“防痨”和“抗痨”。为了避免病名含混，而将一般虚劳称为虚损。实际后世按虚损所列之证治，仍然是《金匮要略》所载虚劳病之发展。“虚”是少、不足、弱之意，在此是指气血之虚，即气少、血少，气弱、血弱。气血虚极不能荣润五脏六腑、四肢百骸，则必危及全身皆虚弱不堪，使病势旷久，缠绵日甚而为劳。故此病得自先天不足，后天失养，或得自诸般伤损，或得自诸病之末。其根本在于先后天之受损程度，其治疗之总则皆在于脾肾二阳之恢复，即真元之气的恢复。然在施治用药时，须慎重对待，尤其对虚劳重证，切莫急于求成，须防虚不受补，欲速不达之虞。应取缓图真元之法，用药需从小量始，视其证之缓解情况逐渐增多药量，方能收全效之功。余于1980年治一徐姓男青年，23岁。于一年半之前，初病时脘腹胀痛，饮纳则加重，故畏于进食，食量递减，日渐消瘦。曾多次住院，西医诊为“浅表性胃炎”“十二指肠淤积症”。近3个月病情日渐加重，每日进食不足50g，体重由原70kg已减至37kg。乃转求治于中医。见其羸瘦不堪，面色苍白，两目双颊深陷，发疏而枯，颈细而软，胸肋裸露，腹呈舟状，两髂高耸，股细胫肿。询问之，语声低微。其父代述，曾做临时工，劳累过度，且暴饮暴食和饥饿过时而染病。年前又冲喜婚配，婚后病情更重。此次入院后检查发现其体温35.2℃，心率40次/分，心音低钝，血压10.7/6.7kPa（80/50mmHg）。验血常规血红蛋白80g/L、红细胞2.9×10^{12}/L。呈全身衰竭之状。诊其脉微欲绝，舌体瘦而无苔，舌质淡，按其四肢凉至肘膝。辨其证属虚劳，乃由劳伤、食伤、房室伤所致，真元亏耗将尽。法当温运脾阳，缓补命门，拟方人参养荣汤加味治之。方如下：

炙黄芪15g、党参10g、白术10g、茯苓10g、生地黄10g、白芍12g、当归10g、桂枝6g、附子4g、干姜4g、五味子6g、木香4g、陈皮5g、升麻6g、柴胡5g、炙甘草5g。

该方服用10剂后，略能饮。加大党参、附子、黄芪之量，再服15剂后，每日已能纳食150g，精神转佳。缓加党参、附子、黄芪、干姜之量续服，至第30剂后，参附芪姜之量已增至原量之一倍半，每日纳量达200～250g。加减用补骨脂、吴茱萸、山药、淫羊藿等药，治达70天后，纳量增至300～350g，体重增至43.5kg，已能下地缓行。

危笃之候，能在短期，获此良效，超余预料。患者出院时西医检查各项均复正常，乃体会到中药扶正固本是促其体内脏器功能恢复之良法。

臌证治疗随笔

关幼波

肝硬化腹水类似中医学之臌证，中医谓之单腹胀，又名血蛊。此证非风水、皮水可比，治之非易，故又名石水。对此证个人认为不能单纯治疗腹水为目的，古人虽有舟车丸等逐水之法，而对此证与今人给以利水剂大体相同。此为扬汤止沸以缓其胀，而不能达到治本之目的，因此治病务求其本。

先父关月波曾在临床治疗此病甚多，效果比较满意。现将其学术观点及我个人见解分述如下。

此病初患时，多因湿热困于中州，脾失健运，湿困日久而生痰，入于肝经阻于血络，肝经不能调达形成血瘀而发病为臌证。

脾为后天之本，气血生化之源，又有统血之功，肝主藏血，性喜条达，但痰血瘀阻脾不运湿，形成肝脾不和、水湿不化，而后出现腹水，因此治疗此病必须在中焦下功夫，方可达到治疗之目的。

此类患者多因调治失误而致长期反复不愈，久病伤及气血而形成肝硬化腹水。故此证虚证居多，治疗此病应以扶正为主，佐以驱邪，全面考虑方可奏效。

此病既为肝经瘀血不能运行，又兼脾不化湿而致腹水产生，因此必须以调理肝脾、活血化瘀为主。但久病气虚，只活血化瘀而不用补气之法，则是往返徒劳，不能达到治疗之目的，所以治血要照顾到气，治气要考虑到血，如非虚证，可以行气活血以达气血畅通。

综上所述，首先应以补气活血为主，佐以健脾利湿化痰之品，加以软坚柔肝之药。

我常用药物有生黄芪、当归、白术、茵陈、杏仁、橘红、茯苓、赤芍、白芍、泽兰、香附、藕节、厚朴、车前、木瓜、生姜、大腹皮、丹参等为主，再随症化裁加减。个人体会方解如后：

生黄芪为此方中之君，以补气扶正、促使血行，更能走皮肤之湿而消肿，今之药理分析，有恢复细胞再生之功能。用量可由30g加至150g，无任何不良反应。全当归活血而不伤血，与生黄芪配伍有益气补血之效。赤芍活血凉血。

白芍味酸直接入肝，并有止痛养肝之功，为治此病之要药。泽兰在药性赋中曾云能通肝脾之血，活血而不伤于血，养血而不赋于血，药力在中焦，与桃仁、红花不同，有通达门静脉循环障碍之功，此药平和可用15～30g无妨。茵陈虽为治疗黄疸之要药，但其清热利水功能则更佳，因此有无黄疸均可应用之。白术、茯苓用以健脾利湿以助利水之力。杏仁、橘红均有化痰之效，但杏仁更有开胃润肠之功，橘红较之陈皮开胃尤良。香附、藕节为血分中之气分药，均有活血化瘀、通络行气开胃之功。厚朴、大腹皮治下焦行气利水而消胀，如大便干燥，可与腹皮子并用，有润肠之功。木瓜入肝、肺、胃、脾，为中焦之要药，调胃而不伤于脾，味酸入肝，舒肝而不伤于气，更有止痛之功，为调和肝胃之要药。丹参功同四物，有养血化瘀之效，与生黄芪配伍可治疗因激素撤药后出现病情反复之不良反应。余常用此药以解除上述之不良反应，确实有效。生姜量不要太多，以作辛温醒脾之使药。

若湿热仍炽，伴有黄疸，舌苔厚腻者，应先治其标，去生黄芪，重用茵陈，再佐以清热利湿解毒之品，俟湿热退后再扶其正，但在清利湿热当中，仍不能离开活血化瘀之品。

经过上述治疗，腹水顺利消退，应顾及病人患肝病日久，水不涵木，以致连及肾经先天之本，治疗拟滋补肝肾，健脾和胃，调理气血之法，以巩固疗效。

余在治疗本病后期方中加用阿胶、鹿角胶、龟版胶及河车大造丸，不但改善白蛋白、球蛋白倒置，更有恢复肝功能之效。

如腹水尚未全消或已消退，查其脉象、舌苔尚有毒热未消者，方中可加草河车、小蓟、板蓝根、蒲公英等药以解余毒而除后患。

软坚之药只用生牡蛎、炙鳖甲、鸡内金、藕节、桃仁、红花即可。至于三棱、莪术等药余素不用，因其破瘀不能软坚，有伤元气、促使肝脏进一步硬化之弊，且有食管出血之虑。

以上所谈乃系先父及我个人临床数十年初步体会，偏见之处甚多，敬希诸同道共同探讨，以便提高。

水臌治法探索

| 余无言 |

在中医内科杂病中，“四人证”中的臌证属于较常见而难治的病证之一。此病大致又有水臌、气臌、血臌、虫臌……之别。我从弱冠行医时就经常遇见这类病证，特别是水臌，经治较多。应该说，在寻求水臌的治法和方药方面，

仍处于不断探索的过程之中。

大约在16岁那一年，先严奉仙公（清末“苏北三大名医之一，长于内科及疫病）教读《素问·腹中论篇》，书中载述“有病心腹满，旦食则不能暮食，名为鼓胀。治之以鸡矢醴，一剂知，二剂已”。当时先严告谓：“古方‘鸡矢醴’（包括《素问》鸡矢醴和《宣明论》《千金方》鸡矢醴散等）今已罕见沿用。于臌胀之治，须注意金元以后诸家治法”。十余年后，我第二次到上海行医，与张赞臣先生合组诊所，创办《世界医报》。1931年，曾有一位在西医医院确诊为“肝硬化腹水”的男性患者求诊。其腹胀如鼓，面色暗黄，手足心热，身有漐漐微汗，便秘溺少。已抽过几次腹水，旋抽旋生，苦不堪言。患者证实体虚，上气不足以息。我用胃苓汤加甘遂、参、附子与服，终未获效，越数月而病故。按此证，实即《金匮要略》所称之“女劳疸”，仲景未立治法，后世亦缺乏良方。我从医疗实践中体会到在处治上的棘手，正如《中藏经》所说：“……百病难疗者，莫出于水也”。其后几乎每年都要诊治臌证，我大多按照《景岳全书·杂证谟》提示的治法，即“……若察其病由中焦，则当以脾胃为主，宜参、芪、白术、干姜、甘草之属主之；若察其病由下焦，则当以命门母气为主，宜人参、熟地、当归、山药、附子、肉桂之属主之。如果气有痞塞，难以纯补，则宜少佐辛甘，如陈皮、厚朴、砂仁、香附、丁香、白芥子之属；如或水道不利，湿气不行，则当助脾行湿，而佐以淡渗，如猪苓、泽泻、茯苓之属……”。遵循上述治法，效验并不理想。或有少数患者似颇见功，但终难获得痊愈。再者，在临证中我还体会到不少先贤的经验之谈是十分可贵的。如元·危亦林所撰《世医得效方》中说：“……若脐心突起，利后复腹急，久病羸乏，喘息不得安，名曰脾肾俱败，不治。……腹大满而下泄，不治。”危氏所说的病情，我曾不止一次地经见施治过，实多预后不良。特别是“脾肾俱败”，在晚期肝硬化腹水是较常见的病理，辨证处治，甚感掣手，应该引起我们临床医生的高度注意。

对于臌证的治法，是以攻为主，还是以补为主，或是攻补兼施，历来是有争议的。张子和立浚川散，属于攻水为主的治法；前人或有用舟车神佑丸、禹功散等方者。朱震亨《丹溪心法》认为臌证“病起于虚，急于作效……病者苦于胀急，喜行利药以求一时之快，不知宽得一日半日，其肿愈甚，病邪愈甚，真气愈伤，去死不远……”。故在治法方面是慎用攻逐的，不过他给后世也留下了一个攻水较常用的舟车（神佑）丸方。

我个人的看法，只要是证实而体未大虚者，仍当以攻逐水邪为主，但必须掌握“审证的确”，掌握好用药分寸，布署好攻下后的调理。

在诊余习读中，我从《傅青主男科》中看到一首“决流汤”方，觉其制方简捷可取。1935 年，上海仁济医院徐医生介绍该院一位姓张的工友请我诊治。患者四十余岁，患水臌重证，腹部膨满甚，腹胀上至两胁，气急而喘，小便不利，口干而燥。经医院放水 3 次，每次腹水穿刺后，旬日即又复胀。外观脐部突起。治当逐水利湿、温复肾阳。处以傅氏“决流汤”，方用黑牵牛 12g、制甘遂 9g、上肉桂 3g（另炖冲）、川桂枝 9g、车前子 30g（傅氏原方：丑、遂各 6g、肉桂 1g，车前同。原方无桂枝，因患者病重，故改其制）。服药 1 剂，即见显著利尿之效，腹壁稍软，喘急渐除；3 剂后，利尿达斗余之多，腹平而行步捷如常人。后处以香砂六君子汤（广木香 9g、缩砂仁 1.8g、姜制半夏 9g、土炒白术 9g、路党参 9g、广陈皮 7.5g、炙甘草 6g、云茯苓 9g、生姜 3 片）扶持胃气而告愈。

从上述案例，使我对傅氏“决流汤”深感兴趣。细绎此汤，大有经方遗意，立方标本兼顾。黑丑、甘遂、车前子，行水以治其标；肉桂有引水入膀胱之功，重在温阳以培其本。以后我又以此法治慢性水臌证，同样获得良效。这里须予指出的是，“决流汤”亦见于陈士铎《石室秘录》，书云：“水鼓，满身皆水，按之如泥者是。若不急治，水流于四肢而不得从膀胱出，则变为死证而不可治矣。方用决流汤，牵牛、甘遂各二钱，肉桂三分，车前子一两，水煎服。一剂而水流斗余，二剂即全愈。断不可与三剂也……”。实际上，我治张姓工友患者，即服了 3 剂，嗣后予以调补脾胃，并未产生流弊。可见读古人书又不可泥于句下。由此还体会到我们在临证时，要提高对疑难病证的治效，必须多读书、多思考，并密切结合医疗实践，不断地探索前进，精益求精。这样才能较快地丰富个人的学术经验，有利于卫生保健事业，施济于广大患者。

（余瀛鳌　整理）

血小板减少性紫癜治验

王齐南

余曾治一原发性血小板减少性紫癜患儿，体形异常肥胖，面部紫红，见人有些羞怯。其父代叙，1 个月前，因上身及下肢有多数出血点和出血斑，去某院就诊，发现血小板减少，立即住院，作骨穿，诊为：原发性血小板减少性紫癜。服泼尼松（30mg/d），未见好转，故来我院就诊。

当日血小板为 12×10^{9}/L，视其上身及下肢有多数散在性瘀斑和出血点。给患儿服用水牛角。但症状改善不明显。用药两个月，上身出血点增多，于 1973 年 12 月 3 日复查血小板计数 16×10^{9}/L。故决定改用汤剂治疗，用水牛角凉血、

止血无效，说明并非单纯血热妄行。患儿面部紫红，非常突出，反映瘀血之征，故辨证应为血热瘀血之发斑，此证临床罕见，必用凉血活血，药物选用要既有凉血作用，又具有活血功能。方用：紫草、牡丹皮、赤芍、生地黄、当归尾、丹参、白茅根、川芎等，加减治疗。服药后血小板则逐渐上升，用药仅1个月，于1974年1月7日查血小板已上升为$120\times10^9/L$，出血点明显减少；同年2月25日血小板$145\times10^9/L$，已无出血现象。后以本方改制丸药，巩固疗效。

1年后，其父带患儿专程来院看望，患儿体形完全恢复正常，判若两人，言其早已痊愈复学。

郑守谦老中医谈血证

蔡莲香

我师郑老说，方书中有呕血、吐血、咯血、唾血、咳血、衄血、尿血、血崩、便血种种病名，总其大要不过六项：一曰火逆妄行；二曰阴盛格阳；三曰气逆咳唾；四曰脾不统血、肝不藏血、心不生血；五曰脉络受伤，内脏瘀蓄；六曰冲任内损，血不归经。总其治法亦不过引火、清络、降气、养血、去瘀等法。阳络伤则血外溢，外溢之血宜降；阴络伤则血内溢，内溢之血宜固。滞者调之，虚者补之。外因以手三阴为要领，审其外感之如何；内因以足三阴为要领，审其内患之如何；不内外因以经络脏腑分别论治，审其所伤及饮食偏好，努堕跌仆之如何？凡半身以上出血多由热迫妄行所致，身半以下出血又必由瘀血所致。

郑老对上述种种出血归纳如下治法：阴血过伤而阳气未伤者，可取刘河间六合汤治之；倘系气虚血弱者，又当从仲景血虚以人参补之，使阳旺得生阴血之义。郑老对缪仲淳“宜行血不宜止血……宜补肝不宜伐肝……宜降气不宜降火”之说作了注释：行血宜施于出血之初，不宜施于脱血之后。至于出血来势汹涌者，则又需暂止之，既止之后，当辨虚实寒热而治之。肝阳过亢者则应补益肝阴而制之。至于降气，必分寒热，气寒为虚，气热为实。例如肝实而吐则当降火抑肝。中虚、肺虚、肾阳虚者则降补引火为是。属于肾阴虚者，又宜清补并投。故仲景吐血方中有甘草、干姜之热，亦有泻心汤之凉，医者必须审察诸因。

郑老对血证用药编了总诀：血证必先调气，血随气亢而上溢者，桃仁承气汤，苦寒以凉之，血随气陷而下渗者，补中益气，甘温以益之；又血自心来者补心丹，自脾来者归脾汤，自肺来者生脉散，自肾来者肾气丸，此补血之大要也。若从血病而求血药之属，则气虚血弱者人参补之，阳生阴长也。辅佐各品若桃仁、牡丹皮、血竭、童便为血滞所宜；蒲黄、藕节，阿胶、地榆、百草霜、棕榈炭、血余炭为血崩所宜；乳香、没药、灵脂、延胡索、三七为血痛所宜；益母草、卷柏、桑白皮、生地黄、赤芍、牡丹皮为血虚而热者所宜；炮姜、山楂炭、沉香、琥珀、桂皮为血寒所宜。虽属通套，然运用不出乎此耳。

瘀血证治二则

| 史进泉 |

血瘀喘息

大凡喘证，“在肺为实，在肾为虚”，治喘以肺肾为其主已成公论。又有“五脏之病，必穷及于肾，”作为临证指南。余经治 1 例血瘀喘息患者后，却对“喘息重证，必穷及于心”，颇有体会。患者男性，40 岁，煤矿采掘工人。患尘肺并发慢性支气管炎症。经常心慌气短，胸闷咳喘，动则加剧，体疲乏力，舌质黯紫，苔薄白，脉细弱无力。医予健脾丸、定喘丸、六味丸等调治，仍时发时止，不能稳定。1978 年入冬以来，病人胸闷异常，心悸气短频作，尤以喘息为重，静坐亦不缓解，又增浮肿尿少一症。舌青紫，舌下青筋弩张，口唇发绀，脉结代。此证原为肺气虚亏，但现今又兼瘀血之候。盖肺主气，气为血帅，心主营血，肺主卫气，肺气辅心以行血脉。肺病日久，气虚无力以运，而致气滞，气滞则血脉瘀阻。喘虽为肺疾，病深势重之时，必累及于心。辨证已明，则应活血祛瘀治标为主，培补正气固本为辅。药选川芎、赤芍、丹参、泽兰、党参、桂枝、北五加皮、干姜、茯苓。3 剂煎服以后，症状大减，气喘平息，浮肿亦因瘀去水行得以缓解，精神好转，病情日趋稳定。继以参苓白术丸、金匮肾气丸、定喘丸等中成药调治，以图缓补扶正愈疾。

血瘀脱发

发为血之余，肾之外华也。发之疾患，论其治法，虽首推滋阴养血，但其他治法奏效者，亦不乏其例。余 1972 年诊治一脱发病证，至今记忆犹新。患者女性，36 岁。突然脱发，始为一片，继而花斑，一载之内，全部秃光，眉、腋、阴毛亦渐脱落，遂成“全秃”之证。心情抑郁，头痛时作，健忘耳聋，视物不清，频频口渴，入暮发热，时有盗汗，饮食无味，脉微细，苔薄白，舌质略暗。曾投医求治，皆云阴虚内热，精血亏损，不能上荣所致，皆投以首乌延

寿片、七宝美髯丹、桑椹丸等补肝肾、益精血之剂。调治2个月有余，新发未生，症不好转。余追溯病源，患者因其夫身遭迫害，终日忧忿，饮食起居失宜，渐而成病。再察脉证，头痛虽时发时止，但痛点固定，状如锥刺；口渴虽频，但欲漱水，不欲咽水；经期先后不定，量少色紫，行经腹痛；又见面色黯淡无华，一派血瘀之象自成。复议健忘耳聋、盗汗等症，绝非肝肾亏虚所独有，因其瘀血所致者亦不少见。此脱发之证乃由肝气郁结，血瘀阻络，瘀血不去，新血不生，发不得荣所致。证属血瘀致虚，治当活血为先，瘀去再议补虚。故以活血通络为主，兼以舒肝理气为法，方宜王清任通窍活血汤（麝香用山柰、白芷、冰片代之），加柴胡、香附、白芍舒肝之品，外用牙刷蘸椰子水扣打头皮，以疏通经络，润泽皮肤。经治二旬，绒发始生。细观其证，瘀血已去，改用六君子汤，调中州以滋生化之源，饮食转增、继以首乌延寿片、七宝美髯丹、紫河车粉吞服，补血养阴以荣肾之外华。半载后，灰白绒发渐变黑色，渐至痊愈。

内出血治验

孟宪坤

有一赵姓12岁男孩，因与其兄打架，头、腹部均受外伤。约有1分钟意识丧失，醒后头、腹部剧痛。第3天发热，10天后面部发麻，左眼视物不清，左半身不遂。经当地医院治疗近3个月，疗效不佳。由外地来京治疗。当时患童体温39℃，头剧痛，甚则撞墙，眩晕，呕吐，入夜不寐，时有谵语，便秘溲赤。查体见烦躁，不合作，左眼视物0.5指数，左外耳道红肿溢脓，额部有青脉，左下腹部拒按，肾区叩痛，左重于右，舌质红，舌苔黄厚，脉滑数。患者持首都医院化验单，大便潜血阳性，尿中红细胞满视野，我院化验与此相同。根据中医观点，外伤可有离经之血，久之则血瘀。腹部为足三阴、足阳明经所布，经脉所伤，瘀而不通，不通则腹痛拒按。患者额有青脉，而巅顶亦痛，此属血瘀阳明，波及厥阴而致。目为肝窍故见视物不清。肾脉伤故见腰痛溲赤。肾开窍于耳，血瘀久化热，故外耳红肿溢脓。大肠经血瘀则见便秘，色黑。热入心包，上扰神明而致谵语、高热。

该病其本为血瘀，其标为头剧痛，半身不遂，身热等。急则治其标，一诊刺大椎、曲池、合谷，配温溜、梁丘、上巨虚、内庭，泻阳明经之火，治腹中实痛。药以活血化瘀、退热排脓为主，以大黄牡丹皮汤、薏苡附子败酱散增损：酒大黄10g、牡丹皮15g、薏苡仁20g、败酱草20g、桃仁10g、芒硝10g、莱菔子15g、生甘草10g。服药后3日排脓血便，4日后体温渐退。共服6剂，患者入夜成寐，烦躁及谵语均消失。第 7 日转入第 2 治疗阶段，此时头痛、视物不清、半身不遂，血尿，依然存在，此为瘀血未除，余热未尽。经云：血病久之归肝，针穴多取肝经：期门、中都、太冲、大敦、列缺、照海，此方有滋阴凉血的作用。药以活血化瘀方中加入凉血止血之品，方以抵当汤、导赤散意化裁：大黄 10g、桃仁 10g、水蛭 10 个、赤芍 10g，生地黄 10g、木通 6g、淡竹叶 10g、白茅根 20g、侧柏叶 10g、茜草 10g、生甘草梢 6g。此方服用二十余剂，大便色由黑变黄，已不干，溲清，头痛、视物不清、半身不遂诸症大有好转。第 40 日之后转入第 3 治疗阶段：此时邪渐去而正未复，神乏，腰腿无力，走路仍需搀扶。针穴：四神聪、神庭、本神、左肩髃、环跳、阳陵泉、神门、列缺、照海，进一步养血安神，滋阴扶正。中药以杞菊地黄丸、四物汤加减：枸杞子 10g、白菊花 10g、山茱萸 15g、白茯苓 12g、淮山药 10g、牡丹皮 10g、建泽泻 10g、当归尾 15g、赤芍、白芍各 10g，川芎 10g、桑寄生 20g。此方共服十余剂，总共治疗近 2 个月，患者自觉症状消失，耳聪目明，能直立行走，安卧，血尿便化验正常，生活可以自理，随父母返回原籍。1 年后随访，好如常人。

通过本例针药并用治愈外伤引起内出血一病，体会到中医学对本病的病因病机，及其辨证治疗，都有一套完整的理论体系：血由外伤而离经，离经之血则为瘀，瘀久化热，热腐成脓，热入心包，上扰神明，故见躁狂、谵语等一系列症候。辨明此证，治以活血化瘀，通腑排脓，待脓去热退，继而着力治其本，在化瘀中加凉血止血之品，俟邪去正虚之时，转入善后养血扶正。再以精当取穴，予以配合。抓住病机转化而施治，故对此重症，竟于 2 个月之内而获奇效。

论开郁调气法治疗结石

| 袁立人 |

先祖治疗结石，注重开郁调气之法。用药简洁而疗效卓著。结石多因湿郁生热，煎熬津液而成，故清热、利湿、化石为其正治。然湿热之由多因于湿，湿之成乃水不运，水不运因气不化。盖津道之顺逆，皆一气之通塞而为之。气行则水散，气滞则水停，此气化之理也。故助气化、疏三焦乃利湿化水之关键。湿化而热消，结石不复成矣。气得通而水下输膀胱，石可从小便出矣。据此理而定法，开其郁而调其气，或散于上以宣肺，或调于中以开郁，或通于下以畅达。以调气为下石之先导，辅以清热、利湿，则石可下矣。

此法之要有四：①调气宜着眼于三焦，先祖每以川贝母、白豆蔻之属畅肺气而开郁，以启水之上源，乃有“提壶揭盖”之意；而以厚朴、枳实、莪术之属调其中，以益中焦斡旋之力；用乌药、砂仁之属以调下焦之气。三焦通利，气化则能出矣。②因证选药，各有侧重。据结石所在部位不同，而选药亦有区别，结石在胆者，调中之药为主，厚朴、枳实、莪术之类当为重点；结石在肾者，通下为主，砂仁、乌药之属在所必用。辅以其他。主次分明，方可中的。③调气开郁，意在疏通，故用量宜轻，过量则有欲速不达之嫌。④清热利湿之品，用量可略大，以加强清利之功效。合调气药共奏下石之功。

近年来，余用此法治愈结石患者数例，始知其妙。仅录1例如下。

苏某，女，43岁。患者系澳大利亚人，自述1979年发现尿路结石，曾在本国治而未愈。今年来我国工作，4月份突发少腹急痛，牵及腰部，痛楚难耐，经某医院诊治，X线片示为尿路结石，如黄豆大小。曾注射冬眠灵，暂得缓解。其后反复发作，医生告患者当以手术，其畏惧之，恳请中医治疗。望其舌，质红而苔黄，脉滑略数，系湿热所致，因忆及先祖开郁调气之法，故遵此法予一处方：白芍15g、金银花15g、砂仁3g、乌药6g、白豆蔻2g、蒲公英20g、海金沙10g、路路通10g、六一散10g。凡二诊，守方进药，只于二诊中将清利之蒲公英加至30g，加瞿麦10g，前后服药23剂，石下而愈。观其结石，为米黄色结晶状，测其大小为：0.5cm×0.75cm×0.98cm，其形略如黄豆。

古人云："方从法出"，法自理成，而检验其理的关键则是临床实践。从实践中，可以逐渐悟出医理之真谛，从而加深对理论的认识和理解，以求发幽微而广见闻。这正是需要我们认真去做的工作。

老年胆石症不宜峻攻论

路志正

凡年事已高或体质虚弱患者，其脏腑功能自然衰退，特别是肝胆之生理功能更是薄弱，如《灵枢·天年》篇说：人到"五十岁，肝气始衰，肝叶始薄，胆汁始减。"《素问·上古天真论篇》有"七八肝气衰"的阐述。而胆汁乃肝之余气所化，由于肝气之不足，胆汁之生成、分泌与排泄功能相对减弱，肝气不足，则推动无力，致胆汁排泄不畅，逐渐蓄积，久而久之，郁而蕴热，清汁被灼，亦可成石。加之年高体弱患者，脾胃薄弱，运化迟滞，懒于运动，饮食不慎，或偏嗜辛辣肥甘，生冷黏腻之品，致食滞中脘，痞闷腹胀，嗳噫食气，浊气上逆，胁肋攻痛，大便不爽等症相继而至，逐渐形成中州痞塞，土壅木郁之候，使"胆以通降为顺"之功能受到阻抑，肝之疏泄失常，均可导致结石症之产生。

综上所述不难看出，高年及体弱者所患结石症不论在病因病机、脏腑功能、症状表现等方面自与壮年体盛，肝脾（胃）不和，湿热蕴结之结石迥然不同，而其治法自应有别，岂可概以总攻排石，而犯虚虚实实之戒。

论痹痛的病机

佟阔泉

《内经》曰："风寒湿三气杂至，合而为痹也。其风气胜者，为行痹，寒气胜者，为痛痹，湿气胜者，为着痹，以冬遇此者为骨痹，以春遇此者为筋痹，以夏遇此者为脉痹，以至阴遇此者为肌痹，以秋遇此者为皮痹。"

风寒湿三气之中人，不必同时，故谓杂至。寒湿皆为阴邪，其气本相合，风虽为阳邪，遇寒湿则同化，故三气相合，壅闭经络之间，阳气虚，不能温化流行，遂生闭塞不通之痹证。三气之邪，互为偏胜，风气善行而数变，其性流动，风气偏胜，其痛无定处，游行不定，聚于关节，名为行痹；四肢挛急，关节浮肿，寒气偏胜，阳气虚不能流通，痛苦切心，名为痛痹；湿气濡滞，湿流注于肌肉经络间，则着于一处而不移，阻遏气血流通之路，以致肢体或痛、或不仁，名为着痹。因感受之时与所客之处不同，又有骨痹、筋痹、脉痹、肌痹、皮痹等名称。然骨筋脉肌皮各有五脏之合，骨与肾合，筋与肝合，脉与心合，肌与脾合，皮与肺合。初病在外，久而不去，则各因其合而内入于脏，肾主冬，又主骨，骨藏精髓，肾虚于冬，则邪乘虚而入骨，骨失滋养而无所藏，骨中酸痛，此骨痹也。肝主春，又主筋，职司藏血，筋赖血以荣养，肝虚于春，则邪乘虚而入肝，血不流通，筋失血养，故筋挛作痛，此筋痹也。心主夏，又主脉，心能生血，血行脉中流传不息，夏令邪客于脉，故经络阻塞，血气凝涩不行，此脉痹也。脾主至阴，又主肌肉，脾虚于至阴，则邪乘虚而入肌肉，故肌肉尽痛，此肌痹也。肺主秋又主皮，肺气外达皮肤，以卫周身，肺虚于秋，则邪乘虚而入皮，毛孔闭塞，其气不能外达，皮肤失卫，故皮肤枯槁，此皮痹也。

桂枝汤疗痹，一方二用

梁仪韻

桂枝汤为仲景所创，组方严谨，配伍精当，加减变化，其妙无穷。余尝以此为基本方，加味治疗腰椎间盘脱出、颈椎病。方用桂枝、杭白芍、炙甘草、

生姜、大枣、防风、防己、羌活、独活、狗脊、杜仲、木瓜、香附。腰椎间盘脱出及颈椎病均以局部疼痛，活动不利，肢体麻痛为主症，其病位在足太阳经，督脉走行部位。太阳寒水，主一身之表；督脉总督阳经，主一身阳气；腰为肾府，肾为水脏，邪气伤人同气相求。故风寒湿邪初起伤于皮毛，营卫涩滞，久之入于经络，气血不通而痛。又有男过五八，女过六七肾气不足者，尤易染此疾。故用桂枝汤疏通太阳，调和营卫；狗脊、杜仲健腰肾壮督脉；防风、防己、羌活、独活、木瓜祛风湿搜剔皮肤经络之邪；香附行十二经之气血，理气通络。根据临床情况，又可随症加减，病在上者重用羌活加桑枝，病在下者重用独活加牛膝；肌肉痛者重用防风加海风藤；久病肾虚者加当归、续断、桑寄生；酸重者重用防风、防己，痛重者重用杭白芍、甘草，使营卫调和，气血畅达，经络充实，未感之邪不得再入，已受之病有路可出。余曾治一中年妇女，颈项不得转动，动即眩晕，右手麻木疼痛，不能书写，痛苦万分。用此方加桑枝、伸筋草，每日 1 剂，渣再煎，熏泡手臂，逾月而瘥。患者又将此方介绍给患有同样疾病的同事，亦月余见效。又治一男子，年过五八，因外伤致腰椎间盘脱出，针灸按摩均未见效，反渐沉重以致卧床不起，终日痛苦呻吟。诊其脉沉细弦紧，寒痛之象，即以此方冲服肉桂粉 1.5g，5 剂痛减，20 剂已能扶杖行走，又 10 剂以人参鹿茸丸善后。20 年未发，10 年动乱中因受寒湿劳累复发，十剂即愈。

（梁志齐　整理）

肩　凝　症　|王大经|

肩凝症，又称“漏肩风”“凝结肩”，属于痹证，即西医学之肩关节周围炎。本病患者多在 50 岁左右，因此又叫“五十肩”。这是一种常见病。其主要症状是肩部疼痛、抬肩、穿衣、梳头、用筷都感到不便和疼痛，活动受限。病情严重的，疼痛由肩向颈部和上臂放散，肩关节功能障碍，夜不能寐，烦躁不安，病程短的 1 个月左右，长则数月、半年、一年，以至几年、十几年，反复发作，缠绵不愈。

肩凝症的病因、病机多是因为气血虚弱，外受风寒湿邪侵袭，气血凝滞，经络不畅所致。治疗法则主要是调气活血，驱散风寒湿邪，疏通经络，中医治疗办法很多，如针灸、推拿，给服汤剂效果也比较理想。

我治疗肩凝症，常喜欢把《伤寒论》中的两个方子合起来用，一个是小柴胡汤，一个是桂枝汤，也就是柴胡桂枝汤。但随症要作加减，用药要有所偏重。

这个合二为一的方子既能调气活血，又能祛风寒湿邪，畅通经络。

桂枝性味辛温，能活血，祛风湿，温通经脉，利关节，用量不必过大，5～10g即可。芍药（我临床用白芍）入血分，能和血脉，缓急止痛。《本经》认为白芍可除血痹。其用量应视病情来定，重者可用30g，甘草用量宜轻，5～6g，多则10g。芍药配甘草，即是芍药甘草汤，仲景用它缓挛急，止疼痛。桂枝汤的另外两味药生姜、大枣，可依病情决定其用量或取舍。

小柴胡汤中的柴胡，对其功能众说纷纭，我用柴胡来疏畅气机。气滞血凝，就要调气，调气不用青皮、陈皮，柴胡能宣畅血气，祛风湿，诸肿，用量不宜过小，我一般用15g；半夏用量灵活性大，这和白芍相似，半夏能除湿消肿止痛，肩凝症疼痛重的，半夏可以用到20g，量小了不行；党参要用10～15g；黄芩不宜多，对这种病用寒性药要少，不过应当认识到，黄芩在某些证候中，对半夏有反佐作用。

可以看出，主要是掌握桂枝、白芍两味药的比例。我在用小柴胡汤合桂枝汤（或者说柴胡桂枝汤）治肩凝症的时候，常加上一味白芥子。很多本草书记载白芥子是辛温药，据我的经验，应当是辛凉药，它虽有辛味，但经小煎后，刺激性也就小了，所以不必顾虑。白芥子的功能是消肿止痛，通行经络，治肩凝症，用上白芥子效果很好，尤其是顽固不愈者，可以用到15g或更多。

有的肩凝症患者症状较重，疼痛难忍，以致昼夜不寐，坐立不安，我就在小柴胡汤、桂枝汤二方基础上加用白芥子，还不行，就再加上川乌、草乌、附子及某些虫类药，白芍用量还可加倍，服一二周可见明显疗效。

（王　岩　整理）

尪痹问答

焦树德

问：什么叫“尪痹”？

答：关于“痹”的研究，早在《黄帝内经》中就有了专篇论述。例如《素问·痹论篇》说：“风寒湿三气杂至合而为痹也。”并且指出：“其风气胜”而致关节、肢体疼痛之处游行串走不定者，称为“行痹”。“其寒气胜”而致关节、肢体发生剧烈疼痛者，称为“痛痹”。“其湿气胜”而致关节、肢体发生肿胀沉重、著而难去者，称为“著痹”。其“阳气多，阴气少，病气胜，阳遭阴”邪郁化热而关节灼热疼痛者，称为“热痹”。后世医家治痹，一直遵此学说。近些年来，中医界把上述的行痹、痛痹、著痹、热痹，统称为痹证。

但是，对于能够发生关节、肢体、脊柱，严重变形、肿大、僵化，筋缩肉卷，不能屈伸，骨质受损的痹证，自古至今尚缺乏统一、明确的名称。有的称肾痹、骨痹，有的称历节或白虎历节风，有的称鹤膝风、鼓槌风，也有的称顽痹等等。对其病因病机特点和有效方药均缺乏系统深刻的论述。甚至有的古代文献仅有6~8个字的描述。有鉴于此，我在继承前人各种论述的基础上，参考近代文献，结合个人运用中医理法诊治这类疾病20多年的临床体会，对有关节、肢体变形，骨质受损的痹证，在病因病机特点、脉象表现、证候辨析和治法方药方面，进行了归纳和初步的系统整理，把它称之为“尪痹”。尪痹可以包括现代医学诊断的类风湿性关节炎、强直性脊柱炎、结核性关节炎等有关节变形、骨质受损的一类疾病。按照尪痹的理法方药运用于临床，取得了比较理想的效果。因而提出了“尪痹”这个新的病名。

问：为什么用“”尪字来命名？

答：“尪”字与尩、尫、㝑字通用。从古今字书中的解释来看，尪字含有“短小羸弱”“跛、曲胫人”“突胸仰向疾”“瘠病之人”“废疾之人”“脚胫跛曲”“驼子”等意思。综观以上解释，再结合张仲景先师在《金匮要略》“中风历节病脉证并治第五”所说：“诸肢节疼痛，其人尪羸，脚肿如脱……”，这里说的尪羸，就是指关节、肢体变形，身体羸弱，几成废疾者而言。所以我们仍遵医圣张仲景所论之意，把这种关节、肢体、脊柱严重变形，几成废疾的痹证，称之为尪痹。以区别于行、痛、著、热诸痹。

问：提出这一新病名有何重要意义？

答：通过学习古人的理论与经验，结合今人的临床研究，进行分析归纳，提出一个临床上切合实用的新病名，这样，不仅可以对前人多年来关于痹证的论述，有一些补充，而且也能给今后对有关节、肢体变形，骨质受损的痹证进行病因病机和辨证论治方面更进一步的深入研究提供参考，从而有助于逐步找到它的诊治规律，为把过去所谓的“不治之症”，变为可治之症而不懈地进行研究。并且对今后统一病名也有一定的帮助。为此，我领导的研究小组，于1981年12月中华全国中医学会在武汉召开的“中华全国中医学会内科学会成立暨首届学术交流会”上，向全国同道发表了“尫痹刍议”的论文，请大家参考试用。1982年1月我在《中医杂志》上又发表文章，提出这一病名，供同道们参考，共同攻研此病。1983年9月中华全国中医学会内科学会在大同召开的“全国痹证会议”采用了这个病名。我们又在会上交流了“尫痹再议”的论文，并在我原拟的方剂基础上，通过大家讨论，制定了“尫痹冲剂”的处方，由本溪市第三制药厂加工制造，把药品供给全国27个省市的中医研究单位进行临床观察与研究。1984年10月中华全国中医学会内科学会在宁波召开的第二次全国痹证会议上，通过27个省市中医研究单位的总结，尪痹冲剂取得了70%以上的疗效。尪痹冲剂已于1984年11月在北京召开的鉴定会上通过。现正由本溪市第三制药厂成批生产，投放市场，为本病患者提供了良药，减轻了病痛。

当然，这还只是很初步的成果，我们对此病的研究，仍在逐步深入地进行，并且以后还要发表“三议”“四议”……，直至达到完全攻克此病。我相信通过全国同道的共同努力，我们的目的一定能够达到。

论痿证、痉证可以并见及治疗

王永炎

近十数年来，余在诊治脑病过程中，常常遇到痿证、痉证并见的患者，把它称为痿痉并病。痿指肢体痿软，举动不能；痉指四肢强直拘急，活动不灵，两者都表现为自主运动的障碍。又痿证肢体痿软多有肌肉萎缩，而痉证肢体强直者一般无肌肉萎缩，临床见到的痿痉并病，是既有肌肉萎缩、力弱，又有肢体强直拘急的症状。论其病因病机，无论湿热、寒湿与精血不足，皆是筋肉受病。由外邪来者，如湿热壅阻经脉致使大筋緛短，小筋弛长，发为痿痉并病。若精血不足，筋肉失其濡养，既能出现弛缓痿软，又可见到拘急强直。论其治疗则当审因辨证，据证立法处方。西医所谓运动神经元病，多进行性加重，目前国内外尚无有效的治疗。中医按痿痉并病辨证治疗，对于控制疾病的恶化确有帮助，也有经治病情好转者。如孟某，男，45岁，症见四肢肌肉萎缩，以上肢为重；四肢僵硬拘急，以下肢为重。两小腿常有筋惕肉瞤，故步履维艰，走路极易摔倒。舌质淡苔薄白，脉缓。询问病史，知病起寒湿内侵，先伤脾发为痿，继则精血不充，肝肾亏虚，筋肉失于温煦濡养，拘急成痉。治宜温养肝肾，健脾益气，少佐活血达络之品。选地黄饮子加味治之。处方：熟地黄10g、砂仁（打）3g、山茱萸肉10g、石斛10g、麦冬10g、五味子6g、石菖蒲6g、杜仲10g、狗脊10g、附子10g、生黄芪15g、茯苓15g、丹参15g、鸡血藤15g，水煎服，每日1剂。另用参芪注射液20mg兑入5%葡萄糖溶液250ml中，静脉点滴，每日1次。患者服药近百剂，参芪注射液间断使用，其病情稳定，自觉下肢肌力增加，活动较前灵便，食睡一般情况好。仍仿地黄饮子处方配丸药，出院继续治疗观察。

桂甘姜枣麻辛附子汤治疗急发痿证（吉兰-巴雷综合征）

王永炎

西医吉兰-巴雷综合征，是以四肢软瘫为主要的临床特征，属于中医学“痿证”的范围。本病一年四季均可发病，但以夏秋两季发病较多。由于一般起病急，笔者称其为急发痿证。据临床观察，本病部分重症病人是因素常阳虚气弱感受寒湿而起病的，运用《金匮要略·水气病脉证并治》记载的桂甘姜枣麻辛附子汤治疗，常可获得比较满意的疗效。

素体阳虚或心肺肾气虚之人，值暑夏季节夜间露宿受寒，或汗出用冷水淋浴而发病，属寒湿先犯皮肤肌腠，继而浸淫肝肾，深邃脉络之中，气血为寒湿所阻，筋骨肌肉失于温煦濡养致痿。若寒湿留连，不急去之，则寒湿病气上凌心肺，下损肾阳，必四肢软瘫加重，手足冰冷可至肘膝以上，进而呼吸促迫，唇甲青紫，演致心肺脾肾阳衰的危证。细审证候，本病以突然四肢软瘫，常先双下肢瘫，或以下肢瘫重，四肢麻木，手足发凉，甚则肢体冷汗频出或胸部束带感为特点，进而呼吸促迫，唇甲青紫，心慌，吞咽困难，痰液滞留，舌质淡苔薄白，或舌质紫，舌面满布白腻苔，脉沉迟或沉伏。辨证当属寒湿注于下焦，消耗肾命之阳气，进而心阳不济，肺脾气虚。论其治疗急拟祛寒湿，壮命火，助心肺阳气之法。选用桂甘姜枣麻辛附子汤。方中麻黄、细辛皆辛温之品，可祛寒湿，重用细辛，入心肺肾经，下达病所搜逐深邃肾经脉络之寒湿。附子大辛大热，入心脾肾，温壮命门之火而能逐散寒湿，实为治本之要药。桂甘姜枣补中可助心肺阳气，尤以桂枝、甘草合用助心阳通经脉为本方不可缺少的组成部分。笔者曾治一男性少年，15 岁，因双腿软不会走路 1 天而入院。缘 10 天前由夜间露宿淋雨，尔后恶寒发热，头痛身重，咳嗽，经服中西药物，发热退净已 3 天。于入院前一天突发走路总欲跌倒，进而双腿软弱不能走路，翌日发现双上肢也力弱，手足发冷，四肢麻木，腰腿冷汗频出，气短心悸，舌苔白腻，舌质偏淡，脉沉迟。中医辨证为寒湿深邃脉络，肾心肺脾阳虚致痿。治用祛寒湿，温心肾为主。处方：麻黄 6g、附子 10g、细辛 6g、桂枝 10g、炙甘草 6g、生姜 3 片、大枣 10 枚、淫羊藿 10g。服 2 剂则气短心悸已除，肢冷汗出明显好转。再服 6 剂四肢瘫痪开始恢复。以本方加减服药 24 剂后，双上下肢肌力基本恢复，治疗 1 个月可以自己走路。出院后给服四物五子丸。

内病外治

陈文伯

内科疾病采用外治法是中医传统的有效治疗方法之一。所谓外治法，就是通过皮肤、黏膜使药物直达病所而发挥治疗作用的一种给药方法。

近些年来，余采用外治法治疗多种内科急症，其效果显著。如用瞏鼻闻药法（全蝎、僵蚕、白芷、细辛、冰片）治疗数例面部剧痛（三叉神经痛）顽症，均获痊愈。20世纪60年代初期，一例血臌重症（晚期肝癌）病人，因疼痛难忍求治于我。无奈勉拟其方：麝香、血竭、乳香、没药、穿山甲、土鳖虫、三棱、莪术之属，以白酒浸泡1周，每日外涂。病人用此法外涂胁下部位数分钟后，疼痛缓解。涂擦数次，痛止眠安。此法曾用于数例血臌重症（晚期肝癌）患者，均有较强的止痛效果。

近几年来，我院中医急诊室、病房采用自制麝香止痛酒，外擦膻中、心俞、厥阴俞以及前胸后背部位，治疗真心痛有一定止痛效果，每日坚持涂用数次可预防和减少真心痛的发作。

此外，用自制定喘酒，外擦定喘穴、膻中穴、肺俞穴、天突等穴以及前胸后背治疗哮喘病人，数分钟或十几分钟后，哮喘即可缓解。根据风寒风热不同证型采用辛凉、辛温中药液与白酒兑在一起，外擦胸背治疗高热或高热引起的惊厥病人，也取得速效。如1984年1例风温肺热（肺炎）病人，高热不退，擦药后十几分钟，汗出热减，1小时后脉静，热退。以此法治疗数例高热病人均取得速效。中医病房、急诊室用中药保留灌肠法治疗关格（尿毒症）病人比内治法效果显著。

可见外治法在治疗许多病种中疗效卓著，是内治法所不能完全代替的。外治法不愧为治疗内科疾病之良法。当然，医者运用外治法时也必须坚持中医理论为指导，以辨证论治为原则，才能药到病除，效如桴鼓，如能内外结合其效更佳。

辨证论治随笔

高辉远

一

曾治一患者，在突发急性胸痹（急性心肌梗死）2天后，并发急性热病（急

性肺炎）。因其年高体弱，病情十分危重，高热（体温39℃），咳嗽黄脓痰，阵发性哮喘。血象：白细胞总数$19.5\times10^9/L$，中性0.89，脉象浮弦滑数，舌苔黄厚。中医辨证：心阳痹阻，肺热不宣属邪实，高龄多病属心虚。治以清热化痰以祛邪，益气养心以扶正。西医则静脉点滴抗生素，兼用强心和扩张血管药以保护心脑等，协力抢救，继以调治四十余日，使患者转危为安。余以为按病情仍宜中药续清余邪调理善后，而医家、病家比较乐观，决定中西药同时停用，仅用单味西洋参以益气扶正。结果刚过4天，患者体温再起，继续采用中西医两法治疗，病情时退时进，又历时四十余天。某老中医参加会诊，认为患者肺热不清，扶正何益？主张大剂苦寒之品，清热解毒，欲图速效。结果患者病情不仅未见好转，反而频频发热（由六七天再发一次，缩短到三四天发一次），同时大便变溏，余遂与商酌，深恐其正气愈伤，邪气愈炽，一旦肠胃伤，中气败，则救治将不及矣。彼仍不采纳，余戚戚于心，然病家和医家均未引起重视。不得已余只求继续服用西洋参以留一线正气，绵延至8个月时，导致正气全面溃败，五脏俱损，险象丛生，全身浮肿，胸水、腹水并起，大脑神明失守，昏迷不醒，肺源上绝，满肺实变，脓痰壅滞，呼吸困难。被迫作气管切开，借呼吸机以助呼吸，供氧气，吸引痰涎；心阳亦衰，心率快而不齐，赖强心剂维持、脾胃后天本源大伤，上不能纳，虽有鼻饲通道而不能正常进食，下又水泻不止，肠道菌群失调，大肠杆菌消失而难辨梭状芽胞杆菌肆虐，肝体肿大，皮肤黄疸逐日加深，胆红质亦随之升高，肾竭于下，尿量减少，尿蛋白++++，尿素氮67mg。在此危象纷呈，而体温仍高(38.9℃)，贫血已露（血红蛋白60g/L），血常规异常，白细胞总数$8\times10^9/L$左右，中性0.85~0.89之间，虽有先进之医疗设备及种种医护条件，治疗上仍十分困难，中西医均感棘手而缺少良策。余苦思良久，感到患者虽已濒临危殆境地，仍可从祖国医学宝库中寻求良法，提出了两条救治方案。其一，靠静脉点滴营养，终非长久之计，中医食疗之法尚属可取。建议选上好莲子肉、芡实和炒大米制粉为糊，缓缓鼻饲，用之果见成功；其二，药物治疗问题，鉴于病人应用大量多种抗生素和大剂清热解毒等苦寒之品，而且长达10个月之久，其元气大伤可知，如果正气能增一分，则邪气犹可却一分，舍大剂扶正以祛邪之法别无良策。建议用经方附子汤加味，可收补气温阳行水除黄之功，用4剂即见效果。此后几经更治，实践证明该患者用此法治疗见效，反之则加重。最终不得不三上附子汤加味。此后坚持此方加减，患者病情逐渐好转，意识也由昏迷渐至半昏迷、清醒、体温渐退，血象、尿、便各项指标渐改善，肠胃功能先见恢复，能接受鼻饲，大便不泻，去掉大静脉营养，接着血压、心率、呼吸日渐稳定，停用呼吸机。进而浮肿完全消失，胸水、腹水亦退，黄疸已除，心、肺、肝、肾功能好转和恢复，难辨梭菌毒理试验阴性，胆红质、尿素氮、蛋白等指标正常，面色荣润丰满，脉象弦缓，舌质红活，舌苔亦少，度过危险，病情平稳已一年有余，病家和医家无不叹为奇迹！总结本病由重而危、由危而安的全过程有如下几点值得讨论和研究。①本病是始终围绕“治病必求其本”与否的理论认识展开的。病人的病情实质存在三虚一实：病人高龄体弱，一虚也；病程长久不愈，二虚也；苦寒过量伤正，三虚也。一实则肺热为患。以三虚对一实，欲求其本，正虚自无疑义，热邪仅其标耳。初期尤可标本兼顾，久则以固本为宜，竟大剂清热解毒之苦寒兼多种抗生素，蹈虚虚之戒，终使由重而危，险些不救。然而只要能求其本，抓住扶正固本，以挽回和增强机体抗病能力尤可战胜邪气，赢得由危而安，沉疴再起。②治病求本，要善于透过现象看本质。本病黄疸很深，色晦而黯、其苔灰腻、其脉细微、水肿泄泻，乃阴黄之证，故按阳黄而用去黄灵，黄疸反见加重，改用附子汤加茵陈而黄即见减退，附子系温阳之品，以阳治阴，无怪乎三用则三次下降，两停则两次上升。中医的理论认识诚哉可信。③中医学有其独特的系统的辨证的理论体系。治病不可见病不见人。本病一度中医只见其肺热，治以大剂清热解毒；而西医亦只注意肺炎，治以广谱抗菌消炎，从表面看，中西医配合较好，而忽视病人年高体弱病久这个根本，是不符合辨证论治整体观的。造成病情不断恶化，变证蜂起，这种教训是应认真吸取的。中西医之间也要有机结合不可生搬硬套。

二

先师蒲辅周在辨证论治时常强调说：“欲善治其病，必伏其所主，欲伏其所主，必先其所因”。他还说，治疗急性热病要伏其所主、先其所因，治疗慢性疾病也要如此。曾治一妇女痛经，月经不调已 12 年，周期或早或迟，血量亦或多或少，平时小腹重坠作痛，经前半月即痛渐加剧，既行痛止，经后流黄水十余天，结婚 9 年，未曾妊育，近 3 个月月经未至，按脉沉数，舌苔黄腻，面色不泽，知脾湿素重，治以温脾化湿、和血调经法，不应，再专用和血温经法，又不应。遂仔细询问致病之因，得悉冬令严寒，适值经期，又遇大惊恐，黑夜外出，避居风雪野地，当时经水正行而停止，从此月经不调，或数月一行，血色带黑，常感腰腹痛，四肢关节痛，白带多等，据此知是内外二因成病，内受惊恐而气乱，外感严寒而血凝，治亦宜内调气血，外祛风寒，于是用虎骨木瓜丸，早晚各服 6g，不数日月经行而色淡挟血块，小腹胀痛，脉见沉迟，改服汤剂，用金铃子散与四物汤加桂枝、吴茱萸、藁本、细辛温通之品。经净后仍服虎骨木瓜丸，经行时再予金铃子散合四物汤加味，如此更迭使用，阅三月，经色正常，量亦见多，改用桂枝汤加味调和营卫，其后或用八珍丸调补，或以温经和血活络等法施治，历时一年余，病情基本痊愈，并喜获妊娠，足月顺产。不难看出，此病何以初诊两次，均不应手，后改内调气血，外祛风寒，调理一载，而12年的沉疴，竟获成功，婚后9年不孕，亦能得子。主要是初未明先其所因，故不能伏其所主，后则既明先其所因，亦不难伏其所主。凡临床辨证论治时，不可不深思。

以上二则，无论是重视“治病必求其本”，还是“必伏其所主，先其所因”，都是从理论核心上、技术思想上和问病方法上提高中医临床辨证论治的水平，更好地发扬中医的特色，促进中医疗效的提高和中医科学的发展。

辨证得体，血卟啉病重症得痊

宗修英

弱冠之年，随父习医，未曾学习现代医学。自工作以来，由于工作接触，虽对其有所了解，但仍是略识皮毛。一次病房约请会诊，乃一“血卟啉病”患者，余对该病之病因、症状、治疗等均较模糊。询知病人乃一中年妇女，2年前因本病住院，经4个月治疗，症状略有控制，即行出院，以后不断反复发作。1984年又因病情增剧而又来京入院。

患者腹部胀大状如临产，按之作痛，饮食入口，旋即吐出，药物更无法下咽。不作呃，无矢气，大便9天不行，尿少，口干，行路困难，闭经2个月，望其舌苔白腻，舌下络瘀，脉象沉弦而细。病程虽久，饮食绝少，面部丰满，二目炯炯，语音有力。

余认为，呕吐不止，纵有灵丹妙药，胃不得受纳，脾无以运化，病何以愈？乃拟治标之法先制其吐，待吐得止，再议其他。遂投以小半夏加茯苓汤化裁，数服之后，毫无结果。

根据“有者求之，无者求之”的原则，再反复推敲其症，认为患者不食不饥，食后即吐，但其体丰面粉，二目炯炯，语声朗朗，未见虚象。便秘已久，腹部膨隆，坚实拒按，乃属顽痰久蓄，搏结恶血，气机被郁，乱于肠胃，致成关格之证候。治标无效应治其本，遂改用桃仁承气汤以活血通腑，加入化痰降逆之半夏、橘红、天竺黄；化痰散结之蛤粉、川贝母等，并加炒莱菔子15g，以其有推墙倒壁助承气之功。药后吐止便通，脘腹变软，但按之仍痛，大便二日一行，加减原方数剂，病情尽解。

“血卟啉病”，本属疑难重症，国外报道较多，而国内虽有报道，但疗程很长，效果并不理想，中医治疗本病的总结更属凤毛麟角。本人对此病并不了解，也无治疗先例。仅依辨证施治原则，服药无几，病即告愈。可见中医诊病，只要认证准确，用药得当，虽属重症，亦可转危为安。

奇病怪症，治靠辨证

| 王鸿士 |

我院张某的一位亲属，忽觉舌不知味，对酸甜苦辣咸均无感觉，曾去协和医院诊治，医生用刺激性很强的试剂检验其舌，均不知。几经检查，难于确诊，医生对家属说：此病仅见两例，究竟为何病，尚难断定。病人痛苦而又求治无方，遂延中医，以求一试。余对此症亦未见过，且其脉、其舌均无明显征候可寻，颇感棘手。因之思及《内经》曾云："舌为心之外候""心和则能知五味矣"，遂辨其病在心经，舌不知味则食欲不佳，食欲不佳，必伤脾胃，故宜心、脾同治，予以开心窍兼顾脾胃之法。服药数十剂，舌之味觉恢复正常，病人高兴，余亦欣喜。病虽难名而辨证有据，故可依理而治，不至于束手无措，此乃辨证之功也。

一男性患者，口内疼痛，难以张合，不能进食，西医诊查后，据 X 线片所示，诊为颌下腺结石。曾手术一次，但不成功。拟再次手术，患者因惧怕手术而求中医诊治。结石一症在胆、在肾者多见。颌下腺结石临床所见很少。西医则手术治疗，中医亦无常法。然观其脉证，乃一派湿痰之象。既有湿痰，当以利湿化痰法为治，其症痛不可耐，恐系湿痰结滞，经络受阻。因之宜行气通络。其病在上，故应引药上行。据此，予以利湿化痰之药，佐以行气通络之品，用桔梗引药上行，以金钱草助化石之力。患者连服十几剂后，忽觉患部牙龈处有物堵塞，以为是食物残渣，故用手剔出，不意竟剔出黄豆大一块结石。石出之后，其症若失。于是持结石欣然来告。后来，再经 X 线检查，证实结石已排出。此病虽然知其名，但鲜少见到，可谓一奇症。医者绝不可因其奇而束手瞠目，宜详查病情，仔细辨证，只要辨证准确，立法得当，用药贴切，对一些疑难之症是可以解决的。这就需要在辨证论治上下苦功夫。

（袁立人　整理）

单方平淡，能疗重疴

| 杨维益 |

张杲《医说》中载有宋徽宗时医官李某，治徽宗宠妃痰嗽不愈，忧惧计无所出。忽闻外间叫云咳嗽药一文一帖，吃了今夜得睡。李购此药以奉妃，果愈。

问卖药人，方知为黛蛤散。药虽平淡，却能收到立竿见影之效。自古以来，无数单方流传民间，如能留意收集，在治疗疑难重症时，有时会收到很好的效果。因此在继承中医学遗产时，应当注意收集单方。

十余年前，我在内蒙行医，一位病人无意中对我提到他的家乡四川有一肝硬化腹水病人，经省内诸医院判为不治之症，经人介绍一位草医，用类似火药的剧烈药物治疗后，很快恢复了健康。至于该药中究竟含有什么成分，则不得而知。当时我正苦于没有治疗肝癌的方药。听到这病人的陈述后，就打算配制类似的药物来治疗肝癌。

顾名思义，肝硬化是肝脏质地变硬。至于肝癌，肝脏亦为坚硬如石，与肝硬化均属中医学中的“癥”。宋代《圣济总录》曰：“积气在腹中久不差，牢固推之不移者癥也。此由寒温失宜，饮食不节，致脏腑虚弱，饮食不消，按之其状如杯盘牢结。久不已，令人瘦而腹大，致死不消。”其记载的就是这类疾病。

火药的成分有硫黄、火硝、炭等。我们据此配制了肝Ⅰ号。肝Ⅰ号系由无名异、硝石、硫黄、血余炭等4味中药组成。其中无名异属软锰矿石，性味甘平无毒，功能祛瘀活血止痛。硝石即为火硝，性味辛苦大温无毒，功能破积散结。据甄权《药性本草》记载，此药性较猛，能将病根泻出。硫黄性味酸温有毒，功能消积止痛。据《本草纲目》记载，与硝石并用能治积块作痛。血余炭性味苦微温无毒，功能化瘀生新，可治疗疔肿、骨疽等。4种成分比例为1:2:2:1，共研为细末和匀，每服1～2g，每日2次。一般不会产生大的不良反应，个别病人可出现腹部不适或肝区疼痛现象，减少药量后则消失。一般在服用后出现精神转佳，食欲增加等正气恢复的现象，存活时间有所延长。

根据我在临床上的体会，采用以补为主，以攻为辅的治疗方法，患者症状大多有不同程度的改善，但症状改善为时甚短，癌症继续发展，肿块日益增大，最后仍不免于死亡，存活时间未见明显延长。因此我们还是采用“祛邪即是扶正”的方法，以祛邪为主进行治疗。目的在于邪去则正气自复。肝Ⅰ号就是在这样的主导思想下制订出来的方剂。此方药价低廉，服用简便，一些病人在服用后，肝区肿块缩小，疼痛减轻，症状缓解，在一定程度上存活延长，可生存1年或1年以上。现介绍典型病例如下：

例1　云某某，男，42岁，门诊号484。

患者自1971年9月开始腹泻，随即出现黄疸、上腹痛。同年11月转北京首都医院检查。检查结果：肝下缘在锁骨中线下3cm，剑突下5cm，中等硬度，表面可扪及结节。超声波检查为肝癌波形，同位素扫描报告为肝脏占位性病变。肝功检查：转肽酶1431U，SGPT218U、TTT20U、TFT（+）、碱性磷酸酶26U，诊断为肝癌。患者返回内蒙后于1971年末来我处求治。服一阶段中药后开始服用肝Ⅰ号。1973年4月来我院复诊，情况良好。1979年我离内蒙时据悉依旧生活正常。

例2 张某某，女，41岁，门诊号577。

患者于1971年8月发现右上腹肿物，伴有疼痛。肿物大小为20cm×15cm×15cm。遂于1972年1月6日入内蒙医学院附属医院住院剖腹探查（住院号108486），发现肝右叶有多个结节状癌瘤。于手术台上会诊认为癌肿已属晚期，不能切除。5月25日开始服用肝Ⅰ号，精神体力明显好转，能下地活动，并能做轻微家务。1973年4月复诊，一般情况依旧良好，除服肝Ⅰ号外未再服任何药物。

上述两例均确诊为肝癌。根据现代医学文献记载，肝癌患者自确诊至死亡的自然生存期限约为6个月。此2例经用肝Ⅰ号治疗后，病情改善，存活时间都超过1年。由于病例过少，目前对肝Ⅰ号的抗癌作用不能作出定论。不过，通过病人存活时间的明显延长可以说明，民间流传的方药在治疗癌瘤方面能够作出贡献，我们应当重视这方面的发掘工作。陆以湉曾云："单方之神验者，可为世宝。"若能留意收集，必然有利医道，造福众生。

恶性肿瘤不宜专事攻化

张忠

一位五十多岁的男性患者，患原发性肝癌，不愿化疗，找杨子谦大夫治疗。四诊后，杨老思之片刻，书以下方：仙鹤草、乳香、没药、橘络、牡丹皮、红花、当归、泽泻、木香、青皮、三七粉。我问："目前国内外西医权威都以化疗等治之，中医也多主张以毒攻毒，为何不见此旨，竟以利湿养血、活血化瘀来治，用意何在？"杨老讲，"瘤者留之意，气血痰浊等留注瘀滞为害所成。该患者舌质淡，脉细弦，更查无其他毒热之象，又肝藏血，温则行，寒则凝，系因阳气不足条件下，气血瘀滞所成，当以行气养血活血，利湿通络化瘀方为合拍。肝体属阴，药性温燥不宜，温润尚可，故拟是方。一般不宜毒药攻之，因毒性药物多有损伤正气，不利气血之弊，若需用之时亦必须具体分析其痰、热、湿、瘀等属性，具体对待，尤其不能抛开中医理论的指导，仅就现代抗肿瘤中药研究结果堆药成方以应病人，侥幸获胜是靠不住的。本例经服上方加减六十余剂，诸症均去，肿瘤体积也见明显缩小，已观察一年之久，无不适，生活如常人。

杨老认为，癌症晚期，体力已见不支，再加化疗徒伤正气，虽欲其生，恰适其反。崇尚扶助正气，以保存有生之体，驱邪消瘤当视具体情况选用，并认

为扶正也寓有驱邪消瘤之功。多不专事攻逐，宁愿带瘤生存，勿踏人去瘤在之路，始终本着留人以治病的原则，方药不能一个模式，无常法多变化，应不失辨证之旨。这虽不易掌握，对素质较好的中医来说，临证也能有规可循，不致望洋兴叹。

肝癌的中医辨证施治

| 段凤午 |

肝癌，据其临床特点，多属祖国医学“癥瘕”“积聚”“脾积”“癖黄”等范畴。若病期尚早，正气未伤，其证多实。因症状不典型，往往被误诊、漏诊。肝癌发展快，破坏脏腑，损伤正气，以致正不胜邪，待确诊为“肝癌”，已属中、晚期。

对于病期较早，正气充实，体质尚可，以肝脾失调，气滞血瘀为主。症见胁痛胁胀，胁下痞块结硬，脘腹溻闷，恶心欲吐，饮食减少，便溏乏力，苔薄脉弦者，祛邪不忘培本，攻补意在调和，常以逍遥散合失笑散加减，药物如：柴胡、当归、赤芍、白芍、茯苓、郁金、厚朴、蒲黄等疏肝健脾，活血化瘀。

病至中晚期，瘀凝毒结，升降失调，脏腑气血亏损。症见肝胁隐痛不休，癥瘕结硬，纳少消瘦，神疲乏力，腹胀呃逆，或周身面目发黄，或呕血、衄血，舌淡暗，脉濡等以正虚为主者，治以益气养血，化瘀降逆，调和阴阳，常以参赭培气汤加减，用理气活血，逐瘀攻邪之品。该方由党参、生赭石、天门冬、肉苁蓉、当归、知母、半夏等药组成。原是张锡纯用以治疗膈食之方。余师而不泥，延意而用，随症加减，用来治疗晚期肝癌，每多验效。

针对癌肿本身的特点，不论病期早晚，均应配合解毒抗癌的中草药，如龙葵、蛇毒、白英、水红花子、半枝莲、白花蛇舌草等。常用疏肝理气、活血化瘀之品，如八月札、延胡索、郁金、丹参等。胁下肿块明显，体质较强者，多用三棱、莪术；伴低热、盗汗偏阴虚者，常用鳖甲、青蒿；肝区疼痛明显者加川椒、细辛止痛，或选用敷贴止痛的外用药；身黄、目黄、尿黄者，常用茵陈、金钱草、虎杖等；腹水时伍用五苓散；衄血、呕血加白茅根、仙鹤草、大蓟、小蓟、三七粉；消化不良，不欲饮食加焦山楂、神曲；头晕盗汗，目眩，舌红口干，属肝肾两亏者，重用枸杞子、女贞子；肝癌发热，辨明上、中、下三焦，分别用黄芩、黄连、黄柏；热甚属阳明气分大热者，可用白虎汤清热生津，若体质稍虚者，用人参白虎汤加味。

我曾治一男性晚期肝癌患者冯某某，58 岁，于 1983 年 2 月初诊。患者面色灰暗，神疲气短，语音无力，形体消瘦。自诉腹部肿块1个多月，腹胀，胁痛，纳差呃逆，周身乏力，鼻常衄血，大便溏，小便短赤。上月在某医院确诊为“肝癌”，已属晚期，建议中医治疗。

诊见脉象弦细，舌质淡红，苔黄腻，腹胀如鼓，腹内肿块坚硬，约似足月儿头大小，推之不移，按之不动，两腿浮肿，病情危重。

以胁下痞块，症结在肝，气滞不行，瘀血阻滞，肝病及脾，运化失司，水湿内停。瘀凝毒结，升降失调，脏腑气血亏损，故见肝胁隐痛不休，癥瘕结硬，纳少，消瘦，腹胀呃逆，衄血。病者是正虚为主，当治以益气养血，行气降逆，健脾利水，解毒凉血，佐以抗癌，仿参赭培气逐瘀汤加减：生赭石15g、太子参15g、生山药12g、生鳖甲15g、淫羊藿10g、白术10g、麦冬15g、丹参15g、杭白芍10g、猪苓30g、龙葵30g、蒲公英15g、白花蛇舌草30g、白茅根30g、焦三仙各10g、三七粉3g（分冲）。

连进14剂，同年3月1日来诊，自觉症状改善，腹胀减轻，食欲增加，感周身皮肤刺痒，鼻衄1次，舌淡红苔黄腻，脉弦细。上方加葶苈子15g、桑白皮10g、大枣5枚。

此后每半月来诊1次，病情逐渐好转。治疗已2年有余，腹部肿块缩小2/3，腹水消失，腿消肿，精神好，至今健在。

孔伯华先生对妇女病论治选萃

曲溥泉

先生对女科论治要妙有以下几方面。

1. 对妊娠期温热病用药与一般患者无异，要在中病即止，不可过也。盖遵“有故无殒，亦无殒也”之旨。前人有主张胎前宜补养以安之者，此相对而言也。若病邪侵扰，病去则胎自安，所谓“有病则病当之。”不可妄补，以免助热伤胎，先生临证每用生牡蛎、桑寄生等以清滋摄化足矣。

2. “胎前宜凉，产后宜温”之论，先生持辨证对待之观点。“有是病用是药，中病即是良药”。温、清、补、泻随机权变，“用当通神”，不可胶柱鼓瑟。所谓“温是温养之义，非温热之谓，桂附热燥，更助劫烁，务宜慎免”。

3. 先生认为产后气血两伤，八脉受损者，或挟瘀滞者有之，此对虚者而言，至当滋养固摄以和气血，切忌不事审证求因，一味温补，以致养虎贻患。至若正常分娩，体实无恙者，可以勿药。

4. “女子以肝为先天”“肝病为多”。血生于胃而藏于肝，为肝之所主。胞

为血室，乃肝之所司，肝肾同源，俱为先天之本。八脉隶于下，奇经肝肾主司为多。而冲脉隶于阳明，冲为血海，任主胞胎。凡此皆为先生对妇女诊疾辨证之要点。盖肝恶刚喜凉，肾恶燥喜暖，介类潜阳，咸味引下，酸味内收，甘辛微苦润补，滋清沉降，静药填之、固之、摄之，是为先生治则选方之大法，而顺气调肝，尤为首要。

5. 肝热脾湿（简称湿热），为多种疾患之成因，妇女病亦不例外。举凡经、带、胎前、产后因湿热侵扰下注而导致发病者，比比皆是，尤以月经失调、经下淋漓，崩漏、带下等疾患，视湿热之轻重，分别予清渗滋摄，凉肝和血，调畅气机，临床多能取效。前人谓："久崩久带，宜清宜通"，慎用"芪术呆守，归艾辛温"。盖补则气壅，辛则助阳也。是故先生治疗湿热痛经、湿热下迫血室之月经过多；或血热挟湿挟瘀之崩漏带下；或伴少腹隐痛者（类似今之所谓盆腔炎、附件炎、附件包块等），多在清滋渗化基础上，伍犀黄丸以清热散瘀，内消蠲痛，疗效颇捷。湿盛热少者则佐用醒消丸，效用亦佳。

20世纪40年代末先生曾治一四十余岁葛姓多产妇，患经下淋漓多年，兼之五色带下，味腐臭，少腹隐痛，曾经某医院妇科诊为子宫瘤。先生认定系湿热下注，血室结瘀。予大剂清热利湿、散瘀解毒方药，佐犀黄丸以消之。调治约半载，带下得止，经事趋于正常。复经某医院妇科检查，瘤体消失。为之惊叹不已。迄后患此类妇女病求治者日多，均取得较好疗效。

先生女科治验极多，论病切理餍心，源流俱澈，不囿于常俗，不拘于套法，令人回味无穷，诚可师法。

似疟非疟

刘奉五

中医对于某些症状似疟而实非疟疾（正疟）的证候，称之为"如疟"，虽有往来寒热，但无定时，故有"寒热如疟状"之说，在治疗上也与正疟不同。外感似疟，当以外感论治；郁证似疟，当从郁症论治；肾虚浮阳似疟，当从阳虚论治。关键在于似疟而非疟也。记得应林巧稚教授之约到妇产医院会诊时，曾遇一手术后发热的疑难案例。刘某，系因中期引产绝育术后突然发热，寒热复作，胸胁满闷，头目眩晕，耳聋，不思饮食，寒热有定时，每日一发（一般在下午4～8点左右）。发热前恶寒战栗，热时大渴引饮，而后汗出热退，曾化验检查，白细胞8×10^9/L，疟原虫阴性，舌质红，苔白腻，脉弦滑，曾使用多种抗生素，体温仍不下降，发热时体温39℃以上，林教授诊为手术后感染，败血症不能除外。但从中医的角度来看，时值盛夏，寒热如疟，发有定时，兼见少阳枢机不利诸证，舌红而苔腻，脉来弦滑，证属暑温挟感，邪伏少阳。当我向林教授陈述此病人发热的形状像疟疾时，她立即应答道："这病人不是疟疾，我们查过疟原虫，阴性。"随诊者数人皆为之瞠然。于是我向林解释似疟非疟之理，并说明这是根据中医的理论体系进行辨证，拟以和解少阳、清暑祛湿之法，以大柴胡汤、三仁汤、香薷饮合方加减，遣药如下：柴胡、半夏、黄芩、枳壳、大黄、白芍、香薷、葛根、杏仁、豆蔻仁、生薏苡仁、生姜、大枣、焦楂、生石膏。药后寒热未作，一般情况良好，偶有头晕、恶心、出汗较多。继以：柴胡、葛根、扁豆花、半夏、黄芩、陈皮、草豆蔻、炒白芍、炙甘草、生姜、大枣、当归，调理善后。复诊时，林教授颇为惊讶，她说："多种抗生素都无效，一剂汤药，烧即退尽，简直是神医了。"我连声称道"中西医各显神通，各显神通"。

（高益民　袁洪波　整理）

黑为肾色妇科临证验

刘继章

黑属于肾的理论，早在《素问·金匮真言论篇》中就有记载："北方黑色，入通于肾"。"在脏为肾，在色为黑"。从而奠定了黑为肾色的理论基础。生理学认为，体表黑色素沉着的出现，是由于黑色素细胞的增多所形成的，而黑色素细胞的增多，又与性腺激素和促肾上腺皮质激素的刺激有着直接或间接的关系，可见"黑为肾色"理论是有其物质基础的，肾色之黑，是由生理和病理两个不同方面的原因引起的，故有肾盛黑和肾病黑之不同。

肾盛黑。"肾盛"一词，始见于《素问·上古天真论篇》："女子七岁，肾气盛……。"余认为肾盛可分为三期：七岁以后为肾的初盛期；二七以后为肾的充盛期；三七即为肾之旺盛期，到七七，肾盛向肾衰转化。因此，肾盛黑的明显表现，应见于初盛期至旺盛期。

肾初盛期所见除子宫开始发育外，体表上可见到乳头、乳晕的轻度色素沉着。肾充盛期最明显的变化是月经来潮，乳晕及外阴部出现色素沉着，其伴随着年龄的增长和肾气的不断充盛，色素沉着亦不断加深。肾旺盛期已具备生育能力，如受孕的妇女可谓肾盛之极期，所以在孕期皮肤出现黑色的面积和程度，均超过前两期：即面部可见褐色沉着或蝴蝶斑。在孕12周后，乳头乳晕的色素沉着区，更加明显地深化，腹脐下正中线，外阴及会阴部逐渐扩大色素沉着的

范围。以上所见生理肤黑色，是肾气盛之本色。

肾病黑指在病理情况下出现的与肾有关的肤色变黑现象。中医认为肾病之黑多由于肾中阴阳失其平秘所致。如女劳疸之额上黑，《医宗金鉴》解释为“少阴热欲作黑疸”，《张氏医通》认为：“黧黑斑者，水亏不能制火”“黑而瘦削，阴火内戕也”。

余遵古人肾病黑的理论，治愈1例面色黧黑、月经量少的患者郭某，26岁，因月经量少而去某医院就诊，某医诊其病曰因寒而致，投温经散寒药，治疗2个月，经量更少，质稠欲干，经色变黑甚，而面色愈黑，经人介绍来科治疗，余了解病史，四诊合参，顿解。此非寒邪为患，乃少阴热郁，水亏火旺，水不制火，热灼阴精所致，故给补水泻火，调平阴阳。方用：墨旱莲10g、女贞子10g、何首乌12g、枸杞子12g、当归12g、菟丝子15g、熟地黄12g、山药12g、黄柏6g、知母6g。以此方为基本方调理4个月，经量增多，经色变红，面色由黧黑转成红润，犹如更换面容，经追访数年未见复发。

试论生殖与肾的关系

梁贻俊

人的生殖功能，祖国医学认为与肾的功能有关。肾藏精，主发育与生殖，《内经》谓：“精者生之本也”“人始生先成精”“两神相搏合而成形，常先身生是谓精”。这些都说明精是构成人体的基本物质，也是人体各种功能活动的物质基础。妇女经血孕育与冲任二脉及肾的功能密切相关。肾气强，精血充盈则胎壮而安，反之则不育、流产、早产、畸形、死胎均可发生。余在多年临床中治疗一些男女不育、畸胎、死胎等症，男方是以补肾为主，补脾为辅；女方则以补肾养血调经为主，治疗多例均收到满意效果。

例1　男性，婚后3年未育，查其精液稀少，精子畸形个小，且有死精子，求余诊治。患者尺脉略弱，精稀而少，质差，均为不足之象。肾主藏精，精质差，当责之于肾精不足，应从先后天论治。以补肾为主，补脾为辅。用龟鹿二仙汤与五子衍宗汤加补肾阳药仙茅、淫羊藿水煎服。服药2个月，精子数增，体大近于正常，仍有畸形，但成活精子可达60%，继服前药4个月，其妻怀孕，足月分娩一男婴。

例2　余有一挚友，婚后3年连生两个畸胎，一胎为痴呆儿，另一胎为脊椎裂，生后4天即死。男方寻余求治。余问及男精女血情况，均未见异常；询及孕育情况，得知两次怀孕均有37.5～37.8℃低热，因病痛不著，未作治疗。辨其畸形，均在脑与脊椎部位。《内经》谓："人始生先成精，精成而脑髓生……皮肤生而毛发长"，说明受孕后首先发育的是脑部。现代人体胚胎学记载，受精后第3周开始发育中枢神经系统，形成脑髓与脊髓。中、西医论述胚胎发育脑脊髓的过程是一致的，据此应在其脑脊髓形成前积极治疗。一则补肾精以壮脑，二则消除孕后低热，防其血热伤胎，影响脑髓的形成。将此治疗计划告之患者，让其孕后及时来调治。女方闭经即来医，测体温又见低热，遂给予滋肾精、清血热方药调治，服药后孕妇低热退，精神较好，虽然热退，未敢停药，继补其肾以壮脑，防其复热而伤胎。服至4个月，初起每日1剂，2个月后每2日1剂，3个月后5日1剂至4个月停药，观察未见有何异常，至足月分娩一男婴，婴儿发育正常，至入学后聪慧异常。

例3　一农村妇女，连生4胎，均为早产，未成活。询及婴儿无畸形，仅是瘦弱。因盼子心切而求医。经检查女方消瘦，但身无所苦，可从事一般劳动，诊脉右寸力差，左脉尺弱，余脉沉细，嘱之孕后来诊。3个月后受孕来诊，脉来滑细，仍为右寸力差，左尺不足，证属肺气虚、肾气不足，胎儿失养，以致胎禀不足，元气虚弱，儿离母体无力生存。治当补气益肾精，滋其化源以养胎。方以四君子汤、授胎饮加减服之。初孕月连服30剂，以后每月月初服4剂，服至孕8个月停药。足月分娩一正常女婴，体重3kg，发育正常。

通过治疗男性不育、女性每生畸胎均与肾精异常有关，从而体会到治疗此类疾患，从肾论治，辅治其脾，对男方调其先后天之不足，对女方补其精血以养胎，清其体内虚热以防热伤胎，使有些胎生异常得以改善。养胎用药切忌温热，因孕后母体聚血养胎，易生虚热，胎儿亦助母热，因此孕后喜凉恶热。如妊娠后见身有低热，当清其虚热。药宜以甘寒养阴，勿用大苦大寒，以防伤其阴血。

经观察，用补肾法治疗后分娩的婴儿，其发育、智力均正常，且有的儿童异常聪慧。这使我想到《内经》中曾论述：肾主骨、藏精生髓，诸髓皆通于脑，脑为髓海，髓海有余则轻劲多力、自过其度。回忆在临床中观察到老年补肾可以使体健长寿；少年补肾可以促其生长发育；胚胎时补肾可使先天脑髓充健而生后聪明。补肾确是一个重要的治法。它对今后优生学的研究，是个值得重视的课题。

经前乳胀临证治验

王子瑜

经前乳胀症，是妇女常见病之一，发病原因与肝郁有密切关系。从临床情

况来看，患者多见于生育期妇女。患这种病的人，除了经前乳胀痛苦，平时无自觉症状，因而易被忽视。其实，这一证候不仅能妨碍身心健康，甚至可影响生育。余临床所治病人，凡经前乳胀、病久不愈、反复发作的，多数兼有不孕或月经不调。本证特点是，乳胀发作一般在经前3~5天，甚或半月前即感乳房或乳头胀痛，到经来1~2天消失。但也有的在经期发病，直到经后才能消失。下次月经前重复发作，颇有规律性和周期性。乳胀之程度，有乳房作胀，乳头疼痛，甚则痛不能触摸，有的痛连腋窝，亦有结块或乳房肿胀结块、有灼热感等症。临床常见类型，以肝郁脾虚证为多。患者经前以胸闷乳胀为主症，兼有食欲不振，经期紊乱，色黯或带小血块，少腹胀痛有下坠感，舌质淡胖，苔薄白，脉弦细。治法以疏肝开郁、健脾和胃为主，方用逍遥散加减：当归、酒白芍、柴胡、香附、玫瑰花、郁金、白术各10g，茯苓15g。如乳胀甚者加橘叶、橘核；乳肿有块者加王不留行、路路通、海藻；乳肿结块有热感者加蒲公英、全瓜蒌、夏枯草；兼有肾虚、腰酸痛，胫足软，或有性欲淡漠，不孕者加菟丝子、杜仲、续断；兼有胞宫虚寒，少腹冷痛者加阳起石、葫芦巴、川花椒。如兼有湿热下注，带多色黄，味秽，腰酸痛，少腹两侧有灼热刺痛感者，加黄柏、败酱草、红药子。

病例1　1980年3月，余曾治一杨姓患者，34岁，经前乳房胀痛3年，痛甚时手不能触摸，平时带多，少腹胀痛下坠，结婚7年，在5年前曾受孕2个月，原因不明地自然流产，以后迄今未孕。妇科检查未见异常。西医诊断为："经前期紧张症""继发性不孕"。中医辨证属肝郁脾虚，冲任失调，治以疏肝开郁，健脾和胃，兼调冲任，用上方加橘叶、橘核、娑罗子各10g，共服18剂，患者经前乳胀明显减轻，以后汤药改为丸剂，予服逍遥丸、八宝坤顺丸，如此连治3个月，乳胀已瘥并受孕。

病例2　1982年3月治一吴姓患者，33岁，结婚6年未孕，乳房胀痛3年余，左乳房有结块，经前小腹冷抽痛，腰酸痛，性欲淡漠，经妇科检查：子宫偏小，位置后倾，诊断为"原发性不孕"。辨证属肝郁肾虚，胞宫寒冷不孕，治法疏肝解郁，温肾暖宫。经前服方：柴胡、当归，炒白芍、香附、乌药、橘叶、橘核各10g，葫芦巴、阳起石各15g。经后方用：菟丝子20g，杜仲、川续断、熟地黄、紫河车各10g，紫石英15g，艾叶3g，逍遥丸6g（吞）。按经前、经后两方适时服用，治疗半年病愈而孕。

病例3　1981年6月治一张姓患者，38岁，经前乳胀，牵及腋窝，甚则不能触衣，周期发作已3年，经期前超，量多，有血块，小腹胀痛，左侧有灼热刺痛感。平时带多，色黄味秽，腰骶酸痛，舌质红，苔黄腻，脉弦滑，结婚3年未孕。妇科检查：左侧附件增厚，有压痛。1年前在某医院作输卵管通液左侧不通，诊断为“慢性附件炎”“原发性不孕”。辨证属肝郁脾虚，郁久化热，湿热下注。治法：疏肝解郁、清热利湿，佐以活血通络。方用四逆散合金铃子散加橘叶、橘核、路路通、赤芍、红药子、黄柏、夏枯草各10g，败酱草、王不留行、海藻、柞木枝各15g、木香6g，共服12剂，经前乳胀显减，腹痛亦微。以后汤药改为丸剂，用逍遥丸、二妙丸，连服3个月，经前乳胀治愈受孕。

经前乳胀，主要由于肝郁所致，多年临床验证，治用疏肝解郁方法为主，兼顾其他兼证疗效较好，如病例1证属肝郁脾虚，治以疏肝解郁为主，辅以健脾和胃，方用逍遥散加减，当归、白芍养血柔肝，柴胡疏肝解郁与白芍同用以平肝，而使木得条达。橘叶、橘核有疏肝消结之功，善治乳房胀痛；梭罗子、玫瑰花疏肝又能和胃；白术、茯苓健脾和胃；郁金解郁又有活血消胀之功；香附理气调经，为妇科良药。病例2属肝郁肾虚，又兼胞宫寒冷不孕。治法经前疏肝解郁为先，仍以逍遥散为主方，辅以葫芦巴、阳起石、乌药温阳散寒暖宫，行气止痛。经后侧重补肾，用菟丝子、杜仲、续断补肾，紫河车补气养血、益精调冲，紫石英、艾叶散寒、暖宫，并用逍遥丸、制香附疏肝理气，肝肾同治病愈而孕。病例3证属肝郁脾虚，湿热内蕴，结于下焦而致络脉不通，治用四逆散疏肝解郁透邪外达，金铃子散行气止痛，黄柏、败酱草、红药子清热解毒利湿，王不留行、路路通、柞木枝通经活络，柞木枝活血通络力强，对输卵管不通疗效较好。海藻味咸软坚，夏枯草性寒，既可散郁又能消乳部郁热，并用木香性温理气，防止苦寒药伤胃，连治3个月，经前乳胀治愈受孕。

服药方法：在乳胀发作之前适时用药是治乳胀症有效之机，每月于经前当有胸闷乳胀时服药，服至经来胀痛消失为1个疗程，按此法连续3个月经周期，可获显效。

调经重在治本

李春英

余曾治疗一闭经患者，张某，29岁，就诊时已闭经年余。见前医所治记录：患者初病，胸闷脘胀，呃逆恶心，头晕目眩、心悸不寐，经闭4个月未行，舌暗淡、苔薄，脉沉弦细。辨为木旺克土，治以平肝和中，降逆镇冲，以旋覆代赭汤加减。反增咳嗽痰滞，又与温胆汤和苍芎导痰丸仍不效，渐增手足心烦热，午后低热，周身酸楚，日渐消瘦，皮肤干燥，遂改投他医，又以滋阴清热之剂补之，反增小腹痛剧，带下清冷等，乃求治于余。症见：头晕目眩，心悸健忘，五心烦热、夜间尤甚，不能成寐，咳嗽有痰，胸闷纳呆，小腹冷痛、坠

胀，带下清冷如水，周身酸楚，苦难名状，面色晦暗、颧暗红滞、唇绀，舌暗尖红有瘀斑，舌苔薄腻，脉沉细涩。综观前证，似“至虚之候”然前医一派补药均无建树，必定有因，故详询病史。患者1年前，因流产后，阴道反复出血而自服大量土大黄、大小蓟等止血剂，血止后渐见初诊时症状，自此月经闭止至今，自以为出血日久，虚而不来。余闻后顿时思路开阔，认为证始流产，宿瘀未尽，出血日久，阴血必亏，而骤用寒凉，血虽止而瘀更坚，貌看虽似至虚之候，实属“大实如羸状”，上证皆因经病血瘀而起，治当调经为主，法当行气去瘀生新，方以血府逐瘀汤加减，4剂精神转佳，诸症好转，惟觉小腹冷痛，带多清冷为最，而改投少腹逐瘀汤进退，温通化瘀生新，冀“血化下行不作痨”也。6剂证大瘥，继而经通，惟量少、色如咖啡。再3剂，待经净后调和脾胃，补益肝肾，以善其后。

观他医所论治，证治虽符，但标本未辨，故妇科疾病治本为要。

肖慎斋说：“妇人有先病而后致经不调者，有因经不调而后生诸病者，如先因病而后经不调当先治病，病去则经自调；若因经不调而后生病，当先调经，经调则病自除。”此论标本治法。先病为本，后病为标，先治其本，后治其标。实属至理名言。

调经勿失时机

李春英

虽有调经重在治本之说，关键是要抓住时机。如《素问·刺疟论篇》曰：“凡治疟之先发如食顷，乃可以治，过之则失时也。”可见祖国医学对治病要掌握时机是非常重视的。妇科病之治疗更是如此。

如对崩漏之治疗，要抓紧对月经先期量多的治疗，以防暴崩之出现。暴崩既已发生则治疗首当止血，乃急则治标，“留得一分血便是留得一分气”之意。用独参汤或参附汤救治。此缘于“有形之血不能速生，无形之气所当急固”，否则气随血脱，生命危矣；血减之后，应当澄源，即正本清源谨守病机，辨证论治，是治疗崩漏的重要一环；在血止后的调理重在补益先后天，因经本于肾，源于脾胃，失血过多，气血必虚，此时调和脾胃，以资生化之源，取其后天养先天之意；又因精血互生，失血伤精，必伤及肾，肾元大亏，不能温运脾阳，此时又当重补肾气以助后天，使本固血充，则经自调。治崩三法，各有其时，临证之中缺一不可。

又如对于经痛剧者当先定痛，依据“不通则痛”的病机，故治疗当以

“通”为主。用药时间当在经前1周左右为宜，目的在于防患于未然。痛经治疗总的原则当掌握：经前宜通，经期宜和，经后宜补。

闭经多为冲任不足、脏腑功能失常所致，临证中闭经以虚证为多见，实证也每多虚中夹实，纯属血瘀而闭者少，故治疗中，多治以益气养血、调补肝肾，佐以通经之品。因此，一定要抓紧对月经后期、月经量少之治疗，这样可以防微杜渐。若失治、误治则可导致闭经。

笔者认为，对于思虑过度，忧愁不已，损及心阴，阴血衰少，血海不能满盈，以致心火上炎，不能下通于肾而致胞脉闭阻、月事不来之闭经者，治疗当补血养心泻火，常以三黄四物汤、地黄煎加减，清热泻火，养血通经。即张元素所云：“女子月事不来者，先泻心火，血自下也。”李东垣说：“或因劳心，心火上行，……治以安心补血泻火，经自行矣。”要抓住时机，以防阴血更伤，或阴病损阳。本人在泻心火法中，用药常佐以肉桂1～1.5g以引火归元，导心气下通，并使之寒而不凝，补而不滞，且肉桂有宣导百药之功。用于闭经，可收到温通经脉，交通心肾，水火相济之功，月经即可来潮；同时在治疗脾肾阳虚之闭经中，在用补阳药，如二仙汤、右归丸等方中常佐以黄连、川大黄以抑泻心火，使阴阳相得，阴平阳秘。

子宫肌瘤的经期用药

阎润茗

妇女患子宫肌瘤，由于瘤体影响，使子宫增大，月经量过多，月经期延长。属于气滞血瘀的实证，这是病的“本”。然而，患者表现的症状则是月经量过多，出血不止，月经期延长等气阴两虚的虚证，这是病的“标”。在治疗时就要依据“急则治其标，缓则治其本”的原则，应用以下治疗方法。

月经期

由于出血多、时间长，应以止血为主。气为血之帅，气行血行，气滞血滞。《傅青主女科》在治疗少妇因内外之气皆动，而血不止之崩时，以补气为主，而少佐以补血之品，用固气汤。李东垣当归补血汤中重用黄芪以益元气，从而使气固血生，即益气止血之意。故止血宜先益气，同时因失血过多，则阴亦虚，应用益气养阴固经的药物治疗。用党参、黄芪、生牡蛎、墨旱莲、白芍、五味子、仙鹤草、麦冬、川续断等药。如兼有热象，血色鲜红，可加地榆炭、炒槐花等清热止血药，使气固血止。此为“急则治其标”的方法。

月经后

此时出血已止，应以消散积聚为主。积之生成是由于气机阻滞、瘀血内停所致，应用行气活血软坚之法以消之。但是由于出血虽止，而阴虚体弱之征尚在，用药不宜攻伐太过，既要消积，又要照顾到病人的体质，宜用软坚散结为主、养阴柔肝为辅的药物，如太子参、怀山药、生地黄、熟地黄、煅瓦楞子、夏枯草、赤芍、三棱、莪术、生牡蛎、昆布、莱菔子、怀牛膝等药物，扶正祛邪，寓攻于补，即“缓则治其本”的方法。

月经前

患者经过出血期（经期），血止后的一段治疗，下次月经又将来潮，此时应考虑到本病经期出血量多的症状，宜早予防治，凡行气活血药不宜多用，应以健脾益气为主，兼以软坚调经之品，如黄芪、党参、炒白术、茯苓、白芍、夏枯草、昆布、生牡蛎、川续断、大枣等药，既能消积散结，又有益气调经、防止月经量多的作用，是标本同治之法。

对一些患有子宫肌瘤的妇女，应用以上方法，经过几个月经周期的治疗后，不但能使患者经期的出血量明显减少，而且有部分患者经妇科检查，证实其治疗后的子宫与治疗前相比，有不同程度的缩小。甚至可以避免手术之苦。以上说明在临床上，一定要根据疾病的不同发展阶段，采取相应的治标与治本的方法才能收到效果。

甘麦大枣汤加味治痛经

杨子谦

甘麦大枣汤是治妇人脏躁的主方，如何又治女子痛经呢?

妇人喜悲伤欲哭，数欠伸，名曰脏躁，应以甘麦大枣汤主治之。而女子痛经常因气滞、血瘀、寒湿、气血虚弱、冲任受损等造成月经排出不畅，血量或多或少，出现经期或经行前后的腹痛。临诊病例中，痛经病虽属常见，但并非个个典型。如肝郁痛经，不一定都以胸胁胀满、乳房胀痛、腹胀痛等为主证。若肝郁日久，除经行腹痛外，也可见烦躁不安，神志不宁等变化。治疗时，纯以舒肝行气化瘀，很难收理想效果。举例析之：

患者刘某，女，21 岁，未婚。痛经 1 年余，经数医诊治。服温经、养血化瘀、理气等方药近 300 剂，未见好转。

刘某自述：每月经前及月经头两天均腹痛，悲伤易哭，腹剧痛难忍，经量少色暗。每次都要连服止痛片数片，但仍疼痛，阵阵汗下。每逢经期如患大病，疲乏困倦，频频呵欠又心烦不寐。近 2 个月病情渐重，痛苦万分。见舌淡红，苔薄白，脉弦滑。综观脉证，已具备了脏躁之主证，予以甘麦大枣汤加当归、白芍、酸枣仁、茯神，先服 3 剂。下次月经前 5 日，又服此方 3 剂。药后再次来经时，腹痛等诸症均未发作，月经量中，色红，患者精神愉快。后追访，未见再发痛经。

凡属此类痛经兼见情绪异变，神志不宁者，均用此方加减治之，屡屡效验。

甘麦大枣汤治痛经实为异病同治。喜怒不节而伤脏，脏伤则病起于阴。肝郁化火，日久伤阴，损伤心脾肝脏。妇人以血为主，内脏阴液不足而脏躁。阴血不足，肝失濡养而失条达，气机升降无度而血行不畅。不通则痛，随月经周期而反复发作。调气之方，必别阴阳，定其内外，内者内治，予以甘草、浮小麦、大枣养心安神，补中缓急，加酸枣仁、茯神以安神定志，当归、白芍养血柔肝。未止痛而腹痛止，未行血而血自行。这就是效在辨证的道理。

滑脉在闭经治疗中的诊断意义

柴松岩

闭经的病因比较复杂，所见脉象各异。沉、细、滑、数皆可见，而滑脉见于闭经，无论经治或未治，均可提示血海充盈，为阴血有余之象。《脉经》曰："滑脉为阳中之阴脉。"因脉为血府，血盛则脉滑。

闭经病的脉见沉细已示血枯之象，经用养血填冲之法，而脉由沉细转为滑利，则提示胃气渐复，冲脉充盈之转机，此时可在养血之基础上，加入通经调冲之味，以促经行。若病患者初诊即见脉象滑而有力，则不需经过补益过程，可直接选用活血通经之剂而效。

断经前后诸证以"调"为治

赵树仪

妇女在断经前后，常出现潮热、烘热、烦热、乍寒乍热、汗出淋漓、眩晕、失眠、焦虑、急躁易怒，甚至情志不能自制等症。症状轻重、多少因人而异，称断经前后诸证。肾为先天之本，生命的主宰。年老体衰，肾气肾阴首先衰退，

因此治疗断经前后诸证，以调补肾阴肾阳为主，但由于断经前后诸证见症复杂，因人而异，故应辨别累及何脏，辨证论治，主次分明。对潮热、烘热、烦热、乍寒乍热、大汗淋漓等症状，我常从调补肾之阴阳或益气养阴方面治疗；对眩晕、头痛、腹胀、耳鸣、眼花、烦躁易怒、情绪不能自制等症状，常用养血育阴，镇痉平肝或潜阳平肝等法治疗；对焦虑抑郁、喜怒无常、少寐多梦等症状，常从益肾疏肝或益肾柔肝养心安神等法治疗；对胸闷、心悸、心前区苦闷、疼痛等症状，常以温阳通痹、活血化瘀、祛痰或养血柔肝、活血理气通络等法治疗；对关节痛、肌肉痛、骨质疏松的病人则根据中医脾主四肢肌肉、肝藏血、肾主骨等理论，从肝、脾、肾三方面进行治疗，常用健步丸加减。此外老年人多见气血虚，脾肾弱，也常用薯蓣丸，调理脾肾、气血双补。对肝脾不和、脾胃升降失常而又以脾虚为主者，常用资生丸调治，都能收到较好的效果。兹举例说明。

张某，51 岁，闭经 11 个月，乍寒乍热，头晕，目眩，耳鸣，健忘，急躁易怒，腰背酸楚，性欲淡漠，舌苔薄白、舌尖红，脉沉细软。证属肾阴阳俱虚，治以调补肾之阴阳，用仙茅、淫羊藿、当归、牛膝、五味子、熟地黄、白芍、知母、生龙骨、生牡蛎，龟版、砂仁，上方随症加减，共服 24 剂后，诸症悉减，继用上方出入配丸药以巩固疗效。

此例说明，调补之调字不可忽视，临床时应仔细观察阴阳虚衰程度而决定偏补阴还是偏补阳，目的是使阴阳相对平衡而协调。

生脉散加味“塞流”有效验

肖承悰

生脉散加煅龙骨、煅牡蛎、仙鹤草、益母草用于妇科临床治疗崩漏，在塞流阶段取得很好的疗效。方中人参大补元气，益气生血，崩漏大出血时首当补气以达气能摄血之目的。又因血为阴液，崩漏患者出血较多，常伴伤阴的现象，配用麦冬以滋养阴液，五味子敛阴止血，共同可滋阴生津。人参亦可以太子参代，但剂量应大于 30g。太子参性平不燥，益气而不动血，止血而不化热。加煅龙骨、煅牡蛎收敛益阴，固冲止血。仙鹤草、益母草均可止血而不留瘀，此三味药是生脉散的辅佐之品，此方用于治疗崩漏气阴不足之证，塞流止血确有良效。

血崩危证治验

赵松泉

女子以血为本，血崩乃妇科重证，崩证乃迫血妄行而趋下。《内经》曰“阴虚阳搏谓之崩”，阳搏者，阴必虚。女子暴崩，出血不止，以致阴伤气脱，阴阳离绝而危及生命。病在危笃之际，辨证治疗必万举万当方为良工。中药救治贵在补阴救阳，标本兼治为救亡阴之大法。余在临床曾治愈重症血崩数例，今举治暴崩验案。

余曾治中年张氏妇女患暴崩症，其素患有子宫内膜增殖症，复因忿怒，以致出血量多不止。病已半月余，骤发血脱昏厥，急诊收某医院住院治疗，但出血仍不止。遂邀余会诊，症见患者面色苍白，肢面浮肿，口渴喜冷饮，食冰块，呼吸浅弱，头上微汗出，神志不清，气息奄奄，四肢厥冷，体温 39.5℃，血压降至 4.0 ~ 6.7kPa（30 ~ 50mmHg），血红蛋白 3g，诊其脉象散细。综观脉证，出血日久，陡有气随血脱之势，真气欲绝之象，元气将欲离决，病情危重，治如逆流挽舟，热炽虽重不用苦寒，以防尅伐五脏生气。虽元气脱不用温补，以防损伤阴液。惟用甘凉咸平清润之药，育阴涵木，以澄源塞流，调至阴平阳秘，方能达止血之目的，以冀冲任安谧。方用：白芍、地骨皮、生地炭、天冬、麦冬、玄参、沙参、墨旱莲等养阴清热，以潜浮阳。三甲潜阳复脉存阴，龟版能通任脉，入足厥阴之血分，镇肾中之火，收孤阳之汗，安欲脱之阴，更重用龙骨之涩纳，可固脱以收敛浮越之气，两药合用，能使血之未离经者永安其宅，血之已离经者尽化其滞，有固脱而无留瘀之弊。方内虽用黄芪，恐其温补伤阴，而用生者固表止汗，补气摄血，助机体生发之气，防其气之将脱。虽用黄柏，恐其苦寒损伤元阳，故炒炭用以清热止血。山茱萸酸温收敛元气，配生地黄、阿胶养肝滋肾以生血补阴。服药 2 剂血止厥回，继进 2 剂而痊。综上例亡阴崩厥之证，临证必慎思明辨，审证精详，药证合拍，出奇制胜，以挽危殆，方能奏效迅速。

妇人尤必问带下

刘继章

诊妇人问“经”固然重要，然而问“带”也绝不可少，因“经”“带”均

可反映女子胞的生理状况及病理变化，故问“经”不能代替问“带下”。

月经有生理、病理之分，带下也有生理、病理之异。“十女九带”，带与带不同，如何区别呢？就是通过量、色、质、味及出现的时期，便可判断出白带的属性（寒、热、虚、实），从而对白带的性质加以区别。生理性的白带清稀透明无味，它对女阴既有润滑之功，又具有保护女子胞，防止邪毒侵害之作用，正如王孟英所云：“带下乃女子生而即有，津津常润，本非病也。”若其量、色、质、味发生变化，即为病理性白带，可以此作为辨证的依据。如带下为黄色，质稠，多属湿热所伤；色黄有泡沫或结成白块，多属毒邪内侵；量多清稀而滑，多与脾虚有关；量多清稀如水，为肾虚所致；脾肾失固，常合并出现，故在临床可见脾肾双兼症状。再者，绝经后的老年妇女，其白带当随之减少，此时，若又见带下量增多，兼见赤带，当注意有恶性变的发生。再者，若老年人已“经”绝、幼女月经尚未来潮，虽不能问经期，但可以问带下。幼女及老年妇女其生理特点本无白带或极少有白带，若见白带增多，应当加以重视。幼女白带增加，多因卫生不洁，毒邪内侵；而老年人白带增多，要注意癌症的发生，早期作出除外肿瘤的诊断。余1983年治一老年妇女，张某，60岁，平素健康，只近数月来，白带增多，质稀色黄，经妇科检查，未发现病变。根据我治疗老年带下病的经验，坚持要病人作宫腔吸片检查，结果证实为早期癌变，病人得到了及时治疗而获痊愈。由此可见，问“经”不能代替问“带下”。

问白带在妇科临症中占有重要地位，白带可称女子胞的镜子。妇科医生掌握白带的分泌情况，确有助于诊断，并能提供治疗方向。

带下虚证论治小议

符友丰

带下为古今常见病证。史传神医扁鹊“过邯郸闻贵妇人，即为带下医。”可见自古带下为妇科大证之一。关于带下的病因病机，古来众说不一，治法亦人人言殊。据清沈尧封氏分析，大致隋唐至宋，多以“风冷入于脬络”，金元刘完素、张元素则主湿热，明人赵养葵、薛立斋主脾虚、气虚，张介宾主脾、肾两虚，方约之、缪仲淳主“木郁地中”。至于带之为物，有以血不化而成，有以血积日久而成，有以热极津液日出而成。其治或用大辛大热，或用大苦大寒，或用大攻大伐，或投滋填腻补。惟朱丹溪主湿痰为患，又云妇人带下与男子梦遗同，显然是指女精而言。清王孟英则将其分为虚实两类：湿热下注者为实，精液不守者为虚。认为精、液、痰、湿、血皆可由任脉下行而为带。及其论治，主张分虚实、虚热、实热三型分证投药。又带下日久，每以海螵蛸一味为末、广鱼螵煮烂为丸，久服收功（见《续名医类案》卷二十三）。

笔者临证之际，见带下日久，正虚挟湿者恒多，且每兼心悸、多梦、头晕、乏力、腰酸、下肢浮肿者。有些则长期按“神衰”治疗，数年不效，自拟带下神愈汤（暂名），投之屡验，方用当归、白芍、茯苓、山药、车前子、荆芥穗、石菖蒲、佛手、乌贼骨、炙甘草等味为主，气虚甚者加生黄芪、党参、白术；头晕甚者加天麻，纳差脾不健运加鸡内金，便干加麻仁，善悲加合欢皮、淮小麦、大枣；多梦善忘者加龟版、远志、五味子、磁石；下肢浮肿者加生黄芪、桔梗，胁胀噫气者加柴胡、荷梗、旋覆花、香附；身痛者加木瓜、秦艽、五加皮；腰痛加杜仲、川续断、独活、桑寄生；湿重加薏苡仁、冬瓜子，每收良效。按方中归芍养血调经，茯苓，山药利湿而扶脾肾之困，车前、荆芥穗上下分消，石菖蒲安神定悸，佛手和胃解郁，海螵蛸能宣能固，为治带主药，甘草调和诸药，随证治之，可望有效，故不揣固陋，公诸同道，以祈教正。

经方新用

沈明秀

我治带下病，多以泽泻汤为主方。仲景之泽泻汤原方为：泽泻 5 两（15g）、白术 2 两（6g）。以其补脾利水治心下支饮。我用此方治疗带下病，亦取其健脾利湿之功。然于临症应用时，在用量、选药上有所变通。欲重于健脾，则白术用炒，其量需是泽泻的 3 倍；欲偏于利湿，则白术用生，且泽泻用量宜 3 倍于白术。再根据带下的量、色、质、气味，并结合全身症状酌加清热解毒、舒肝解郁、温阳滋肾固摄之品，每能奏效。此余应用经方之一得也。

妊娠恶阻与妊娠呃逆

钱伯煊

妊娠恶阻，多见于妊娠 2 个月左右，是妊娠第一阶段的常见病。肝胃不和是其主要病机，临床最为多见。

治疗恶阻，要注意患者胃逆不纳的特点，故药味要少，且选药要取清、轻之品，我喜用橘皮竹茹汤、半夏秫米汤。前者方出《金匮要略》，后者载于《内经》。但对孕妇用半夏的问题历来有争论。据我的经验，若孕妇体健，没有

流产史，制半夏用至6～10g并无妨碍，而且止呕效果很好。1959年与301医院、首都医院搞协作时，治疗恶阻，我常用半夏，收效甚捷，如若孕妇体质情况不宜用半夏，可重用生姜代替。此外，我亦常用散剂治疗恶阻，因胃气上逆的患者，用散剂比汤剂易于受药，而且效果也好。如对中虚胃寒的恶阻，可将《金匮要略》干姜人参半夏丸改为散剂，用干姜、人参、半夏各6g，共为细末，以每日6～9g量，不拘次数，频频舔咽，受药为度。对于饮入即吐的患者，投药惟用此法。

有妊娠一二个月呃逆不止者，称妊娠呃逆，其病理机制与恶阻大同小异，治同法。一妇怀孕则呃逆不止，全身为之牵动，几次怀孕皆在三四个月间小产，后找我医治，用旋复代赭汤，以沉香末1.2g冲服，代替代赭石，呃逆即被控制，一直用至妊娠第5个月（治疗应坚持到原易流产的月份之后，才能确保胎儿无恙），后孕妇、胎儿安康无恙，足月顺利分娩。

（魏子孝　整理）

和胃通便医治恶阻

柴松岩

5年前曾治一做胃穿孔修补术后3个月而又停经2个月的患者。患者发作性腹痛1天多，腹胀、恶心、呕吐、大便四五日未行，生活不能自理，身体不能支持。当时检查，腹部胀满，脐周硬痛，压之无反跳痛，无移动性浊音，脉象滑数，舌苔厚干。辨证为腑气不通，胃气不降，考虑与肠梗阻有关，并未考虑妊娠的可能，随即投大承气汤1剂。药后排出大量秽浊之便，恶心、呕吐亦随之消退，经半年后随访患者生一小男孩。方知上述诸症与妊娠有关。初觉惊骇，细思之从中受到启发。

和胃通便医治恶阻其理何在呢？妊娠初期经血乍聚下焦，滋养胎元，由于经血内郁，秽浊之气上攻。胃气性喜平顺，今被上攻之气所扰，胃失和降，大肠传导之功也随之失常，故临床症见恶心甚或呕吐，胃纳欠佳等症。大肠传导不利，胃气上逆，由于大黄等泻下药有坠胎作用及孕妇禁服之戒，医者多不敢犯此戒律，殊不知胃肠以通为顺，而造成欠通的主要根源为浊热积聚，腑气不通，胃气不降，浊热不除，随冲脉元气上逆。当腑气畅通，胃气得降，恶阻可愈，“有故无殒，亦无殒也”。

妊娠禁忌药物小议

杨子谦

历代医家所提到的妊娠禁忌药物，多达一百余种。其中剧毒药类和有毒药类，常人均非习用，孕妇绝对不用。而无毒药类或经炮制毒性已减的药味，只要做到“心细胆大，善别阴阳，以偏治偏”，就像使用一般药物一样，可以自如运用，并获良效。

记得曾有孕妇夏某，29岁，早孕58天时患急性泌尿系感染，西药治疗3日未效，化验尿可见大量白细胞、脓细胞，红细胞满视野。转来中医就诊，余学生按血淋治疗。予以小蓟、藕节、淡竹叶、栀子、黄芩、黄柏、蒲公英、萆薢、车前子等清热、燥湿、利水之品，3剂后症状如初，患者反有腹坠腰酸之感。学生恐误诊坠胎，请余诊治之。

见患者面红，体胖，舌红，苔黄腻，脉滑数，小便频短热痛具备。余辨证同前，拟方：白茅根60g、荷叶15g、木通6g、车前子10g、萹蓄10g、滑石粉25g、生甘草6g、瞿麦10g、栀子10g。学生观之诧异，患者已有流产先兆，如何反用大量白茅根、木通、瞿麦、滑石等禁忌药物？岂不知孕妇血淋6日未愈，当即用清热凉血，利水通淋之剂，但学生碍于药物禁忌，该用不用，险些贻误病机。是湿热之邪伤胎。病不去，胎何安。服1剂后，复诊，诸症皆除，尿常规化验已正常。前方药中病即止，又以健脾益肾之味再服2剂，以理善后。追访：足月顺产一女婴，母子健康。未安胎而胎安，这便是心细胆大为首要之理。

余曾在羊水过多的病例中用过木通、通草、薏苡仁之类；在妊娠恶阻病例中常用半夏、伏龙肝；在妊娠兼见瘀阻证的病例中，用过桃仁、红花等等。历经使用近30种所谓禁忌药，用一般剂量，运用自如，从未发生过坠胎病例。

药物本各具一性之偏，使用其偏，才能驱邪以扶正。用妊娠禁忌药，应中病即止，不宜过量或久服。总之，如能做到阴阳明辨，药性悉知，当用则用，自无坠胎之虞。

（杨瑚英　整理）

怪病2例（术后腹大与怕尖症）

高立山

随师学医时，老师口述两验案故录之。一未婚女子，19岁，身体健壮，在某医院作阑尾手术时，被选为教学示教对象，结果整个手术过程长达4个小时。术后常觉腹胀。1个月后腹大如妊娠，该人并未结婚，出现此状，非常苦恼。据该医院说，可能是术后腹气胀，也可能有粘连等，可再行手术治疗。患者恐惧手术，求治中医。经查二便通畅，惟月经不行。老师认为，术中时间过长，寒客胞门子户，以致经停腹胀大如妊娠，遂选用附子理中加活血通经药。穴用足三里、三阴交、血海、列缺等，经治两月而愈。

有一患者由家属陪同往医院打针，当护士为其打针时该家属却突然晕倒在地。经抢救醒后，自己也莫名其妙。以后每逢见到尖物，如笔尖、针尖等指向他时，即有晕倒之势，故名“怕尖症”。有人说是否对尖物精神过敏？老师说：“火性炎上，炎上即有尖之意，怕尖与火有关，心本主火，又问患者素有心慌心悸，近日又遇劳累。脉象细数，舌红少苔。老师诊为心阴素亏、虚火上扰神明之候，故以养血清热安神为法，方用四物汤和导赤散加减，治疗1个月而愈。

论保胎当着眼于肾脾

肖承悰

肾主系胞，为先天之本，生殖之根。而胞宫是胎所居之处，若母体肾气充盛，胞宫得养，胎儿在此才能正常地生长发育。又肾为任脉之本，任主胞胎，故胎元的妊养亦要依赖于肾。如果肾气不足，胞宫任脉失养，而致胎元不固，每易造成流产。另外，孕后胎儿若要正常发育，绝不能离开血之滋养，气之载摄。然气血源于脾，如脾气健旺，气血充足，才能养胎护胎，胎元自然安固。反之脾气不足，胎元失固，也会导致流产的发生。可见流产的主要原因在于肾脾不足。因此应用中药保胎，当着眼于肾脾。立补肾健脾大法，拟方如下：桑寄生、川续断、菟丝子、生山药、党参、阿胶、白芍、炙甘草、黄芩、莲房炭。此方旨在使肾充脾强，气血旺盛，则胎元自安。

治孕者慎 |宗修英|

先父宗维新在授课之余，述及先祖曾为一县令之室女治疗闭经医案，先祖诊为妊娠，并非闭经。县令大怒，斥先祖妄诬其女，欲加之罪。先祖请为坠胎，如非妊娠，甘愿领罪。县令允诺，先祖针之，腹大痛约时许，胎即坠矣。县令大惭，礼谢之。

又谈某医为一孕妇候脉，诊为胎死腹中，为其开坠胎方。其夫不允，后举一男。夫怒斥其妄，并捣毁其匾，致停诊多日。

先父举出2例，一为诊断确凿，一为诊断失误。嘱门生在临证之际，务必仔细询问，察色审脉，切不可妄自尊大，诸病皆然，孕妇尤应慎重。再者，祖国医学对怀胎与否早有明训，而个人在临床中自当各有体察，四诊合参，即可掌握大半，况古有试胎诸法，均可用以佐证，何致遭受咒骂捣匾之虞？罹此难者，诚属诊察潦草，“务在口给”者流，江湖之气未除，咎由自取云尔。所举例1，时处光绪之初，室女多深居闺阁，尤以仕宦之女，与外界接触极少，未婚先孕者更属少见，如对大家闺秀断为妊娠，非诊察明析，绝不敢儿戏孟浪。总之，对孕妊及胎儿应当审慎，切勿潦草大意，铸成大错。况且今日科学昌明，远非昔比，是胎与否，或死或生，均可明确判断，切不可主观自诩，形成事故。

子肿与羊水过多 |钱伯煊|

妊娠水肿谓之子肿，一般发生于妊娠5个月以后，古代医家将本病分为三种，即子肿、子气、子满。

治疗子肿，若其人小便多，则不可更用利水药，否则伤及肾脏会影响胎儿，一般只以健脾化湿为法，于此我常用《全生指迷》白术散，即五皮饮去桑白皮，加白术（无热象者再加干姜）。小便少的患者，可用利水药，但不能通利太过，也只以茯苓皮、泽泻等轻剂利水。子满厉害者，可用《医宗金鉴》茯苓导水汤，气虚者用《金匮要略》防己黄芪汤。

羊水过多者，每在妊娠四五个月间，易出现小产，其治法与子肿同。沈阳医学院曾有一女同志，前几胎怀孕时均羊水多，尤在妊娠三四个月间症情加重，来

函索方，我以防己黄芪汤合茯苓导水汤4剂，半年后接到致函，言本次妊娠母子安康，无羊水过多之患云云。曾以《金匮要略》鲤鱼汤，去当归、白芍治愈过同一类型的患者。所以去当归、白芍者，因二药气味浓重，不适于脾虚之故也。

（魏子孝　整理）

子痫与先兆子痫　|钱伯煊|

西医称子痫、先兆子痫为妊娠中毒症，此二症在病机上仅程度不同，无甚差异。主要见症为头痛、头晕、目眩、耳鸣、恶心、失眠、烦躁，甚则抽搐、昏仆。其病机多属心肝风热。因心藏君火，为火脏而主神明；肝藏血而主筋，为风脏，故心肝风热往往导致以上诸症。

治其轻者可用《妇人良方》之钩藤汤合桑菊饮加减，以清心火、平肝风；发作势急者可并投万氏牛黄清心丸或《和剂局方》牛黄清心丸，后者清热平肝之力尤强，与安宫牛黄丸相仿；若出现昏迷，可用鲜菖蒲30g捣汁合牛黄清心；若喉中痰鸣者，再加鲜竹沥30g、珍珠粉1.2g。

因《和剂局方》牛黄清心丸中，有麝香、冰片等芳香开窍之品，对胎儿有不良影响，故只在临产前1个月内才用，或者孕妇性命已发生危险，不能顾及胎儿时，不得已而用之，否则宜谨慎从事。

子痫往往产后自然而愈。然亦有个别患者产后证仍不减，治疗亦按前法。我曾遇到过一严重的子痫患者，产后血压仍持续不降，后立法滋阴潜阳，以犀角地黄汤合三甲煎而收效。

（魏子孝　整理）

调经是治疗不孕症关键之一　|钱伯煊|

不孕症除器质性病变外，大多兼见月经不调，调整月经，多有受孕之可能。

临证我常用以下几个方剂为基础，根据具体情况加减。气虚者用补中益气汤；血热者用加减玉女煎（去熟地黄、牛膝，加生地黄、牡丹皮、瓜蒌、白茅根、灯心草、藕节等）；气滞者用逍遥散，若肝郁化火则改用丹栀逍遥散；寒凝者用《金匮要略》温经汤，若感风寒致瘀阻胞脉可用《证治准绳》吴茱萸汤；

瘀积者用《普济方》琥珀散；气血不足取八珍；肝肾不足选左归丸、右归丸。然不可拘泥于原方组成和剂量，要根据临床所见证，用药取舍，药味偏重有所调整。所以说用方容易，加减难，难在恰合病情。处方者本人感觉不出，往往旁观者最清，方剂的增损正是表现了临床经验的“火候”。如以补中益气汤治疗气虚而致的月经先期、量多，即可不用当归，因其活血而润肠，可加赤石脂，取其重涩固下，有利于月经量的控制。在剂量上除重用人参、黄芪外，健脾的白术、调气的陈皮、升提的升麻、柴胡等用量，要根据其症状表现不同，灵活掌握用量。

（魏子孝　整理）

治不育症一案

陈慎吾

陈老曾治一患者，年四十余，尚无子嗣，两尺脉浮大，其他症状不太明显。精液化验为精子少，并有畸形，活动能力较差。其处方用药亦很简单：知柏地黄丸，每服2丸，日2服，连服6日；桂附地黄丸，每日2丸，日2服，淡盐水送服，1周内与知柏地黄丸交替服用，1月后再诊，切忌房事。数月后患者前来相告：服药后2周即因公出差半年，其间服药3个月余。回京后不久，其妻即妊娠，再过数月即可分娩，今特来致谢。余不能解，此病脉证不全，据何服此丸药并用服法？吾师云：“两尺主肾与命门，其脉应潜藏于内，今其脉浮大，必定阳亢于外，或阳浮于外，浮大之脉见于尺而不见于寸，且浮大无力，此为阴虚有热也，应服知柏地黄丸，壮水之主，以制阳光。但《素问·上古天真论篇》云：“五八，肾气衰，发堕齿枯。此时肾气已衰，精无所养，若一味补阴，阳必有所伤，应以补阴为主，兼以养阳。”忌房事者，《素问·阴阳应象大论篇》云：“年四十，而阴气自半也，起居衰矣。用此方药调理肾之阴阳，最终达到阴阳自和，为养藏之道也，故能有子。”

（孙志洁　整理）

调肝补肾法治疗无排卵型不孕症

李澍苍

余临证常见无排卵型不孕症，辨证究因，但见肝郁肾虚为多，遇此每治以

调肝补肾而能奏效。曾治冯某，36 岁，结婚 3 年不孕，15 岁月经初潮，常有闭经 3 ~5 个月不等，靠服药或注射黄体酮方潮，经前乳房胀痛，心烦急躁，食欲不振。经来量少色暗，有小血块。妇科检查：子宫发育正常，基础体温单相，宫颈黏液为不典型羊齿植物状结晶，余先用舒肝养血法，以逍遥散加味治疗。月余复诊，全身症状得以减轻，惟性欲仍低下，脉弦细而沉，又拟补肾益精法，药用：墨旱莲 12g、菟丝子 15g、淫羊藿 21g、巴戟天 9g、肉苁蓉 9g、生熟地黄各 12g、白术 9g、刺猬皮 30g、杭白芍 9g、生姜 3 片、红枣 4 枚。连服十数剂后月经比较规律，基础体温呈双相，症状基本消失。仍照原方续服 2 个月，经停，尿妊娠试验阳性，超声波证实怀孕。本例属肝郁肾虚之证，肾阳不足本当补肾扶阳，以鼓动真火，因有肝气郁结，气机被遏，倘单用纯阳助热，恐助肝火而犯标本虚实之戒，故先以逍遥散之类调肝养血，继以渐次扶阳以助命火，阴平阳秘，故能摄精以成孕。

（周春霞　整理）

谈谈输卵管不通的治疗体会

|许润三|

由输卵管阻塞而引起的不孕，中医辨证属于瘀血内着，胞脉阻闭，治疗宜采用较大剂量的活血化瘀药，使瘀血消散，胞脉通畅，则受孕有望。这些病人虽然瘀的现象并不明显，但有瘀的本质。当然，瘀是其基本矛盾，但也不能因此而忽视辨证，仍需根据个人的不同见证（脉、舌），配以益气温阳或养血滋阴之品，调整全身功能，为局部病灶恢复创造条件。

对本病的治疗，余习用四逆散加味，以柴胡、枳实、赤芍、生甘草、丹参、三七粉、葛根、生黄芪、麦冬等药物为基本方。方取柴胡、葛根，宣通郁结，清瘀祛滞；枳实、赤芍，行气活血，凉血散瘀，消结除滞；生甘草清热通脉；丹参、三七化瘀消肿，祛留滞；生黄芪益气养血；麦冬滋阴生津，意在寄补于通之中，寓润于散之内。另可酌加通络之品，如穿山甲、路路通、石见穿等。盖脉络病变，非通不能入脉，非通无以流畅气血也。

同时配合外治，可弥补内治所不及。盖“积聚日久，则正气另辟行径，不复与邪相争，或邪另结窠囊，不碍气血隧道之故，此为难治，以药不易到也”（《医碥》）。故强调“凡治积……必兼用膏药熨贴及艾灸乃除。”对此病，余亦很重视外治法，常以行气活血、散结祛滞药为主，辅以气味俱厚、通经走络、开窍透骨之品，组成灌肠方、熥药方，配合内治法进行治疗，通过临床观察，已显示出内外合治法较单纯内治法为优。

在服药期间，个别患者可能出现小腹剧痛症状，斯为药物抵达病所之有效反应，切莫以为误药病重而改弦易辙，仍当守方继服，治则不变。例如，余曾治高某，年30岁，剖腹产术后2年未孕，经常腰痛腰酸，月经正常。半年之前在某医院做输卵管通液和子宫输卵管碘油造影，均显示输卵管不通，经中、西药治疗罔效。妇科检查，盆腔无异常发现。舌质黯红，苔薄白，脉弦细。乃予四逆散加味方，然在治疗过程中患者曾先后两次出现少腹阵发性撕裂样疼痛，皆守原方续服后而腹痛消失。患者共治疗月余，服药四十余剂而妊。继予寿胎丸（作汤）益肾固胎，嘱每月服10剂，连服3个月，后足月正产一女婴。

对于素体肾虚、子宫发育欠佳、又兼输卵管不通者，治疗仍当以“通”为先，必待输卵管基本通畅后，方可酌加补肾益精之品。曾治黄某，年39岁，17岁月经初潮，婚后3年曾怀孕，但于孕2个月时自然流产，并作清宫术。术后并发“附件炎”，1年后经某医院先后两次输卵管通液均示不通，多方治疗不效，因而数年未妊。询其平时腰酸腹痛，经前乳房胀痛，经来腹痛加重，血量较少，血色暗红夹块。舌质黯，苔薄白，脉沉弦。妇科检查：宫体偏小，双侧附件增厚，左侧压痛明显。脉证相参，证系气滞血瘀，肾虚血亏。先予理气活血，化瘀通滞。疏方为：柴胡10g、枳实10g、赤芍10g、生甘草3g、当归10g、川芎10g、三七粉2g（分冲）、石见穿20g、柞木枝10g、路路通10g。服药30剂后，腹痛明显减轻，经量稍增，经色转红，腰痛如故，继服上方60剂后，腹痛消失，食纳增加，惟腰痛未减，经量较少，脉搏细弱。瘀滞之象虽除，但冲任虚损之征益彰，遂以原方去柴胡、枳实、柞木枝、石见穿，加淫羊藿、仙茅、紫河车、山茱萸、党参各10g予服，2个月而孕。

余曾治疗单纯输卵管不通的病人19例，有9例怀孕，尚未发现宫外孕或流产，婴儿智力及身体发育均正常。输卵管通后观察2～4个月，未达到预期效果者，并不意味已经失败，尚须观察6个月～2年，其疗效与年龄亦有一定关系，年龄越轻，效果越好。

刘奉五大夫用清热固肾法治先兆流产

柴松岩

刘老治疗先兆流产，以清热凉血药为主，补肾为辅，疗效甚佳。记得刘老曾治一怀孕两个月之孕妇，因与他人发生口角，一日后见阴道出血，腰酸痛，有下坠感，兼见口苦，烦躁，易怒，尿黄，大便不畅，脉见滑数有力，舌苔黄

白相兼，舌质红敛。刘老用黄芩10g、白芍12g、柴胡5g、藕节20g、莲须10g、侧柏炭12g、菟丝子10g。此方服2剂而血止，又进3剂而病愈。余请教刘老，为何以清热为主？答曰："因妊娠后阴血聚以养胎，胞中热盛，伤及血海，血热则胎不安。此方可随症加减，如大便秘者，加全瓜蒌20～30g；若气虚失固，可加太子参10g；腰痛重加覆盆子10g，枸杞子10g；若习惯性流产（滑胎），可常服本方，每每嘱病人忌食辛辣之物及羊肉，余后用刘老治先兆流产之法，多取良效。

临产降生诊中指

赵松泉

妇人有孕，胎动于内，脉现于外，其将产之时，脉浮数散乱，曰离经之脉，已为人所共知。然临产之时，候以中指，则鲜为人知。多年来，在临证中余常用此法，对产妇的临床监护有一定意义。

诊查部位：孕妇两手掌面中指第二节及末节（手指端）。注意，诊查时按中指腹面正中。

诊查方法：医者用手指按触孕妇中指，从中指上微细血管搏动的情况候出临产时间。若搏动强而有力，来去充盈圆滑，为临产2周之兆；若搏动已过中指二节横纹而至末节，为尚有10日即将临产。在末节中，可分为上、下两段，与二节相连部分为下段，指端为上段。若于下段搏动明显，可知为5～10日内临产，上段搏动明显，可知临产期为5日之内；若指端（中冲穴）搏动明显，则为即将临产之兆。此时宜将产妇送产房待产。

《灵枢·终始》篇云："阳受气于四末，阴受气于五脏。"故五脏之变，气血之功皆有所应，手中指乃手厥阴心包经之末端，心包经上连肾经，下连肝胆之经，外络三焦，内络心经，故对人体五脏六腑之生理病理变化，有所反映。多年来，余用此法观察临产之孕妇，每每效验，故转录于此，乃千虑之一得也。

产后寒热辨

杨子谦

发热和恶寒是临诊常见的症状。据发热恶寒的不同表现，可辨别病邪的部位、深浅、阴阳的偏盛偏衰。妇人分娩后1周左右出现寒热症状，尤当注意产后特点，治疗多与常人寒热有别。余曾治愈数例，颇有感受。

患者齐某，34 岁，产后 3 日开始发热，4 天未退，均在 38～39℃，怕冷。初热时曾自服银翘解毒片未效，后某医生给服阿司匹林、四环素，又注射庆大霉素等，发热仍不退，汗不止。请余诊治之。

现恶寒，发热，头痛，稍动即汗出。腹微痛，恶露未净，不思饮食，乏力，乳汁减少。舌淡苔薄，脉缓无力。此乃产后外感风寒表虚证。投以生化桂枝汤，1 剂即见热退，又服 2 剂诸症除。再服加参生化汤 3 剂后，恶露净，大汗止，渐以饮食调理而愈。

又一产妇陈某，于产后第 6 日开始阵寒阵热，恶心呕吐，小腹痛，恶露少，有汗，食少，二便调。某医曾给注射青霉素 5 日，投小柴胡汤 5 剂未见功效，前来就诊。余给予加味生化汤 3 剂后，患者自阴道排出大量血块，腹痛止，寒热自除。

产妇齐某，患太阳中风。某医不顾产后多虚之体，用辛凉解表而表不解，又用阿司匹林等发其汗，其表更虚，营卫失调益甚，寒热 4 日未退。余用桂枝汤调和营卫，1 剂热退，3 剂表证除。再服加参生化汤而痊愈。

产妇陈某，往来寒热，某医不知产后多瘀，即误认为小柴胡汤证，而投柴胡之剂无效。殊不知其寒热之作，实为瘀血不化所致。血瘀而气滞，气机升降失常，胃失和降而呕恶，并非少阳证的表现。因此余用生化汤加味，即奏良效。

综上验案对产后寒热，应有辨于常人。不能偏执以伤寒太阳论治，也不能偏执以少阳论治，而应注意到内伤饮食，外感风寒，瘀血阻滞，精亏气虚，皆可导致寒热之证。因此治疗当攻当补，宜温宜凉，要审证论治，方获功效。

（杨瑚英　整理）

调肝育阴法治疗新产“郁冒症”

李澍苍　于晓妹

患者李某，女，25 岁，产后第 14 天就诊，自述于产后 3 天因与家人生气，出现精神抑郁，手足抽搐。临证见精神疲惫，头晕目眩，胸闷憋气，懒言，畏冷，身热多汗，左乳触之疼痛，排乳不畅，纳呆，大便干，舌淡红，苔白，脉弦细数无力。

先父李少轩曰：此病乃属郁冒范畴，其发病机制为产后血虚，加情志不畅所致，治拟滋阴疏肝通络，以黄连阿胶汤加减：黄连 9g、阿胶珠 9g、鸡子黄 1 个（兑）、柴胡 9g、知母 6g、穿山甲 9g、石菖蒲 9g、丹参 9g、水牛角粉、琥珀

粉各3g（分冲），1剂，水煎服。

复诊诸症好转，仍畏冷多汗，夜甚，再拟益气养血，和营安神。方选桂枝龙骨牡蛎汤加减化裁，1剂。三诊时仍书原方治之告愈。

先父曰：郁冒症乃因虚所致，而肝气郁结，气机不畅也为致病的关键所在。此例妇人正值产后，阴血不足，阳气不足，加之情志不舒，气机不畅，气血乱于上致神气浮越，头晕目眩，精神萎靡，胸闷憋气懒言；乳络受阻，乳汁不畅则乳房结块而胀痛；气血不足，营弱卫强，阳加于阴，气散于表，营卫不和，故令畏冷、身热、多汗；津液耗损，胃肠失濡则大便干燥。

此病出自《金匮要略》，虽属产后三大症之一，现临床也不多见。方选《伤寒论》中黄连阿胶汤化裁而成。该方有育阴配阳之功，使急迫之势得缓，1剂服毕，初见成效，又书桂枝龙骨牡蛎汤治之告愈。此病是以头晕目眩为主要证候，其辨证关键是气血不足兼肝气不畅，临床常易与产后血晕及产后痉证相混淆。由于辨证治疗恰到好处，始得速愈。

产后“乳病”辨治细商量

| 刘奉五 |

产后缺乳，多误认为营养不足，于是恣食肥甘，结果食滞内热更甚，肝郁气滞与阳明胃热相加，热盛肉腐而成脓。非但乳汁不行，反而诱发乳痈。此乃实证缺乳之属。症见乳房胀痛发硬，食纳不佳，胁胀胸闷，舌红，苔黄，脉弦。证属肝郁气滞，乳络不通，治宜疏肝解郁通乳。经验方药：当归10g、川芎6g、生麦芽60g、漏芦10g、穿山甲6g、王不留行9g、通草3g、瓜蒌15g、路路通9g，胸胁胀痛明显者，加柴胡、郁金、香附。虚证缺乳，系因素体脾胃虚弱，脾失健运则气血化源不足，乳汁原为气血所化生，分娩时失血过多，气血不足则乳汁无以化生。症见产后食少，气短倦怠，乳房松软，无乳胀感，舌质淡，苔薄白，脉细弱。证属气血不足，乳络不通。治宜健脾益气，养血通乳。方用八珍汤加减：生黄芪10g、党参10g、当归10g、白芍10g、熟地黄12g、生麦芽90g、丝瓜络6g、路路通9g、炙甘草6g、川芎3g、王不留行9g。

若乳汁随化随自流出，俗称“漏奶”或“泻奶”，也是乳病之一种。临床也分虚实两种证型。实证溢乳系因肝郁化火，疏泄太过，以致乳汁自行溢出。症见乳胀胁胀，烦躁易怒，口苦咽干，乳汁较稠而自溢。证属肝热灼络，乳汁自溢。治宜疏肝清热和络。方用丹栀逍遥散加减：柴胡10g、黄芩10g、当归10g、赤芍10g、白芍10g、茯苓10g、白术10g、薄荷6g、荆芥穗6g。虚证溢乳系因产后脾胃虚弱，摄纳无权，乳汁随化随出。症见产后食少纳呆，身倦乏力，乳房不胀，乳汁清稀而自溢，苔白舌淡，脉沉细无力，证属脾虚胃弱，乳汁自溢。治宜健脾升阳和络。方用四君子汤加味：生黄芪24g、当归10g、白术10g、党参10g、茯苓10g、生甘草6g、升麻6g、柴胡10g。

若需要回奶时，应当调理气血，疏通经络，使乳汁分消以充实气血，或化为经血以下行。回乳方（经验方）：当归9g、赤芍9g、益母草9g、泽兰9g、牛膝12g、桃仁9g、红花6g、炒麦芽30g。另用芒硝250g，布袋装好，外敷乳房。

产后乳病并非疑难大证，但是处治不当对于母婴均有所误，甚至可以酿成大祸。因此应当详细辨证认真处治。

（高益民　袁洪波　整理）

温经化瘀汤之妙用

倪寄兰

在祖国医籍中，对产后恶露不尽的论述颇多，难以一一详述。其发病主要是由于冲任两脉受损而引起的。造成冲任受损的原因可分为气虚不能摄血；阴虚血热，迫血下行；瘀血停滞腹中。在治疗方面可分为如下几种：益气摄血法、养阴凉血法和温经化瘀法。笔者曾用温经化瘀汤治疗一例本证，深得启发。该患者年近30岁，产后月余仍恶露不尽，恶露色淡，又无血块，量亦不多。乍观似气不摄血所致，前医用仙鹤草素及其他止血药治疗未能获效。余细审其证，舌质暗红，脉沉涩，腹部坚硬发凉，显系瘀血未行，应属瘀血滞于胞宫，伤于冲任，而非气不摄血者可比。此类患者只有化瘀才能止血。犹如治水，当河道瘀积，势必横溢，如疏通河道，使水流畅通，使其患自除。反之如用截法（即摄血法）则必使洪水泛滥成灾。治疗此证，法当温通。故用自拟温经化瘀汤加藏红花9g、白术9g治之。

药后3日患者下一大血块（化验证实为坏变之脱膜及胎盘绒毛组织），恶露遂止，病告痊愈。方药组成为：当归9g、川芎9g、赤芍9g、白芍9g、炒香附9g、益母草30g、炮姜9g、乌梅炭9g、贯仲炭9g。

方义：取当归、川芎、炮姜辛温之品以温经散寒，活血化瘀；用益母草、牡丹皮能祛瘀生新；入赤芍、白芍以活血柔肝，调和冲任；又用炒香附，意在理气化瘀止血；加乌梅炭、贯仲炭收涩止血。本方药味不多，但对症治疗获药到病除之效。应用本方也可以随症化裁。有小血块者可加蒲黄以化瘀止血；有大血块者加花蕊石、藏红花化瘀止血；胸腹胀痛加柴胡、郁金理气止痛；身倦

无力加白术健脾益血。

钱伯煊用温阳活血法下死胎

刘作贞

曾见钱老治一引产胎死不下病案：1979年9月，一妊娠近4个月的孕妇要求引产，医院采用雷夫诺尔羊膜腔注射，同时内服生化汤进行引产。孕妇感觉腰酸，有不规则的子宫收缩，阴道见红。第6天，症状消失，出血止，诊察胎死宫中，引产失败。

第9天请钱老诊视，其脉沉细软，舌苔薄白腻。脉证合参，钱老认为：证属气血不足，阳虚无力、难以鼓动气行，故在生化汤的基础上加味，方用党参20g、白术10g、当归10g、川芎6g、桃仁9g、乳香6g、炙穿山甲末3g、生牛膝10g、红花3g、熟附子6g，2剂水煎服。当日下午4时、7时各服1次。

晚10时多，开始出现宫缩，阴道出血，翌日凌晨1时娩出一死胎。

钱老曰：胎死不下，其原因虽多，由气血运行不畅，血脉瘀阻所致为多。然临床用活血化瘀之药逐胎，仍有不效之时，原因是气血相辅为用，气行则血行，气滞则血瘀，气虚则血缓，气阻则血瘀结。该孕妇气血虚弱，无力统帅血行，所以方中虽用温散化瘀之法未效，关键在于补气须先温阳，气得阳助则畅行，阳气畅行则血行，故用附子以温阳，俾与方中活血之品相得益彰，增加逐瘀下胎之力，因之其效甚捷。然用温阳药须适当得法，切不可用量过大，或用过于刚燥之品，否则温阳太过耗伤气血，致身体更虚，而犯虚虚之戒。

产后多实，勿徒用温补

于增瑞

产后诸疾，历来多以为虚，此论一统妇科，规为准绳，故凡遇产后之疾，用温补者多。然于临床不察证候一味温补，往往延成胶痼顽疾，诚如清·徐大椿所云："……世之庸医，误信产后宜温之说，不论病症，皆以辛热之药戕其阴，而益其火，无不立毙。"所以临床当详加辨证，方可论治。当今生活优裕，一胎率增多，经临床观察，产后诸病，纯属虚证者少，实证者则屡见不鲜。审证关键在于舌诊。如患者出现一派虚证，而舌呈实象，以实论治，收效甚佳。试举1例。

患者刘某，24 岁。1981 年仲夏就诊。称 1 个月前顺产一男婴，产褥期求快贪凉，复又凉水拭身，致寒湿客入，继而腰膝关节疼痛，痛势日增，步履艰难，其夫搀扶就诊。望之面目痛苦，形体肥胖，腰及关节酸痛，遇寒加重，入夜尤甚，乳足便和纳香，诊脉弦细，惟舌红苔黄根厚。余思之，患者产后感受寒湿之邪，临症一派寒痹之征，本宜祛寒温经通络化湿止痛为治，然舌呈湿热之象，体呈湿热内蕴之质，此乃证之真谛。尤在泾《金匮翼》曰：“脏腑经络，先有蓄热，而复感风寒湿邪客之，热为寒郁，气不得通，久之寒亦化热，则顽痹熻然而闷也”。患者胎前产后皆服膏粱之品，故形体肥胖，实属湿热内蕴之质。产后寒湿客体，蕴而化热也。其证实属湿热阻滞经络之热痹，予以清热宣痹通络调之，5 剂症减，药中肯綮，守方 5 剂病瘥。疏方：黄柏 10g、知母 10g、苍术 10g、双花藤 15g、当归 10g、生地黄 20g、威灵仙 6g、鸡血藤 15g、海风藤 15g、防风 10g，防已 10g、生薏苡仁 10g、秦艽 10g、生甘草 10g。

对产后温病辨证施治的体会

刘春圃

自刘完素以后，温病名家，代不乏人，温病医学渐臻完善，对于产后温病则殊少专书论述，致使后世医者，遇到产后温病时，无成法可循。余经过多年的实践及对产后温病的辨治，已略得其端倪，兹将生平治疗产后温病的方法，赘述于后，以为引玉之砖。

产后温病，在病因、病机转变及热耗阴伤等方面与一般温病大致相同，所不同的是，产后气血太虚，津液亏耗，对温热之邪的抵御能力薄弱，因而证候比较严重，传变也较迅速。其次，应特别注意产后恶露是否通畅，有无瘀血停滞等等。产后温病既有以上之特点，在治疗上就不能与一般温病等同。如果不论恶露之有无，气血之虚衰，一味清凉滋腻，势必造成恶露停滞，乃致腹中发生胀痛不堪之证，甚或使正气益加衰惫，以致不救。反之，如果不顾温邪如何炽盛，只知遵照“产后气血大虚，当以大补气血为主，虽有他证，以未治之”的论述来治疗产后温病，一味蛮补，则温邪得补而内闭，热势因补而炽张，必致高热烦躁，谵语神昏，口唇焦裂，甚则痉厥动风，气败津竭而死。必须根据具体证候，辨证分析，既要照顾产后体质虚弱的特殊情况，又不可泥于产后宜补之说，既要使温邪透达，又要注意恶露之运行，方不致顾此失彼。兹列余治产后温病方法如下。

1. 新产之妇，外感温邪，发热头痛，表邪重者，恶寒较甚，里热重则发热

较甚，脉洪大，右甚于左，或两寸独大，舌苔厚而黄，口燥咽干，大便燥或二日一行。此系表邪未罢而兼里热之象。恶露未尽者，可见尚有黑血，腹痛而胀，或四肢疼痛，皆因尚有停瘀之故。

治法为清透温邪，兼化瘀血。方用：当归、益母草、桃仁泥、薄荷、连翘、枳壳、黄芩，荆芥穗、蝉蜕、桑叶、姜炭、栀子、炙甘草、牛蒡子、鲜白茅根、芦根。

腹痛甚者加：蒲黄、五灵脂。舌绛赤而热甚者，酌加紫雪丹。

2. 如表邪已罢，热溢于经，头痛脉大，口渴，舌苔干厚而黄，发热仍甚，恶露已减而未尽止者，治法为清热化瘀。方用：黄芩、栀子、薄荷、大青叶、桑叶、生蒲黄、五灵脂、鲜白茅根、鲜芦根。

口渴甚者加生石膏；大便燥结者加瓜蒌、玄明粉。

3. 热邪入腑，苔老黄而干，大便燥结者，热炽津伤之故，审其恶血已尽者，治法为滋液生津，润而下之，可用增液汤加瓜蒌，玄明粉。若邪入心包，神昏谵语者，宜清宫汤加安宫牛黄丸或局方至宝丹。

4. 热退神清，邪去正虚，急宜清滋益阴，以恢复被耗之津液。

5. 产后体虚力弱，温邪外解时，每以战汗为解。宜于战汗之后，急投复脉汤之属以补之。

6. 产后温邪透达之后，气血伤耗，热势虽减而未尽，脉数气促，躁扰不宁，应急防暴汗虚脱，宜复脉汤加西洋参，甚者加人参。

以上6条，为余临床常用之法，每每取得满意之疗效。然管窥之见，殊非大全，质之高明，未识当否?

升麻治疗子宫脱垂

李逸民

升麻气味甘苦平，微寒无毒，去皮色青，形如鸡骨者良。在临床应用上始见于《伤寒论》，至金元时期，李东垣对于升麻的使用范围之广，疗效之妙，给后世医家治疗虚劳内伤、中气下陷诸证树立了典范，其代表方剂就是补中益气汤。

我临证治疗子宫脱垂时，就以补中益气汤为主方。在初期治疗升麻只用1.5g，大部分病人疗效都不显著。后由1.5g逐渐加至15g始效。似乎有犯离经叛道之嫌，然余又何尝不小心从事？审视《药性》，升麻被列入寒性；察看《本经》，升麻气味甘苦平，微寒无毒，质轻而宣。能发越脾气而上升。如中阳不振，谷气下流之妇科带证，升麻用1～3g一般可以奏效。子宫脱垂是虚劳内伤、脾肺气虚之重证。药量过轻如杯水车薪，不济于事。人参、黄芪、甘草虽是补脾肺气虚之圣药，如不借升麻升举之势，子宫下垂如何上提？

在临床治疗中常可见到肾阳虚导致脾阳虚，肾气虚导致肺气虚者，此证在望诊时舌质多现淡润，苔白或白腻，脉象可见微细或虚大无力。其子宫下脱萎软色晦，状如悬胆；兼有带下秽臭，呼吸短气，语声低微，面色无华，懒于劳作，腰痛如折，饮食少思，大便不实，小便频数，余沥不禁，少腹坠痛，经水先期，血色淡红，呈一派虚劳内伤病形。在重用升麻的前提下，如忽视了固护肾中真阳，亦能导致虚阳借升举之势而上越，出现眩晕证。遇有这种现象时考虑加入适量的附子固护肾中阳气。

子宫脱垂亦有由肾阴亏虚，脾阳下陷，气不敛阴，统摄无权而致的阴阳错杂证。其症状多为白带过多。子宫下脱其形如球，色红粗糙，无津，腰酸骨楚，经期尤甚。少腹胀痛，阴中有重坠感，蹲位劳作病情增剧。心悸气乏，夜不安寐，舌质多现淡红、苔薄白根中微腻，脉象弦滑或沉细，应采用滋阴和阳的方法进行治疗。在补中益气汤的基础上，可加入填补真阴的熟地黄，敛阴止痛的白芍比较适宜。但升麻仍不可减量，减则不效。又有肝血不足，肾阴亏虚而致子宫下脱的，其色如猪肝，其症状多现腰酸腿软，少腹满胀，夜多恶梦，饮食如常，有时烦躁，舌质多为红绛无苔，脉现弦滑或洪大，尺脉尤甚。这一证候应考虑在滋肾柔肝的同时，人参、黄芪、甘草、升麻、柴胡仍不可偏废。须知阴虚证要以存阳为先；血虚证当以补气为要。阴虚、阳虚、气虚、血虚须当明辨。在用药上掌握均衡，治疗就避免出现差误。通过实践，用东垣补中益气汤治疗子宫脱垂重证，在用药上做了大胆的尝试，实际上也掌握了升麻的特有性能。

小儿望诊新论

| 王鹏飞 |

古称小儿科为“哑科”，因其患病痛不能自述。然“脏腑之色，皆荣于面，有诸内必见诸外。”故望诊在儿科临证比之于闻、切二诊更为重要。通过望头顶及上腭颜色变化，对辨证、用药都有指导意义。

望头顶“污垢”

1岁左右的某些病儿头顶前囟部生有泥污垢样痂块，此种“污垢”水洗不脱，即使去掉很快又会复生。在临床观察过程中发现，此种“污垢”是头顶前

囟部分泌物结成的疤块，为一种病理表现。其污垢的产生与循行头顶前囟部的经脉有关，而前囟部循行经脉所主的脏腑都与脾胃消化、吸收及其营养输布、排泄有关。其临床表现以消化不良、腹泻、便秘等脾胃病变为主，故可将循行于头顶部位的经脉与脏腑的功能，及头顶前囟“污垢”的产生和病儿临床所出现的病症，三者联系在一起。观察患儿头顶前囟部“污垢”的有无，及其形状、颜色，对于临床辨证有一定的指导意义。

在患儿头顶前囟部出现的“污垢”有圆形、鱼鳞形、条形、点状形四种。常见颜色可分浅黄褐色、深黄褐色、暗褐色及黑色。根据临床所见，其“污垢”的形状性质及颜色与消化系统胃肠疾病有关。其“污垢”色黑，多为便秘或有食滞，临证常见于体质较好的病儿；色褐，多为腹泻或消化不良，临证常见于慢性病反复发作的体质较弱病儿；色浅，多偏虚证；色深多偏实证。其“污垢”呈正圆形或鱼鳞状，量多的，为病程长，病情重，呈条形、点形，“污垢”量少的为病情轻，病程短。通过望病儿头顶前囟“污垢”的形、色，可以作为小儿体质虚实，胃肠强弱，消化不良，病情轻重之依据。

一般头顶前囟有“污垢”的病儿，多见腹泻、消化不良或便秘、脾胃虚弱等消化系疾病。但有消化系疾病的病儿，头顶不一定都有“污垢”，因为有时亦可见头顶有“污垢”的健儿，但此种小儿多易发生消化系疾病。经过调理脾胃等方法治愈消化系疾病后，头顶“污垢”可逐渐消退。若不消退，则说明仍易患消化系统疾病。

望上腭颜色

上腭是指口腔内整个上腭，包括未生牙齿的上臼齿槽面部分。此法以观察5岁以下小儿为主。临床望诊观察上腭时，可划分为前腭（硬腭部分）、分线（软硬腭交界处）、后腭（软腭部分）、臼齿（未生牙齿的臼齿槽面左右两面部分）等，见图1。

在以上部位划分基础上，前腭主上焦（肺、心）；后腭主下焦（肾）；中柱主肝；臼齿主脾胃、大肠（见图2）。

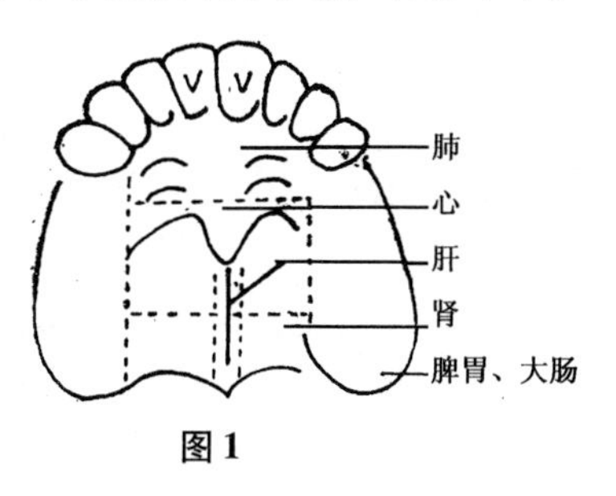

图1

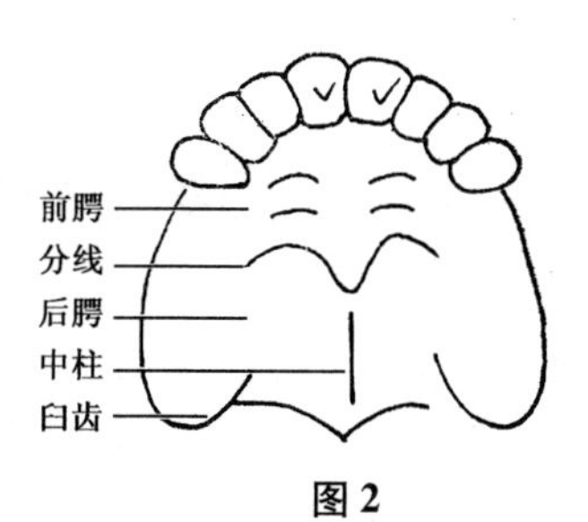

图2

望上腭时，让病儿面向自然光线充足的方向，略抬头，张口，医生从口腔直望上腭部位。望时力求迅速，避免病儿疲劳。诊前避免饮用较热或较冷的食物或液体，以免刺激上腭黏膜发生一时性变色。正常小儿上腭黏膜光滑润泽，颜色粉红。

通过望病儿上腭颜色及黏膜表面的变化，可诊断病儿脏腑虚实，气血盛亏，病位的浅深和病邪轻重的性质。再根据上腭不同部位，反映不同脏腑的病变，诊断就更为准确。

上腭颜色以红、白、黄三色为主。上腭白如蒙乳皮状，为脾虚胃弱，以腹泻及消化不良为多见。上腭色黄主脾胃疾病。深黄为实证；浅黄为虚证。上腭红紫为实热证，深紫为瘀血、尿血；淡粉发白为血虚。

（王应麟　整理）

舌绛、指纹青新解

｜梁宗翰｜

小儿舌绛人皆云是热入营分之候，然临证所见多数系滞热内蕴，属伏邪温热。应以清热化滞散郁法治之，可用板蓝根、淡豆豉、焦神曲，川黄连等。舌质越绛说明里热越重，故临床上一般见舌绛必是病久日深。

后经追访，上述患儿均按清热化滞法治愈。

小儿指纹青紫，历来认为主惊风。余以为是患儿素有内热，复感外邪，表里郁闭，气血瘀阻方见指纹青紫，治疗应以辛凉宣透，活血化瘀法为主，可用桑叶、薄荷、苏梗、赤芍等药。多年来，余临证据此而治，应效者甚多。

由此可见，临床治疗不仅需细查病情，且应灵活变通，方为“遵古而不泥古。”

（郭永镇　整理）

谨守病机，体察儿情

｜刘韵远｜

历代医家莫不以治小儿为难。因其病痛不能自述，虽较大儿童亦多言不达意，给诊察带来困难。小儿具有发病急、传变快之特点，因此，深入临床，谨守病机，体察儿情，随证施治，以防延误，实属必要。

余诊一腹泻患儿，发病初起，辨为湿热泻之葛根芩连汤证，在病情发展的过程中，由于暴泻伤阴，继之伤阳，阴阳俱伤，病情急剧恶化，进而表现为呼吸急促，双目凹陷，小便短少，口渴喜饮，四肢厥冷等，一日之间转变为附子理中汤虚寒证。

又治一小儿患肺热喘嗽证，在发病初起，正盛邪实，辨为邪热闭肺的麻杏石甘汤之实热证；由于肺气郁闭，气闭则血流不畅，肺气与心血相互影响，势必导致气血瘀阻而出现口周发青，喘憋鼻煽；甚至正气不支，出现心阳虚衰之危候，其证突然由肺闭之实热证，转变为参附龙牡汤之心阳虚脱证。为此，业儿科者，当谨守病机，体察儿情，不可忽视，慎之！慎之！愿共勉之。

详查细辨方可收功

糜纬真

余曾治7～9岁儿童3名，白细胞（20～50）$\times 10^9$/L，病期近年，医家认为“炎症”或疑似“血液病”，选用广谱抗生素，叠进中药清热解毒之剂，白细胞有增无减。

诊见病儿精神饱满、嬉耍自如，饮食起居正常，一无证情可辨，单凭白细胞指标给予大量消炎针药仍然不效，从望诊细察病儿颜面有圆形浅白斑片虫花，口唇内有粟米状小点，抓住虫积特点进服“化虫丸”加减。2剂后其母急于复查白细胞，由50×10^9/L降至15×10^9/L，继服3剂，白细胞已恢复为8.5×10^9/L正常值。此后儿科又介绍2例，证治仿佛。

由此可见，在治病中往往只看化验指标，机械地以降某一项指标来给药，往往走向歧途。余在四十多年行医中体会到必须辨病与辨证相结合，用中医理论指导中医治疗实践。以辨证立法、整体观点分析病情发生发展过程，无论临床症状千变万化，只要抓住主要矛盾，虽然不是直接降指标，而指标自降，此种例子不胜枚举。

异病同治谈辨证

陈中瑞

同病异治，异病同治，前人积累了丰富经验，兹不多叙，余临床治疗异病同治取得点滴体会，供同道们指正。

1977年4月，曾治刘某某，男，12岁。于1975年12月患感冒伴有呕吐，经治疗服药后热退吐止，但食欲不好，乏力喜卧，微风则感恶寒，活动则汗出，尤其手足尖汗多，如果甩动双手，手指尖汗出如水点滴，头身无汗。外观手足除汗水外并无异常，在外院诊断为“末梢神经紊乱”，服用多种维生素及中药“止汗散”“玉屏风散”“当归六黄汤”等效果不明显，因此从四川来京就医。

恶风寒一年有余，实属少见，说明阳气不足；动则汗出，是卫外不固的表现；手足尖乃“十宣穴”，阴阳交会之处，阴不内守，阳失固外，故而汗出。证属阴阳不和，宜调和阴阳，选用桂枝汤原方。

服药3剂后，恶寒已解，手足汗减，甩动手足不见汗滴，食欲仍差，再进原方加升发胃气之药：生谷芽10g，生稻芽10g、干荷叶6g，继服3剂，诸症皆愈。

又治：张某，男，9岁。于1968年8月来诊。自诉1个月前去江河游泳后发热，按感冒治疗后愈，但患儿每天早晨4点准时低热，体温37.5～38℃，伴有烦急，不能入睡，须起床活动或进粥食等后微汗出，热退才能入睡，白天精神，饮食二便正常，外院诊断“低热待查”。值暑假来京探亲顺便治疗。

定时发热，多考虑疟疾，但无往来寒热之症，早晨4点为天之阳，阴中之阳，阴弱而阳强，故烦急而发热，饮以粥食或活动后热自退，饮食及活动皆能促使气血流通，气血和热自退，此阴阳不和，宜调和阴阳，经服桂枝汤3剂，嘱其每日早晨3点服药，药后啜稀粥汤1杯，取微汗。服药后复诊，父母都来致谢说，遵医嘱，按时服药，当日即未发热，安睡到早8时才醒，自觉周身轻松，烦急亦止，至今再未发热，患儿无自觉不适，停药观察1周未复发。

在上述2例中，第1例，患儿活动后出汗加重；第2例活动后热自退，同属阴阳不和，而症状各异，同用桂枝汤而服法不同，取得了同样满意效果，说明辨证求因，审因论治，可作为“异病同治”之依据。

师古创新

|刘弼臣|

小儿解颅，现代医学称为“先天性脑积水”。根据中医传统理论，对于解颅的病因和治法，唐宋医家均认为是由肾气虚弱，脑髓不足所致，故治法亦多以地黄丸加减，补肾益髓为主。

我对解颅（先天性脑积水）病例治疗很多，最初墨守成规，疗效并不理想。因思水为阴邪，其性下行，为何上泛，竟致颅骨解开？头为至高之巅，惟风可到，似与水随风逆上行有关。故创用羚羊粉、钩藤、牵牛子末加用六味地黄煎服，补肾平肝，熄风降水。服用后头围很快停止发展，二便通利，说明水势下趋，远较单纯补肾益髓为优。现代医学认为羚羊角、牵牛子有利尿降压作用，可能因利尿降压对脑脊液的产生和吸收同时发挥了作用，从而降低了颅内压，对脑组织和正常脑脊液的恢复，创造了有利的条件。

略谈滑氏斑

|赵玉青|

滑寿（公元1304～1386年），字伯仁，是元代一位大医学家，他的著作很多，如《十四经发挥》，对针灸学起了很大作用，受到东邻日本医学界的重视，其他对诊断、本草、外科、《内经》《难经》均有心得著作，在临床上针药并用，有独到之见，疗效很高。在其所著《麻证活人全书》中，对麻疹的叙述尤详，记载了小儿、成人麻疹的症状和治法，首先发现并记录了口腔内白斑，对确诊麻疹是一大贡献。从世界医学史来看，科克立斑是19世纪才发现的，费拉托夫斑是18世纪发现的，而滑氏斑是在14世纪就发现的。比费氏、科氏都早，滑氏斑在医学史上应占发明地位，应给滑氏发明权的评价。先贤的贡献，也是祖国的光荣，后学者要在继承祖国医学的基础上进一步创造发展，做出更大贡献！

麻疹治疗三法

|佟阔泉|

麻疹多见于小儿，儿童属稚阳之体，气血不足，肾气未充，故而病邪传变迅速，治疗上需把握时机，分别予以清凉疏达、清解透表或清宫化热等法，按三个不同阶段辨证施治，定能达到满意效果，避免并发症。

1. 疹闭不出，先有发热咳嗽之见证　麻疹系温邪由口鼻吸入，郁于手太阴肺，遂作咳嗽喘促。治宜辛凉疏达法，佐以理肺之品。方用：薄荷3g、白芷4.5g、葛根4.5g、杏仁6g、瓜蒌4.5g，知母3g、前胡4.5g、黄芩3g。大便秘结者加大黄1.5g。

2. 疹已见点　法宜清解透表，引邪外出。方用：薄荷3g、连翘4.5g、金银花6g、牛蒡子3g、蝉蜕3g，鲜芦根9g、杏仁6g、射干3g，黄芩3g。大便秘结者加大黄 1.5g。

3. 疹后余热不净，烦急谵语　法宜清宫化热解毒。方用：连翘 4.5g、金银花 6g、生石膏 12g、川黄连 3g、知母 4.5g、鲜地黄 9g、牡丹皮 4.5g、赤芍 3g、紫雪丹 0.6g（1 次冲服）。重者局方至宝丹 1 丸，分 3 次服。

以上剂量按病情轻重可以增减。

（林　珠　整理）

透疹秘奥

刘弼臣

治疹之法，有松肌透达、清热解毒、养阴增液三大规律，关键问题在于松肌透达。凡疹出之机已露，隐约不扬，或迟迟不出，或出而不透，或中途隐伏，均可一用再用，直至完全透发为止，以免余毒逗留，而遗后患。疹喜辛凉痘喜温，运用辛凉透疹，这是普遍规律，属于常法。然而临证时往往有特殊疑难证候，非辛凉透达而能解决，又需我们周密思考，抓住其中一些特征，异兵突起，以出奇制胜。例如：有的麻疹患儿适遇天气严寒，衣着不温，影响透发，以致蜷卧形寒，手足发凉，疹点迟迟不出。或者由于正气虚弱，不能透毒，以致面色皖白，身热不扬，精神疲倦，疹色淡白，不能尽起，脉象微细无力。以上两种情况，在麻疹专辑中早就总结出“若非风寒壅闭之固，必有气虚不振之过”，为运用温阳透疹和益气透疹法，提供了理论依据。因此，后者可用人参败毒散，前者可用麻附细辛汤加活血药物以益气温阳透疹。如果遵循“虽寒勿用麻黄、桂枝；虽虚勿用人参、白术”，怎能收功？相反，如果热毒重而壅滞，表现壮热烦渴，眼红唇赤，二便闭结，而疹不能透出者，或疹点红赤，脚地不分，或一齐拥出而旋没。往往需要解毒透疹，运用三黄石膏汤，方才济事，不可拘泥于过用寒凉，否则热毒过伏，阻抑麻疹外透。还有疹点一出异常密集，红紫为斑，伴以神昏谵语，或者惊狂不安，舌绛脉数，则为热毒炽甚，壅于肌表，内陷营分之象。曾在怀柔县深山中遇一麻疹患儿，全身一片红赤如火，疹而兼斑，神昏抽搐，舌绛脉伏，采用玄参、麦冬、生地黄、紫草根、蝉蜕、淡竹叶、赤芍、木通、水磨犀角、玳瑁以清营透疹而获愈。此法古代方书虽未载，但舍此则不能收功。因此，治疹一忌初起即用寒凉，二忌妄用辛温，三忌误用补涩，四忌荤腥生冷，亦须灵活，不可拘泥。

通络活血法，在初透期有活血疏风作用，在疹出期有泄邪托疹作用，在恢复期有鼓舞气血作用，个人体会，此法以用于治疗麻疹的全部过程。

漫谈发热待查

刘韵远

历年来我院门诊或病房经常有西医转来“发热待查”之患儿，请中医诊治。这些患儿均系西医诊察听不到、摸不着、找不到原因而转来的，可说是实事求是的科学态度。诚然，难道一种疾病的发生真的没有原因？说明现代医学科学尚未认识和掌握它，有待于进一步去探索它。而祖国医学早在长期临床实践中，积累和总结了一套诊断和治疗方法，就是正确运用四诊（望、闻、问、切）、八纲（表、里、寒、热、虚、实、阴、阳）等辨证方法，进行施治，每收良效。这些病种归纳起来有以下几个方面，作一简介。

1. 患儿症见发热无汗，蜷卧恶风寒，鼻流清涕，咽不红，舌尖有红点散在，苔薄白脉浮数。证属风寒感冒，虽身热 39 ~ 40℃，无化热之象，故用辛温发汗解表法，使汗出而热解。

2. 患儿症见高热，虽汗出而热不解，咽舌偏红，苔薄黄白，脉数，属风热感冒，以疏风清热解毒法而热退。

3. 患儿症见壮热持续不退，时自汗出，口渴烦躁，神昏谵妄，舌质红，苔黄厚而燥，脉大数有力，大便数日未行。证属气分热盛，阴液耗伤，阳明燥结之腑实证。经用清热养阴，通腑泻热法，使气清热解，其里结自除，此乃“里气通则表气和”之理故也。

4. 患儿症见突然高热待续，尤以暑热季节，感邪之后，暑热内蒸，迫津外泄，头汗大出，齐颈而环，正邪相搏，发病急剧，甚则神昏不语，或突然抽搐，舌尖红，苔黄白厚腻，脉数无力，此为暑温证（无论乙型脑炎或急性传染病均可出现此证）。经用清暑益气，芳香醒神法，收效迅速而愈。

5. 患儿症见久病之后，长期发热，时高时低，自汗盗汗，手足心热等，其外无表邪，内无实热，为久病阴液耗伤，正气未复的阴虚内热证，用益气养阴清热法，使阴平阳秘而热自除。

综上诸例，皆属新感或伏邪温病范畴。运用“辨证求因，审因论治”之理，统治无形之疾与有形之病，治疗方法，丰富多彩，说明祖国医学确实是一个伟大的宝库。

小儿低热不可忽视余邪未尽

裴学义

临床所见小儿低热，除因食滞、湿热、阴虚、气虚所致外，还有一种外感后期余热未尽之证，往往容易忽视。究其原因，目前小儿多为独生，一有不适，即去医院就诊。医者见其发热，多使用抗生素。其中有些属于表证，可一汗而解。或有高热虽退，而余热未尽，转为低热缠绵，日久不愈。因其病久，多从“虚”治。古云：“久病多虚”。补之何过之有？妄加补益，使邪益深，终成难治之证。所以作为医生，万不可不察病机。往往此等小儿，久治不效，证候已不太典型，除部分可见舌红，脉数外，尚无更多症状可以用来辨证。此时详问病史，尤其询问是否有外感发热史等，就显得十分重要。在经过其他检查未见明确病因的情况下，就要注意余邪未尽的因素。此时需从整体出发，大胆使用祛邪之法，往往可以奏效。

取长补短三则

刘弼臣

《礼记》云：“独学而无友，则孤陋而寡闻。”拜师访友是学者求进步的有效之路，也是我一生治学的坚定信念。因为人总是各有所长，亦各有所短，就是愚者也会有千虑一得，给我以启发与教益。取人之长，补己之短，把师友的见解，化为自己的知识，一旦融会贯通，势必将自己的技艺，向前推进一步，更好地为人民服务。例如：我对治疗小儿烂喉蛾证（化脓性扁桃体炎）最初采用玄参、射干、山豆根、黄芩、金银花、连翘、生甘草、桔梗等药，虽有清热利咽、解毒消肿之效，但往往迁延多日，甚至一周，而不获愈。为了缩短疗程，减少患儿痛苦，曾经拜访过很多老前辈和朋友，向他们请教，然后细加揣摩，加以归纳整理，订出一方，采用玄参、升麻、石膏、黄芩、锦灯笼、儿茶、板蓝根、青果核、赤芍，通过临床验证，果然疗效卓著。嗣经筛选，将玄参、板蓝根、生石膏、儿茶四味中药，制成清解合剂，作为科研项目，有计划地观察，进行随访。通过153例临床分析，有效率达90%，服药后两天即退热，咽部红肿痛腐消失者占66%，并经我院基础实验、药理分析，充分证明具有清热解毒、消肿止痛之功。又如，在巡回医疗期间，看到有些民间医生和农民采用单

方和中草药治疗小儿急性肾炎，远较我们采用传统方剂如越婢汤、麻黄五皮饮、五苓散等的疗效为优。俗话说："单方一味，气死名医"，可见我们临床医疗，既不可违背传统，也不能局限传统，应该博采众方。于是进行归纳整理，订出鱼腥草汤，采用鱼腥草、倒叩草、益母草、车前草、白茅根、半枝莲、灯心草为基本方，根据临床不同的见证，酌加传统的发汗、利水、攻逐、温化、清解、健脾、燥湿、理气诸法，疗效较好，已列为科内治疗小儿肾炎的常规方剂。再如，治小儿淋证（泌尿系感染），八正散为我们常采用的方剂，而且疗效较好。嗣后我们吸取重庆地区治疗经验的报道，加用柴胡、五味子，升清敛浊，疗效更显著。

谈阴虚阳亢之汗

| 梁宗翰 |

曾诊治一个3岁男孩，素食欲不佳，夜卧不安，闭目露睛、日夜睡眠时均大汗出，重时如洗，口渴，烦躁，便燥成球状，唇干舌绛，苔黄腻且厚，脉细数，家长代述其症已年余，经各处治疗，用过大量参、芪补益之品，服药约三百余剂，然而汗暂止而后继发。余用养阴清热止汗之法，2剂后大汗减，口渴、烦躁解，既而调理脾胃，助运化，则食增夜安。连诊3次，大汗解，诸症均效，后用益气养阴之西洋参、茯苓、石斛、麦冬等继以丸药，以资巩固。

小儿大汗出多为阴虚阳亢之汗。原因有以下几点：①小儿在生理上是稚阴稚阳，病理上易寒易热。在发病过程中，阳气相对比阴气旺盛，因而阳热易盛，津液易伤，阴虚阳亢，再加上腠理疏松，故易于汗出。②小儿"脾常不足"，脏腑娇嫩，多有乳食不节，喂养失当，过食生冷等损伤脾胃，脾胃虚弱，不能运化水谷，则水谷不化，精微无生化来源则津液易亏；若食滞聚久则生热，热又伤津液，导致阴虚，阴虚阳必亢，故而汗出。③血汗同源。出汗过多则伤血，血不足则阴虚，阴越虚阳越亢，则汗出越多，故而形成恶性循环。

小儿多在初睡时出汗较多，睡沉后渐渐减少，这是因为刚睡时，阳尚未入阴，故而汗出，待睡熟后，阳已入阴，阳热减则汗随之亦减。头为诸阳之会，阳热盛必蒸腾于上，而迫津外出，所以临床上出头汗的多。上述这些现象，均可证明小儿之汗，多由于阴虚阳亢所致。所以不能拘泥于"阳虚自汗""阴虚盗汗"之常规，应从全身症状，综合辨证论治。

在方药中，要和平调理，养阴而不腻，清热而不凉，消不伤正，补不碍滞，既生胃气，又不伤脾。初治用养阴清热止汗之法，以甘寒之麦冬养阴；莲子心清心热；浮小麦、稆豆衣养心安神止汗，二味同属谷类，既可补脾胃，又可固心气。进而调脾和胃助运化，用藿香、佩兰醒脾开胃；以鸡内金、焦神曲消食健胃；少量川黄连以清胃热；荷叶升胃清阳；生谷稻芽助运化。如有虚象则再用西洋参、茯苓、石斛、麦冬、甘草等益气养阴健脾之品，即可康复。

（梁跃华　整理）

小儿哮喘用药一得

刘韵远

小儿哮喘是小儿时期肺系常见病之一。容易反复发作，不易速愈，逐渐形成痼疾。本病属于“本虚标实”之证，治当以“标本兼顾”为法。兹将用药一得分述如下。

炙麻黄与炙甘草相配

余治疗小儿哮喘，一般不用生麻黄，多采用炙麻黄，因小儿哮喘发作之际，常有自汗出，炙麻黄不仅可减轻发汗之功，相对还可增强止咳平喘之力。若与炙甘草相配，除有助于止咳平喘解痉作用外，具有减轻麻黄之毒及辛散之功，更可避免影响心悸之弊，从而增强止咳平喘的作用而提高疗效。关于炙麻黄与炙甘草的用量问题，通过历年来临床实践证明，用量不宜过小，以达有效量为宜。凡年龄在1~3岁，日用量3g；3~7岁，日用量3~6g；7~14岁，日用量6~9g；但炙甘草的日用量不得低于炙麻黄。本药无论春夏秋冬皆可使用，虽用量稍大亦无发汗之弊；若夏季自汗过多，可加麻黄根同用，或改以麻黄根代之，其用量宜倍于炙麻黄，平喘作用不减。

炙麻黄与白果相配

炙麻黄为辛开宣肺、止咳平喘之专药，以治标实之咳喘；白果为苦降敛肺、止咳平喘之专药，二药同用，一为辛开宣肺，一为苦降敛肺，一宣一敛，一升一降，使肺气宣降得宜，其咳喘自平。此乃标本同治，虚实兼顾之法。历年来二药合用治疗小儿哮喘发作期，疗效显著，虽连续服用亦无虚虚实实之弊。关于二药用量，凡年龄在1~3岁，日用量炙麻黄3g配白果9g；3~7岁，日用量炙麻黄6g配白果15g；7~14岁，炙麻黄9g配白果15~20g。白果的用量可大于炙麻黄1~2倍，因所用为连皮壳打碎之药，其皮壳具有解白果仁之毒的作用，虽用量大些，亦无中毒之弊。

湿 热 受 风

——手足口综合征

梁宗翰

1984年春夏季节，门诊发现许多手、足、口腔起有疱疹的患儿，经西医检查，确诊为“手足口综合征”。

临床上观察，此类患儿多数面黄且燥，流清涕、发热、食欲不佳，手掌、足底起有疹点，继则发展为水痘样疱疹，两肘、膝、臀部亦有出现，颗粒较小，参差不齐，底盘发红，色有深浅，感觉刺痒；严重者有咽痛，口腔黏膜和舌面起有疱疹，破溃后出现溃疡疼痛，肛门亦有，特别是与尿布接触之处，皮疹更甚，舌红苔黄且腻或滑薄白，脉多浮数或滑数。

我们认为此病是内有湿热蕴郁，外感时邪病毒所致。多数患儿素日食重，脾胃功能薄弱，故易停滞伤脾，脾伤则不能化食而生热，不能化水则生湿，湿热蕴郁于体内，待机而发。时值春夏，春季风气当令，风为阳邪易于外发；夏季暑气当令，暑多挟湿，再兼有时邪病毒，则诱使机体内的湿热之邪发于皮肤，脾主四末则手足出有疱疹；脾开窍于口，湿热之邪熏蒸于上则咽痛，舌、口腔生有疱疹溃疡；湿热之邪下移，则发于肛门处。本病确有传染，但以内因为主。

遇到此病患儿多采用疏风清热，解毒祛湿之法。用辛凉之桑叶、薄荷以散风热；金银花、连翘清热解毒；莲子心、川黄连清心胃之火；焦神曲化食；川黄柏、薏苡仁、滑石清热利湿；牛蒡子、山豆根解毒利咽；板蓝根、淡豆豉散温化毒，以祛伏邪；藿香、佩兰芳香驱秽，祛湿化浊。高热者加牛黄清热散，热退用化毒散。经用上法，一二剂即可痊愈。

（梁跃华　整理）

浅谈小儿各种抽动症

陈中瑞

小儿抽动是一个症状，各种诱因都可引起抽动（癫痫除外）。为什么小儿抽动症在临床上比较多见呢？因小儿为稚阴稚阳之体，形气未成、气血未充、脏腑薄弱，因此遇有内热或外感，甚则眼见异物，耳听异声，都可引起抽动。严重者全身抽动，甚则全身强直，似痫而非痫，抽止惊叫多啼。轻者，初期一般不引起家长注意，如挤眉弄眼、口眼抽动、呲牙裂嘴、摇头点头、扭脖子、耸肩、手足不自主活动等等。以上现象都属于祖国医学“风”的范畴。如《素问·至真要大论篇》曰：“诸风掉眩，皆属于肝”“诸暴强直，皆属于风”。祖国医学对“风”的认识大致分为两种：一是凡外来的因素如风寒风热及各种虚邪贼风，二是阴虚水不涵木、肝风内动。凡小儿抽动反复发作不止者，属肝肾阴亏，水不涵木，肝风内动者居多，若为新发病，十之八九为实证；久抽动不止，十之八九为虚证。通过临床实践，小儿抽动，寒热虚实，错综复杂，治疗上要耐心细心，观其所因，审因论治，会收到较好效果。

治疗抽动之法，实则泻之，虚则补之。补肝血以四物汤为主，气虚加参、芪；腹脐抽动，大便干者番泻叶胜于大黄；头身颤动用生赭石、灵磁石潜镇肝阳，熄风镇惊；项强摇头用葛根、钩藤、蜈蚣熄肝风，缓解痉挛；挤眉弄眼、点头、口眼抽动，用秦艽养血荣筋；四肢多动用桑枝、鸡血藤、丝瓜络通络祛风；有外邪者用荆芥、防风，解表祛风。

钩藤饮治疗小儿夜啼

|王鹏飞|

小儿夜啼多为日间精神如常，入夜则惊哭啼闹不安，食欲欠佳，大便偏干。素有脾寒、心热、惊骇等致病之说，治疗有别。

我在诊疗时，不论其为寒、为热、为惊、为滞，概从肝、胃、肠入手，用药治疗，总可见效。应用钩藤10g，清热平肝；蝉蜕3g，散风解痉，治小儿夜啼，取昼鸣夜息之意；木香3g，温中和胃，下气宽中；槟榔3g，开泄行气破滞；乌药6g，顺气降逆，散寒止痛；益元散10g（包煎），清热降火，镇惊除烦。以上诸药相伍，既有甘寒清热平肝之功，又具辛苦温调胃肠之效，使三焦安宁，则啼哭烦闹自止。

（王应麟　整理）

治婴儿“关格”一得

|梁贻俊|

余于1984年曾会诊一女婴，出生5天，腹胀大、呕吐，生后3天始会吮乳，吮乳后即呕吐，同日排小便一次，量很少继则无尿，3天无大便，经胃肠

透视诊为“肠梗阻”。曾施以胃肠减压，抽出草绿色胃内容物，肛管排气第4天有少量粪便与一次矢气。但上腹部继续增大，遂邀余往诊。患婴消瘦，欲哭无声，面色皖白，皮肤干皱，上腹胀满，日趋加重，腹壁青筋暴露，腹皮光亮可见长圆形与条索形状突起。鼓之如鼓，触之不坚，肛管排气曾有少量粪便与矢气，说明梗阻部位较高，病属“关格”。脏腑畸形或胎禀不足，元气衰微胎滞内停均可形成，如系前者则服药无效，如为后者尚可挽救万一。复审病婴生后3天才会吸吮，说明生之本能低下，胎禀不足、元气虚弱，故致大肠传导与膀胱气化功能无力，二者均属本虚。呕吐腹大、腹壁青筋显露，视之有物凸起，聚而不散，触之虽痛但无癥积应手，虽与积聚不尽相同，亦属不通之象。婴儿生下谷气未入，其病因当责之胎禀不足，元气虚与胎滞内存，致成腹内气滞血瘀，当属“标实”，法当标本同治。采用人参大补元气加小承气汤行气导滞，复加入川芎、赤芍行气活血，因病已5天防其瘀而结毒故加连翘，全方7味药各5g煎成30ml，每次5ml，先抽净胃内容物，再从胃管进药。初服1小时进药1次，3次后改2小时进1次，1剂药后，胃内草绿色内容物很少，撤去胃管未见呕吐，患儿已会啼哭，喂乳可吮亦未吐，二便稍通但量均很少。又服1剂，二便畅通，腹软，腹壁青筋不显，凸起之物消退，患婴面色转佳。濒死之婴得以挽救。

小儿畏食症漫谈

陈中瑞

小儿畏食症，是指长期食欲不好，严重者面色发黄，见食则烦，食少饮多或每食必饮，腹胀腹痛，食少便多，烦急不安等。形成诱因为平时贪食生冷过多，损伤脾胃之阳，或贪食甘肥及不易消化食物，损伤脾胃而成。其他慢性疾病如肝炎、结核等也伴有畏食，则不属于此症。

余观察300多例畏食患儿，病程最短1个月，最长7年，平均3年6个月。经木糖试验及尿淀粉酶测定，小肠吸收功能均低于正常儿。经治疗后食欲明显改善，2周后体重平均增加0.5kg，效果显著。

我认为治疗畏食症，从始至终要以升发胃气为主，最忌消导如焦四仙、莱菔子类。因小儿长期食欲减退，经查体既无阳性体征，又无积滞中阻，舌苔厚腻等症，如用消导之品，反而尅伤胃气。也不可过用香燥和苦寒，因温燥助火劫液，苦寒伤脾败胃，滋腻亦有呆滞之弊。临床时宜选择补而不滞，保护胃气，又不伤脾，也不敛邪的药物。如甘寒辛凉的干荷叶、冬瓜子、杭白芍、沙参、玉竹、生谷芽、生麦芽、佛手、香橼等。大便不消化者加生薏苡仁、白通草、白扁豆。心烦气急者加淡竹叶、灯心草等。不要见到小儿食欲不好，就给消尅之品或香砂六君子汤之类，长期食欲不好，胃肠哪有什么积滞可消？食欲不好者多属胃气虚，故不用香砂六君之品。

治小儿肝炎方药

| 王鹏飞 |

小儿肝炎，多由湿热闭郁脾胃气机所致，邪热瘀结血分，导致湿热发黄，故发黄与邪热伤血直接有关。虽有脾胃气虚为本，但邪实造成湿热内蕴，气滞血瘀发黄为标，更为主要。邪不去正不复，故采用清热利湿解毒、调气活血化瘀以退黄的治法。

常用方药：青黛5g、紫草12g、贯仲10g、寒水石10g、焦山楂10g、乳香6g、茜草10g、木瓜10g、绿茶10g。此方有清热解毒、活血行瘀、运湿退黄、调和气血、消积止痛之功，以治小儿黄疸性肝炎、非黄疸性肝炎。

在近20年中，应用本方加减治疗二百余例肝炎患儿（其中包括黄疸型肝炎、无黄疸型肝炎），发现本方对退黄、降转氨酶、降浊、降絮均有良好的疗效。一般黄疸型及无黄疸型肝炎，服药1个月后，肝功能可恢复正常。乙型肝炎约需服药2~3个月，可促使部分患儿表面抗原转阴。

方中紫草、乳香、焦山楂入血分，凉血活血化瘀，以清血分瘀热；血中瘀热得清，脾胃气机得畅，则湿热之邪得除。紫草，味甘咸性寒，专入血分，功擅凉血解毒，血热瘀结，则可活血化瘀，《本草经疏》称本品有“补中益气”的作用，焦山楂消食积，散瘀滞，善入血分，功能化瘀开郁行结，其性平和，化瘀血而不伤新血，开郁气而不伤正气；乳香，行气活血而不伤血，气血互相通和，故亦有生血之功，血行畅通、瘀结祛除，解除阻塞，疏通胆道，为除黄疸、缩肝大之主药；青黛、寒水石清热解毒，且有利湿退黄之功，配以贯仲则湿热邪毒易除；加木瓜则咸寒之品中佐以酸温以和胃化湿；绿茶微苦、凉，主治肝胆湿热，利水退黄，对降转氨酶有卓效。全方以活血化瘀为主，辅以清热解毒，正符《素问·至真要大论篇》“谨守病机，各司其属，有者求之，无者求之，盛者责之，虚者责之，必当五胜，疏其血气，令其调达，而致和平”之义。

（王应麟　整理）

浅谈治疗小儿肾病

肖淑琴

小儿肾病，多因肺、脾、肾三脏功能虚弱，三焦气化失调所致。其病理为肺气不足，不能通调水道，下输膀胱；脾虚失运，不能为胃行其津液；肾虚水泛，封藏失司。故临床上可出现水液泛滥肌肤，全身水肿，腰以下尤甚之阴水证候；或见面色苍黄、倦怠无力，纳少便溏、舌苔薄白、舌质淡胖、脉沉细缓等脾肾两虚之证；以及潮热烦急，头晕少寐，咽干口渴，欲饮不多、大便干结，尿血、舌苔少、舌质暗红、脉细弦等水不涵木之虚损诸证。

然而，肾病患儿往往病程迁延。每因卫表不固，复感外邪，导致病情反复加重，或因服用肾上腺皮质激素后，常可出现饮食倍增，肌肤丰满，腹背肥胖、面颊红赤、大便干燥，脉滑而数等类似“实热”之象。为此当审证论治。

学龄期患肾病的小儿，在于肺脾两虚，尤以肺虚更为突出，表现有二：一是表卫失固，易感外邪，二是皮肤疮疖，或水肿反复加重，而发热，咳嗽、气喘、时溲浊等证仅为肺虚夹感之时肺气失宣的兼证。治疗则应以益气固表治本为主，酌情佐以宣肺祛湿之剂，方药以玉屏风散加减选用，可收到一定的效果。学龄期儿童患肾病，则多见脾肾两虚，而以脾虚为主。服用激素的患儿，其外在证候类似实热之象，而细察舌象，则多见舌质淡，舌体胖嫩见齿痕为多，这是脾虚脏腑失养在舌象中的主要表现。故在中医用药治疗时，宜用健脾之剂，补后天之本，才不致于过多选用清热之剂重伤脾土，进一步削弱正气，使病难于恢复和巩固。方药以四君子汤加减，可起到扶正抗邪之功。年长儿患肾病，多见肝肾不足，以肾虚为主，虚火妄动，水不涵木之证。治疗应以滋肾镇肝，佐以凉血活血之品，方药以六味地黄汤加减。六味地黄汤不仅是中医传统扶正补益要方之一，也是当今小儿肾病最常用的有效方剂。

以上仅从小儿肾病本虚的辨证治疗，作了点滴探索。但疾病的演变往往随患儿体质、治疗及合并症等因素的影响，而出现标实兼见证候，故治疗时也需根据辨证，采用急则治标，缓则治本的原则。

目前有不少医疗科研单位研究证明，玉屏风散、四君子汤、六味地黄丸均有增强机体免疫的作用，这就从客观指标上证实了中医肺主皮毛，脾为后天之本，肾为先天之母，肺气足藩篱固，外邪不易入侵，脾、肾强健，气血旺盛，不易受邪之论述，这也是小儿肾病治本的主要原因。

变不治为可治

沙海汶

1959年2月我曾治一男性患儿，年14岁，走路呈鸭步6年，加重3年。自幼走路较晚，动作缓慢，易摔跤，以后逐渐加剧，行走呈鸭步，在当地医院作肌电图显示为肌源性损害，诊断为“进行性肌营养不良症”——假性肥大型。目前，步态不稳，左右摇晃，呈鸭步状态，站起费力，不能自己下蹲，起立时须扶物，且很艰难，形体消瘦，骨瘦如柴，翼状肩胛，腓肠肌假性肥大，坚硬如砖，周径均为36.5cm，面色萎黄，苔薄白质淡，脉沉细无力。证属脾肾两虚，气血不足，因脾主肌肉、主四肢，脾虚则生化无权，四肢、肌肉失于荣养，故四肢无力，肌肉萎缩。肾主骨，骨生髓，肾虚则髓少，肾虚则骨软，故易摔跤，行走较晚，步态蹒跚，下蹲后站不起来。治宜健脾补肾，益气养血，活血通络，强腰膝。方用马前复痿灵冲剂，每次1袋，日2次，连服20天为1个疗程。1个疗程后停10天，再服第2疗程，但马钱子粉剂量要加倍，月余后，配合针灸，按摩，每周各3次，交替进行。又1个月后，病情大减，鸭步不明显，不摔跤，腓肠肌变软如常人，其周径大减，一侧为34cm，另一侧为35cm，体重增加1kg。功能锻炼明显增加，仰卧起坐由几次增加至300次，扶物下蹲起立由零增加到200次，上下楼梯由16个阶梯增加到上下1~3层楼（88个台阶）连续30次，上肢举砖150次（左右手各有一块整砖）。肌电图短棘波多相均下降到20%以下。近期临床效果突出。

进行性肌营养不良症无特效疗法，是不治之症之一，西医只能诊断，不予治疗，而祖国医学对此病治疗是有一定效果的，杂志上有过报道，特别是中医的综合疗法，效果尚可。此例就是有力的说明。

治疝一得

陈文伯

笔者以时疫专药周氏回生丹治疗数例幼儿疝症而获奇效。

1965年2月，一早产幼儿患偏疝，求治于我。经询问其家长得知，此患儿经某儿童医院诊为小儿疝气，嘱其待年长后进行手术治疗方能根治。家长惟恐术后其子体质更加虚弱，执意不肯手术治疗，为此求助于中医治疗。依据患儿病情，每遇寒凉，哭闹后偏疝反复发作之特点，随即处方：橘核丸2袋，嘱其每次服10粒，姜糖（红糖）水送服，日服3次。数日后家长携同患儿再诊，诉说：服前药病情虽有好转，但阴囊肿大如故，并时有反复发作性疼痛，致使患儿号哭不休，病情未能控制。当即问我是否还有良法？思之良久，治痛诸法，皆以通为要，回忆在临床实践中曾用周氏回生丹治幼儿急腹痛，每获良效。当即处方，周氏回生丹两瓶。嘱其家长给患儿试服，每次5粒（研碎），兑入姜糖（红糖）水中送服，日服2～3次。次日患儿家长登门致谢，诉说：患儿服药后数分钟疼痛缓解，十几分钟后可到庭院玩耍，状若常人。1个月以后家长高兴地对我说：患儿每次发病服此药，均可在数分钟内止痛，而发病次数逐渐减少。半年后去医院检查疝气已愈，至今二十余岁，虽未手术，疝症已除。以后又用周氏回生丹治疗数例幼儿疝气，均有良效。

考周学希氏所制回生丹，其主药中五香（麝香、沉香、檀香、丁香、木香）多为入肝肾二经之药，可调滞气，散寒气，暖肾气，疏肝气，使气逆得顺，气通则疝痛除。一味冰片可助诸香之药，散气郁之邪，以达通窍止痛之效。大戟、千金霜二药相伍入肾与膀胱二经，逐水消肿，通调水道，利大小肠，可退阴囊水肿。茅慈菇、雄黄、文蛤三味相佐入心肝肾，可软囊肿之坚，散水气之结，使阴囊水肿，水气结痛，急速消失。神曲、甘草为使，调和诸药消食下气，健胃和中。单味朱砂为衣与诸药相合可达止痛，消肿，安心神之功。以上群药共奏舒肝理气，温经燥湿，软坚散结，逐水消肿，活血化瘀，行气止痛之效。

疝气本于肾而治于肝，其病位在任脉、肝脉二经，任主一身之阴，肝主疏泄条达，疝症虽有寒热虚实之分，但临症所见，均以寒凝气滞者居多，其治则总以“治气为先”“温经散寒，行气除湿”为主。周氏回生丹所含药物的主要成分、其作用机制与疝症之主要病因病机，可以说是“入扣”“合拍”。为此，周氏回生丹不仅是治疗时疫病之良药，也是治疗疝气之佳品。

小儿大便燥结病机

梁宗翰

临床多见小儿大便干燥如球状，坚硬，甚则落地有声，或见肛裂出血。从表面现象看，似食热燥食物所致，但用攻下药后，虽可暂下，而后愈干。经余多年临床观察，此大便如球状之干燥，非一时所得，多是脾胃损伤，津亏血少所致。

人体靠脾胃运化水谷，吸收精微，精微充足则化生为血，气血充足则身强力壮而无病。但小儿脾胃功能低下，再加乳食不知自节，喂养不当，或过食肥甘生冷、难以消化之物，均可伤害脾胃，致使脾胃运化失职，升降不调，则可形成积滞，滞热消耗脾胃之阴，阴虚则大肠津液亏虚，津液失润则大便干燥如球状。积滞日久，运化无权，对乳食精微，无从运化吸收，日久必造成血亏；所以津亏血少，不能润便，则干燥坚硬如球状。

在治疗时，不能一味的攻下，攻下则更伤津液，津液越虚，身体越弱，大便就越干燥。应用火麻仁、郁李仁、少量大黄等药，润下大便，使肠胃通畅，滞热去则不再伤津液，阴液逐渐恢复，则大便不燥；肠胃通顺，运化正常，脾胃功能逐渐恢复，能够吸收精微，化以为血，血足津充则大便自润，此为邪去正自变。而后再用助消化，滋养脾胃之法，以治其本。

（梁跃华　整理）

通便汤治疗小儿习惯性便秘

| 王鹏飞 |

便秘一证，总由胃肠传导失常，津液不足所致。因为饮食入胃，经过脾的运化、吸收，剩下糟粕再经大肠传导而排出。故大便是否正常传导，必赖津液濡润和阳气的推动。

小儿“脾常不足”，易为饮食所伤，往往实邪留滞大肠，津液不得输转而成湿浊，与燥屎搏结于肠道，造成腑气不通，气机失调，阴津不足，肝阳偏盛，尅伐脾土，使脾阳不足，津液缺少而成便秘。通常治疗便秘，苦寒泻下之品，多为必用之药。我认为小儿便秘，虽多内腑燥热，但便秘已成，脾气已伤，使用苦寒之品，最易损伤脾胃，尽量避免使用。而从根本上调理气机，兼顾津液，则可使小儿便秘逐渐缓解，趋向痊愈。所以，我采用钩藤10g，清热去烦，通经活络；伏龙肝10g，调中燥湿，与钩藤并伍，以温脾助运，使气机调和；甘草3g，补脾益气；茯苓10g，味淡渗湿，化橘红6g，调中快膈，燥湿化痰。如属实热便秘，则加青黛、瓜蒌；气积壅滞加丁香、藿香；脾胃虚弱加神曲、焦山楂；便秘日久不愈加麦冬、白茅根。上述诸药均无泄下通便之功，但有调理脾胃、舒肝快膈、调理脏腑功能，致使浊气下降，津液自生，便秘渐通。尤以小儿习惯性便秘，用之最为有效。

（王应麟　整理）

话说捏积

冯泉福

常见的积证一般可分为4种，即乳积、食积、痞积和疳积。

“乳贵有时，食贵有节”。饮食过量损伤脾胃造成乳食积滞是常见病因，但病后失调或过服寒凉的药物也可损伤脾胃功能，使乳食不得消化，也可造成食积。主要症状可见不思饮食，恶心呕吐，身热口渴，睡卧不安，便秘或腹泻，腹部疼痛，舌苔厚腻，指纹青紫。如果积滞日久，未得及时治疗，使脾胃亏损，气机不畅，食滞与痰湿气血相搏而成痞块，出现面黄肌瘦，头大颈细，头发干枯如穗，腹大青筋，腹内痞块，肚腹坚硬疼痛，时有低热，苔白，指纹青或淡。由于本病未得及时治疗，损伤元气，积滞日久，热伤真阴而成疳积。古人认为“积，为疳之母”，故有积久不治而成疳之说，又有治积不下，久而成疳者。总之，疳积是由于小儿脾胃虚极，气血损伤而形成的，表现为形体日渐消瘦，肚腹日渐膨大，面黄肌瘦，身热，困倦喜卧，乳食懒进，好吃泥土，有时呕吐，口干烦躁，胸膈痞闷，牙龈出血或溃烂，甚则穿腮落齿，大便黏臭或频频作泻，完谷不化，下身浮肿，舌苔薄白舌质淡，指纹淡。

对以上诸症的治疗，以捏积为主，用药治疗为辅。捏积方法：使患儿伏卧在床上，脱去上衣，露出整个背部，力求卧平卧正。术者应立于患者左侧背后，两手半握拳，两示指抵骶脊骨之上（督脉之处），两拇指垂直，自尾骨端的长强穴沿督脉向上捏拿至大椎穴，共捏6次，捏第4次时向上捏提1次，捏完后在两肾俞穴按摩2~3下即可。所谓捏拿，实际上是推、捏、拿3种手法的综合疗法。是在推的过程中进行捏拿。其中以推最为主要，在整个捏积过程中，推、捏、拿3种手法必须配合协调，用力要均匀连续，在临床上对于虚弱小儿和甚小的患儿，手法宜轻柔，捏拿时次数可多几次。

因督脉主一身之阳，各脏腑的经脉都与督脉相连，督脉不通则诸脉不通，又因督脉旁开1寸是各脏腑的俞穴，督脉属阳主气，任脉属阴主血，气行则血行，气滞则血瘀，气通则统血而行。因此，捏拿督脉是疏通督脉的阳气，使阳气通行，统血而行，使气血旺盛而脏腑功能得以调节，同时还刺激各脏腑的俞穴，使脏腑气血阴阳和脾胃肠的功能得到调节，也使积滞在胃肠内的积食活动而通过大肠排出体外，达到治疗积滞的目的。若患儿目盲、目涩，白膜遮睛，口角糜烂，鼻下红赤，口部有疳者推捏至风府穴。

为了配合捏积疗法，于捏拿的第4天清晨给患儿口服“消积粉”（生大黄、熟大黄、牵牛子、三棱、莪术、砂仁，共研细末）以助其效。其量根据病情而定。第5天捏后给患儿脐部外贴“阿魏化痞膏”1周。应提起注意的是，在治疗中忌食芸豆、醋、螃蟹，因芸豆性黏腻，食后易引起积滞，服药后食醋可引起呕吐，螃蟹性寒而敛不易消化。除此三者之外，其他难以消化的食品也应在禁食之列。

捏积疗法虽易掌握，操作简便，但应了解其适应范围。凡生后百天到16岁，或14岁以下没有来月经的女孩均可捏积。但有高热，惊厥和其他急性传染性疾病，以及患严重心脏病者不宜捏拿，此外，脊背皮肤有感染者也不宜使用。

（吴 栋 整理）

周慕新老师医话一则

| 滕宣光 |

已故名医周慕新老师，擅长儿科，医术精湛，生前所述医话中有治疗浸淫疮（湿疹）、瘔瘰（荨麻疹）经验方药一则。上病虽在皮肤，实因由内而发，故来儿科就诊之患儿颇多。因而将吾师周老数十年治疗本病的经验及验方整理如下。

课间之余，周老叙述，明代时期某医有一治疗浸淫疮之验方，经此验方治愈者不计其数，后传至一御医手中，御医后代无人为医，即将此方珍藏下来。周老得此方斟酌方药，颇堪应用，遂略增减，对浸淫疮、瘔瘰患儿用之，无不效验，且愈者甚多，遂形成一套固定方剂。方用蝉蜕、浮萍以散风热止肤痒；白鲜皮、苍耳子宣散风湿；凌霄花、荷叶凉血散瘀；诸痛痒疮皆属于心，故用栀子皮泻心清热；地肤子除皮肤风热消红肿。如若皮肤溃破，湿水浸淫，加入苍术、黄柏清热燥湿；色红赤为血热，用赤芍、牡丹皮散血凉血，皮色不变为湿重，加用白术、土茯苓以燥湿。

本方经余继用，亦有二十余年，疗效迅速，治愈者亦不在少数。除治疗浸淫疮、瘔瘰外，凡属血热感风或湿热感风，如肌衄（过敏性紫癜）等一切皮肤瘙痒症，用之均获显著疗效。

从一杯“苦茶”谈起

| 周志成 |

1936年中华基督教会总干事崔宪详之女3岁患麻疹并发肺炎，住协和医院，

因当时磺胺类药尚未正式问世，抗生素类药物亦未发明，经其家中保姆再三推荐，病房亦同意邀请先父周慕新去会诊。临证所见：患儿高热神昏，两目紧闭，鼻煽喘息，两胁下陷，痰声漉漉，饮食不进，大便四日未行，尿短赤。舌干无津色红，唇紫绀，身见紫黯色疹点，脉细数。诊为疹毒入肺，耗伤营阴，成马脾风及疹毒攻心之危证，治以清肺化痰，养阴息风，解毒醒神法。药用：大生地10g、寸麦冬10g、黑玄参10g、鲜石斛10g、苏子霜5g、葶苈子7g、桑白皮10g、炒栀子7g、生知母7g、酒黄芩7g、糖瓜蒌10g、炙紫菀10g、南白前7g、炒莱菔子7g，局方至宝丹1丸（分2次兑服）。上方服2剂后，高热退，神识清，喘大减，发便行，所泻浊粘腥臭不可耐，舌上有津，脉细滑。惟精神尚倦，入暮有轻度喘促痰鸣，可进流食。原方加减继服4剂而安（局方至宝丹每剂均兑服1丸）。

负责病房的外国医生说：“苦茶真能治好肺炎，你们国家的中医真了不起。”

生大黄在儿科临床的应用

邵慧中

生大黄为泻药中之峻烈者，气味俱厚，重浊下行，药性迅猛，走而不守，有将军之称，一般多用于内热聚结，郁热化火化燥之症，在儿科临床，则常用于肠胃积滞，湿热内聚，痰热壅盛，胃热上逆，或温热病之中期，为临床清热推降药之首选。如用微量（即1.5~3岁用0.5g，3岁以上用1g）能起清热健胃作用，以其量微轻降，常使胃气健旺，不致引起腹痛下泄，对于小儿纳多而大便不调，能食而不化，属胃强脾弱者，宜配以健脾之茯苓、白术、甘草或醒脾之白芷、苏梗，可达调理脾胃和协之目的。如用大黄之小量（即1.5~3岁用1g，3岁以上用2g）可起降逆止吐作用，每治小儿伤食吐逆、口臭、心烦、食入即吐，吐物酸臭，肚腹满胀者，选配导滞之焦山楂、焦槟榔、莱菔子、炒麦芽、炒谷芽等，可推降食积，使之下行而驱除。胃弱停食停饮，吐食吐水，进饮食后，过一二小时再吐者，此寒热参杂之症，用大黄配以生姜、法半夏之属，温中降逆，可止吐并使脾胃安和。又如急性细菌性痢疾初起，高热，呕吐，里急后重，便脓、血、黏液，精神昏倦，常用生大黄6g，配以清热化滞之焦山楂、槟榔、黄连，芳化之藿香、木香之属，效力迅猛，荡涤肠滞，推降湿热之邪，真有桴鼓之效应。痢疾迁延，仍以“痢无止法”为准则，用益气之药味以固正气，生大黄改大黄炭亦可化降肠滞。若用以治痰热中阻，上壅于肺，喘满，胸憋，咳痰、黄、黏、多、大便欠爽，舌苔黄厚而腻，脉象滑而有力，可用生大黄6~9克，配以莱菔子10~12g，前者推降，后者宽中化痰，两相协力，可使痰热下行。

地骨皮运用经验一得

|裴学义|

提到地骨皮，一般会自然联想到出自《小儿药证直诀》一书的“泻白散”。其功效是泻肺火清虚热。对肺热阴伤喘嗽功效最佳。其中地骨皮甘寒，入肺、肝、肾经，寒可清热，对有汗之骨蒸潮热有疗效。清代汪昂却有更深之论述，言地骨皮可解在表无定之邪。根据小儿阳常有余、阴常不足，一般外感发热多有伤阴趋向的特点，余自拟一方治疗小儿外感发热。其中主药采用地骨皮9g、薄荷4g，用意是一方面用地骨皮之甘寒，清热育阴；另一方面取薄荷之辛凉开泄，助邪外透而不伤阴。多年来治疗外感病儿屡获效验，且无留滞余邪之弊。

外科病循经治验

|陈淑长|

一女病人，四十余岁，右耳肿如小儿拳头，色红，有很多脓液渗出，烂乎乎的已经看不出耳朵的形状了。自诉：“右耳肿已有一个多月，打了不少消炎针，服了不少中药也不见效，夜间痛得不能入睡，很痛苦。”我翻看她曾服的药方，多是五味消毒饮加减之类。问她脾气如何，她高声告诉我稍不如意，即发脾气，并说口苦，有时头痛。经查：舌苔黄腻，脉弦滑，加之便干溲黄，综合全身及局部症状，显系肝胆经湿热证候，遂选用龙胆泻肝汤加清热解毒药如蒲公英、连翘之类，外用青黛散水调敷。7日后复诊，只见耳肿大消，已无分泌物。原方再服7剂，并改用二黄粉外敷，尽剂而痊愈。

本例是肝胆实火兼挟湿热所致，肝与胆相表里，胆经循经于耳周，肝胆之火上逆，则可有头痛、口苦、耳肿等症出现。龙胆泻肝汤为泻肝胆实火的代表方，方中以黄芩、栀子协助龙胆草清肝胆实火；木通、车前子利肝经湿热，当归、生地黄益阴和肝；甘草调中；柴胡疏肝。偌大疮疡，半月而瘥，实为妙用，难怪乃妇心悦。近见有人将龙胆泻肝汤专治下焦湿热，而不知亦可循经治上部疮疡，特记于此，供医者参考。

全蝎疗疮毒之效应

齐 强

全蝎，是虫类中药，辛平有毒，为熄风镇痉之药，同时有化瘀解毒、解毒医疮之功效，尾功尤捷。如治痔疮发痒，以全蝎烧烟熏之；还有治诸疮肿痛，用麻油煎之加黄蜡为膏，敷于患部，一般多外用。而少有人单独用全蝎治疗疮毒。

余得已故中医外科好友马氏所传，用全蝎在瓦上焙干，细研为末，每服3g，治疗各种疮疖肿毒，每收效应。尤其对西医所称的毛囊炎或多发性麦粒肿等病，疗效亦佳。一位年方20岁的男患，双眼反复生针眼（麦粒肿），久治不愈，经服全蝎粉，每服3g，每日2次，共治4天，服药24g，痊愈后未再复发。

滋阴除湿治伤口久不愈合一得

李 林

有一青年患者于1983年11月踢足球时，不慎右小腿被碰撞而感疼痛，次日局部红肿，时隔数日，患处肿痛加剧，某医院诊为软组织炎，与服抗生素等药。痛不减，肿渐增，另一医院诊为软组织损伤，继发感染，随即切开排脓，注射抗生素。连续治疗2个月余，切口不愈合，形成溃疡，经常渗水，时而瘙痒。患者体健，有“皮炎”史，吃鸭肉周身曾起过大量红斑、丘疹。检查患处，见右胫内下1/3处有10cm×12cm皮损，中心切口处疮面色白，呈凹陷状且表面有糜烂、渗出。周围暗红，附有痂皮。躯干皮肤完好，但双手指、颈部和口周可见散在的红斑、丘疹、水疱、结痂相兼的皮损。根据其过去史及指、颈等处的皮损可诊为湿疹。原切口久不愈合与湿疹有关。舌红，苔黄，脉滑数。诸症合参，辨证为湿邪蕴羁，日久伤阴。拟滋阴除湿法治之，处方：生地黄30g、玄参15g、麦冬12g、当归10g、茯苓12g、生薏苡仁10g、泽泻10g、地肤子15g、白鲜皮15g、生甘草10g，水煎服，每日1剂。外用生地榆、马齿苋各30g，水煎凉冷湿敷，日2~3次。1984年2月28日复诊：疮面糜烂已消除，凹陷处略变浅，渗水减少，余症同前。效不更方，治疗同前。连续治疗1个月，溃疡口愈合，其他处皮损全部消失而痊愈。

在诊治伤口久不愈合时，吸取前医之鉴，既观局部，又察全身，采取辨病与辨证相结合的方法，权衡标本，认为病以湿疹为本，溃疡为标。湿疹多因内湿外发所致，由于失于清利，使湿邪蕴羁；因湿邪缠绵而致久不愈合形成溃疡。渗水旷日持久，伤及阴液，遂成湿邪蕴羁，日久伤阴之证，故投内服药以图其本。其中生地黄、玄参、麦冬、当归滋阴养血和营，补阴血之不足，防渗利诸药再伤阴；茯苓、生薏苡仁、泽泻健脾利湿；地肤子、白鲜皮祛湿止痒，祛湿邪之有余，制滋补诸品之腻滞。俾湿去而无伤阴之弊，阴复而无助湿之嫌，滋阴与除湿并行不悖。外敷药可使局部收湿敛干。内外配合，标本兼固，故施治1个月痊愈。

流火根治一得

朱仁康

发在下肢的丹毒，中医称做流火，火流于下之意，在丹毒病中，是最常见的一种。本病初发后，如不彻底治疗，很容易再发，并转为慢性，一旦劳累等，极易急性发作。开始一年发一二次，后二三个月发一次，到后来发作越来越频繁，甚至一个月发病多次，又称屡发性丹毒，或复发性丹毒。

发作时突然怕冷发热，下肢、足大片红肿灼热，胀痛难忍，虽可用青霉素或中药控制一时，但以后仍不时发作，给患者带来很大痛苦。经治疗后，患者的红热痛暂时可消，但微肿始终不退，屡次发作，日久可肿大如冬瓜，又名“冬瓜腿”，也称“象皮肿”。预后不良，更难根治。

我治此病，采取标本兼治的方法。所谓治标，即急则治标，当患者急性发作时，大致可分为湿热、火毒两型：湿热型患者，出现红肿，或见水疱流水，舌红苔黄而腻，治以利湿清热解毒，方用龙胆泻肝汤，加牡丹皮、赤芍等。火毒型患者，但见红肿灼热，舌红苔黄燥，大便秘结等，治宜解毒清热大剂，方用黄连解毒汤加金银花、连翘、牡丹皮、赤芍、大青叶。便秘加大黄或番泻叶，能使热退红消，病情缓解，但仍留有腿肿不消。此时应治本，可单用苍术一味，一次用1000g，水煎3次，取其药汁，汇在一起，经文火熬成稠厚浓液如流膏，另加蜂蜜250g，调匀后装瓶备用。一次取一二匙，水冲服。每日早晚两次，约服半月为1个疗程。以后照上方熬膏，继续服用2～3个疗程，以资巩固。服后大部分可逐渐减少发作，直至完全不发，取得根治的效果。病情较轻者，亦可服二妙丸，每次服9g，日服2次，也可得到同样的疗效。下举几个病例，以证实之。一例为安姓妇女，小腿部流火，频繁发作已3年，直至2个月内发作3次，来诊时急性期已过，即嘱其服苍术膏，持续服3个月而获根治，1年后追

访观察未复发。另一例为中年男性，反复发作流火已 10 年之久，来诊时正值急性发作，经治疗后红消，亦嘱服二妙丸，一年半后追踪，未见复发。余按此法治愈该病者，不胜枚举。

脱疽毒热期贵在清热解毒

| 石晶华 |

脱疽的毒热期症见足趾发凉，颜色潮红，青紫，伤口恶臭，筋骨外露，剧痛难忍，屈膝抱足，不能平卧，小腿肌肉萎缩。此病虽有寒瘀，但瘀久可化热，热盛伤阴，如用温热药如桂枝、附子、麻黄、肉桂、蜈蚣等，会助燥化热伤阴，使病情骤变，或导致截肢。此期也不能用破血化瘀药物，如红花、桃仁、三棱、莪术等，因其性属辛燥、辛温，亦能以辛散化热伤阴，同时，使用破血化瘀药，不但不能改善局部症状，还会加速毒素吸收，致使伤口扩大，造成恶果。余多年实践的体会，认为在脱疽的毒热期，切忌施用辛温药物。

在脱疽的毒热期，应以清热解毒，滋阴通络为主，以折其热使痛自止，滋阴扶正而达治疗目的。

药用：金银花、蒲公英、野菊花、黄芩、玄参、石斛、天花粉、当归、赤芍、白术、鸡血藤、生甘草，用量依据病情有所侧重。

在临床上又可根据患者的情况而加减药物，一般都能够控制病情的发展，保住患肢。足趾坏死时，应在坏死趾骨与正常骨质分界明显时，才能行趾骨钳除术。如分界不清则禁用。在足趾红肿期，一定待毒热得到控制，红肿消退后，才可以分离坏死的趾骨，否则会加重病情。

漫话胆石症证治的“动静结合”

| 李世忠 |

我所说的“动”和“静”有两种含意：一是指治疗方法的动和静；二是指用药的药性作用的动和静。凡是采用中药通里攻下排石疗法者属于动的治法；凡是应用溶石，防止结石继续增长的保守疗法，以及缓急止痛等对症治疗者都属于静的治法。治疗胆石症的通里攻下药、利胆排石药、活血化瘀药、疏肝行气药等均属“动”药；而益气补血药，养阴柔肝药、健脾和胃药、清热解毒药和解痉止痛药则属于“静”药。

目前药物治疗胆石症有效的方法，主要是采用排石疗法，使胆石排出，症状消失而治愈。排石疗法在结石移动，病人症状急性发作时，抓住时机，因势利导，排石率高，效果好；在无症状的静止期效果差，排石率低。因此，对静止期的患者，要采用脂肪餐和“动”的中药促使胆石移动，症状发作，由静变动，然后采取“总攻排石疗法”，这样能提高排石率。胆为六腑之一，六腑以通为用，胆是“中清之腑”，转输胆汁，以通降下行为顺，郁积不行则为病，因此在胆石的防与治上均宜使用以动为主的治法和用药，尤其我国的胆石特点是肝胆管结石多，胆色素泥沙状结石多，残余结石和复发结石多，更适合以动为主的治法。

有一次我到某院会诊，曾治一胆总管结石的患者，一年来上腹部绞痛反复发作，有时伴有发热、黄疸。“B”型超声波检查提示胆总管有2块结石，大的约1.0cm×1.3cm，小的0.8cm×1.0cm，因患者不愿手术，每次发作时采用中西药解痉止痛、抗菌消炎及输液等对症处理而暂时缓解。曾在胆石静止无症状期住院，采用中药排石疗法多次未见效，曾有一次服中药后引起上腹部绞痛发作，患者要求用解痉止痛药，结果痛减，但未见到排石。这次因食油腻饮食后急性发作。当时上腹部持续疼痛，阵发性加剧，拒按，发热，体温38℃，目黄，口干渴不欲饮，大便秘结，尿黄少，脉弦数，舌苔黄腻。此时正是胆石移动，阻塞胆道，正邪抗争，邪盛而正未虚，治宜采用通里攻下，利胆排石法，因势利导，动上加动，结石易于排出。根据辨证，属于肝胆湿热蕴结，胃肠实热，治以清热化湿，通里攻下，利胆排石。方药以三黄排石汤加减：黄芩15g、生大黄15g（后下）、栀子15g、茵陈30g、金钱草50g、金银花15g、郁金15g、木香10g、厚朴12g、芒硝10g（冲），急煎2剂，每4小时服半剂，并嘱服中药后腹痛加重时，暂不用解痉止痛药，要病人忍耐几个小时，严密观察病情变化，必要时再给止痛剂。该病人服上方中药一剂半后，腹痛阵发性加剧持续一个多小时后突然明显减轻并很快消失。第2天在大便中找到2块胆石，与超声波检查相符。病人很快恢复健康出院。另一位病人也是胆总管结石，症状急性发作已半个月，曾连续采用“总攻排石疗法”1周多，但未见胆石排出。上腹疼痛时轻时重，始终没有消失，发热、黄疸未退，患者神疲乏力，恶心欲吐，不思饮食，大便每天四五次，稀水样，色淡黄、尿黄量少，脉细数，舌苔黄腻而燥。证属湿热蕴结肝胆，脾气虚弱，胃失和降，邪实正虚。我当时对该院的大夫说，这位病人现在不宜用排石疗法了，也不要用通里攻下之药，否则，不但不能达到排除结石的目的，而且病人的正气更虚，病情定会加重。治宜扶正祛邪，调理脾胃，清热化湿，利胆退黄。等以后病人正气恢复，症状消退，体力增强时，再采用中药、针灸等结合在一起的“总攻排石”疗法。我的处方是：党参、白

术、茯苓、陈皮、竹茹、茵陈、金钱草、黄芩、龙胆草、栀子、白芍、甘草。以后按辨证加减。患者经上方加减调治半个月后，症状消退，再经半个月后，采用上述的“总攻排石”疗法，排出结石1块。

上举第1例仅用动的排石疗法就见效。第2例则以动静结合才收效。此例病人在掌握应用以动为主，动静结合方面稍有欠缺。就是开始用“总攻排石”疗法连续时间太长，中间没有暂停几天改用调理对症治疗的静的治法，以致攻下太过而伤正。我应用“总攻排石”时，一般连用3天，改为辨证用药或扶正调理3或4天，然后再用“总攻排石”。如此动－静－动相结合，不致伤正，有利于排石。

对于不适宜排石的病人，或年老体弱或采用溶石防石或与胆石“和平共处”者，应采用静的治法，而用药则宜以动为主，动静结合，但动药不宜用攻下排石的药而应辨证施治。用疏肝理气、利胆利湿、活血化瘀之类的动药，其处方用药一般仍以动药为多。例如有位王某患者，男，60岁，1958年开始经常右上腹部疼痛，有时需注射度冷丁方能缓解。1963年作胆囊造影检查，证明有胆囊结石1块，直径约2.5cm，中央透亮，周围呈致密圆形钙化阴影。因患者不愿手术，我采用静的治法，使胆石由动转为静，减少或防止疼痛发作，不用通里攻下药和排石疗法，而用缓急止痛，疏肝利胆、活血化瘀、软坚散结，动静结合之治则和药物。使用过的药物有：四川大金钱草、郁金、姜黄、柴胡、延胡索、三棱、莪术、牡蛎、鳖甲、鸡内金、赤芍、白芍、牡丹皮、青皮、陈皮、木香、香附、茵陈、玉米须等，辨证施治用药，并加服我院自制的利胆丸，或按汤剂制成丸，长期服用。自1963年5月开始治疗，1964年拍片检查，结石钙化阴影变小变淡，1965年起没有明显疼痛发作。1967年以后症状完全消失，结石阴影已看不清了，1977年及1984年随访结果良好。此例病人的处方用药，始终未曾用过攻下排石药，但仍以其他动药为主，动静结合的配方用药。

总之，凡适于排石的病人，应采用“动”的治疗方针，用动的治法宜动中有静，动静结合；凡不适合于排石者，应采用静的治疗方针，用静的治法，但宜静中有动，动静结合。

怎样选择胆石症之最佳治疗方案

李世忠

治疗胆石症，西医历来以手术为主，而中医则以辨证论治为主，两者各有所长，各有所短，各有其适应证，有的需要手术，有的则可不必；有的手术效果好，有的中医中药效果好，有的中西医结合手术与中药或针灸结合效果更好。究竟选择哪种治疗方法最好，要根据具体病情而定，如结石的部位、大小、多少、年龄及体质、工作等等情况来考虑。

哪些胆石病人适合中医中药，针灸及“总攻”排石疗法呢？有下列几种。

1. 无严重并发症的总胆管、总肝管、肝胆管结石。

2. 泥沙状胆色素类结石、广泛的肝胆管结石手术难以取净者。

3. 手术后残余结石和复发结石。

4. 胆囊结石直径在 0.5cm 以内，数目在 10 个以内者，或者较大单个透光性胆固醇结石者。

5. 年老体弱或心、肝、肾有较重病变无手术条件者。

6. 急慢性胆道感染有无胆石存在不能确诊者，宜先用中药为主的非手术治疗。

7. 胆石症症状轻微或无症状的老年患者。

哪些病人应该手术治疗呢？凡有下列之一者需紧急手术。

1. 胆石症并发中毒性休克者。

2. 伴有急性梗阻性化脓性胆管炎经非手术治疗 6～12 小时无效者。

3. 并发胆囊坏死、积脓、穿孔者。

若有下列情况之一者，宜在适当时机采用手术治疗。

1. 胆石梗阻，多次排石疗法无效或病情加重者。

2. 胆石过大，估计不能排出者。

3. 经多次总攻排石疗法无排石者。

4. 经非手术疗法虽能暂时缓解症状，但仍反复发作者。

总之，怎样选择治疗胆石症的最佳方案是一个较复杂的问题，不仅医者要有丰富临床经验，而且对患者的病情、生活，工作等情况要全面了解和分析，权衡利弊，同时还要考虑医院的各方面条件，全面综合分析，不要片面孤立地考虑。

活血化瘀法在泌尿外科的应用

李曰庆

应用活血药物，以祛瘀生新，消肿散结，使血脉流通，称为活血化瘀法。目前，广大中西医务人员应用活血化瘀法治疗多种疾病，尤其是在心血管（包括周围血管）疾病、肿瘤、急腹症以及自身免疫性疾病等方面取得了可喜的成

果，这是众所周知的。

笔者在从事泌尿外科工作中，对某些常见的比较棘手的疾病，在中医辨证施治的基础上，加用活血化瘀方法，取得了比较满意的疗效，兹结合病例，介绍如下，管窥之见，仅做引玉之砖，望同道在临床中试用。

前列腺增生症

荣某，78岁，退休工人，三四年来自觉排尿时费力，尿线变细，并伴有尿频，夜尿4~5次。1周前因受凉尿排不出，小腹胀满，去某医院急诊，诊断为前列腺增生伴尿潴留，予留置导尿管，同时结合吡哌酸，己烯雌酚内服。3天后尿管脱出，仍不能自行排尿，再次留置导尿管。患者愿服中药，由家属陪同前来就诊。患者精神萎靡，面色无华，不发热，舌质暗，苔薄黄，脉弦微数。尿道留置导尿管，尿道口有少许脓性分泌物。肛诊：前列腺Ⅲ度增生，质地稍硬，表面光滑，中间沟消失，轻度压痛，诊断为癃闭。证属年老气虚，气化不利，气血瘀阻尿道发为溺闭。治宜益气滋肾，利尿通闭，活血化瘀之法，拟滋肾通关丸加减。处方如下：黄芪20g、肉苁蓉15g、土茯苓30g、蜣螂9g、土鳖虫9g，莪术15g、瞿麦15g、车前子15g（包）、知母9g、黄柏10g、肉桂6g、生甘草6g，每日1剂，水煎服。

服药3天，拔除尿管，能自行排尿，但淋漓不畅，尿道内灼痛，大便干燥，上方加生大黄9g。用药1周后复诊，排尿通畅，尿痛亦减轻，患者甚喜。效不更方，再予上方7剂，以善其后，随访1年无复发。

本病属于中医的“癃闭”范畴。中医认为，年过半百，阴气自半，肾气多虚，气化失常，气滞血瘀，而致尿闭不通。所以余治疗是证，在益气补肾，通利小便的基础上，一般加用活血化瘀药物（如上方中之蜣螂、土鳖虫、莪术等），多能提高疗效。

慢性前列腺炎

孟某，40岁，工人。一年来经常小腹胀痛，伴肛门内钝痛，会阴部不适，排尿时尿道内灼热，并有排尿不净之感，腰骶部痠痛，疲乏无力。于1979年12月18日初诊，患者一般情况尚好，舌淡苔薄白，脉滑微数。肛诊前列腺稍大，表面光滑，轻度压痛，中央沟存在。尿常规化验磷脂小体中度减少，白细胞每视野20~30个，诊断为慢性前列腺炎。给以清热利湿，利尿通淋，活血化瘀之剂内服。处方：鱼腥草15g、萹蓄12g、土茯苓20g、川萆薢15g、牡丹皮10g、蒲黄9g、五灵脂9g、莪术15g、川楝子10g、川续断12g、牛膝10g、木通9g、车前草15g，每日1剂，水煎服，服药一个半月，症状消失。

慢性前列腺炎，属于中医的“白浊”“劳淋”“肾虚腰痛”等范畴。其特点是发病缓慢、病程较长，缠绵难愈。中医认为，病久多瘀，而祛瘀必佐以行气。所以据笔者经验，在辨证论治的基础上，加用活血祛瘀，行气止痛之药物，以改善局部血液循环，促使炎症吸收，其效益彰。

上尿路结石症

万某，43岁，干部。右侧腰腹部阵发性绞痛2天，曾应用解痉止痛药物，疼痛可稍缓解，患者呈痛苦面容，右腹的输尿管中段点压痛，右腰部有叩击痛，舌质暗，苔薄白，脉弦。尿常规检查，红细胞每视野8～12个，白细胞每视野0～1个，pH值呈酸性。肾图显示右侧呈排泄延缓图形，腹平片显示右侧输尿管下段有一约0.8cm×0.7cm大小的致密阴影。中医诊为石淋，给予利尿排石，行气活血之剂。处方：金钱草30g、海金沙15g、石韦15g、冬葵子15g、海浮石10g、泽泻15g、菟丝子12g、三棱15g、莪术15g、郁金12g、川楝子10g、鸡内金9g，每日1剂，水煎服。并嘱多饮开水，适当活动，服药1周后排出尿石1枚，大小约与腹平片显示之阴影相符。次日又排出小米粒大小结石2粒，复查腹平片，结石阴影消失。

尿结石症属于中医的“石淋”“砂淋”“血淋”“腰痛”“腹痛”等范畴。它的形成与肾气虚弱，膀胱气化不利，湿热内生，气血瘀滞等因素有关。其中以肾虚为本，湿热、气血交阻为标。所以治疗上尿路结石（一般直径小于1cm）时，宜应用利尿排石药物，增加尿量的同时，酌加补肾益气、活血止痛之剂（如三棱、莪术、郁金、川楝子、乌药等），以增强输尿管的蠕动，可以提高排石率。

谈谈“玉茎结疽”的治疗

| 王玉章 |

最近几年，我在临床工作中，经常遇到这样的男性患者，他们的病变主要是在阴茎海绵体上出现一个或数个硬结，可有轻度疼痛不适感，严重者在阴茎勃起时可出现阴茎弯曲，疼痛加重。多数患者还有腰痛腰酸、排尿不畅、失眠、阳痿或早泄等症状。这种病现代医学称它为“阴茎海绵体硬结症”。真正的病因尚未明确，我遵循中医的理论，本着局部和整体相结合的方法，对此病进行了分析。根据结节较硬，疼痛不甚，皮色不变，皮温不高，从不破溃等特点，本病为阴证，属于“疽”的范畴。患者腰部酸痛，少腹胀痛，排尿不畅，畏寒

便溏，阳痿早泄，舌体胖大，边有齿痕，或舌质暗红，有瘀点瘀斑，脉多沉迟、沉弦、沉细等症状，证属脾肾两虚，寒湿凝滞，阻遏经络所致。因此，在治疗上我采用了温肾散寒、健脾化湿、活血通络的方法，并依此法组成丹参散结汤，药有丹参、玄参各12g，白芥子、当归、山药、丝瓜络、橘核、生地黄、熟地黄、莪术各10g，上肉桂6g，鸡血藤20g，金银花30g。对年事已高，排尿不畅，或虽年轻却腰酸痛明显，并伴有阳痿早泄者，可加续断、桑寄生、山茱萸、狗脊、淫羊藿等；若少腹胀满，尿意不尽者加乌药、木通、琥珀；若便溏畏寒，舌胖大，边有齿痕者加白术、茯苓；阴茎硬结疼痛明显者加延胡索、川楝子；体质较好而硬结长久不消，舌暗红，有瘀斑瘀点者加三棱、夏枯草、桃仁、红花、水红花子。因本病为慢性疾患，疗程较长，故应汤剂与丸药交替使用，达到不中断治疗的目的。丸药的选用为：肾虚明显者用金匮肾气丸、六味地黄丸；瘀血明显，体质较好者可用大黄䗪虫丸、活血消炎丸，寒象明显者用阳和丸、回阳通络丸。除内治外，还应用外治法配合治疗。其寒象明显者外用阳和解凝膏；血瘀明显者外用紫色消肿膏；硬结渐大，日久不消者可外用黑布药膏或消化膏。并根据发病部位，命名为“玉茎结疽”。

几年来，我先后治疗了90例患者，年龄最大者74岁，最小的19岁，其中大多数在40~59岁之间，经过4个月的治疗，效果显著，仅供同道们参考。

臁疮治验一则

陈淑长

曾治一年逾花甲之患者，左臁骨内下部位患有一个2cm×2cm的溃疡，据称已有10年病史，反复发作，近两年来虽经多方治疗，创面不但未愈，反而渐大。检查见创面色淡，无肉芽，状如镜面般光剥，边周微肿。予内服八珍益母丸，嘱其尽可能将患肢平放。

次日病人拿药来门诊找我，问是否开错了药，他这个老头子为什么还吃八珍益母丸，言词中面见愠色，我给他做了解释，老人家高兴地走了。此药连续服了1个月，创面可见鲜红肉芽，共服药约100丸后，创面愈合。老先生很感动，特偕夫人来院面谢。

我认为臁疮生于下肢，初起宜清下焦湿热，但日久创面不愈，色淡无肉芽光似镜面者，显系气血虚所致，宜双补气血，八珍益母丸治气虚以四君子，治血虚以四物，气血互根，相互为用，则气血充沛，再加益母草活血化瘀，清热消肿，使气血充盈，血脉流通，创面组织再生有源，故肉芽渐鲜而收功。

近有人治疗此类疾患，仍用清利下焦湿热之法，使气血凝滞，焉能收功？亦有人喜用十全大补丸或人参养荣丸之属，殊不知此类药物系大补热剂，易使热毒再生，不利创面愈合，非阳虚有寒证候不宜轻用。臁疮多系络脉瘀阻失畅，影响气血运行，复因湿热下注，气滞血凝而致病，益母草微寒，有解毒、消肿、活血，化瘀之功效，其作用力又很和缓，很适宜年高体弱患者应用，今特记于此，备将八珍益母丸误为妇人专用药之医者共识。

垫棉法小议

张金茹

一谈起外治法，人们首先考虑的是外用药物及手术，而垫棉法却很少受到重视。实际上垫棉法不但方法简便，而且在对一些疮疡的特殊治疗上，其疗效是药物或手术所不能及的。所谓方法简便，就是用棉花或纱布衬垫在疮面部，通过棉花或纱布衬垫的压力，促使疮面的新生肉芽与空腔的皮肤粘连而达到加速愈合的目的。可用于脓腔面积大而疮浅，且溃破之疮口相对较小的疮疡；袋脓的疮口；疮面胬肉突出久不愈合者；以及与抽脓相配合，治疗未溃之脓肿。

患者1，杨某，男性，54 岁。患有头疽 26 天，来诊时患处已自溃十余天，视颈后、双侧风池穴下端各一疮口，两疮口之间相距 3cm 左右，其底部确相通，间隔处皮下厚约 1cm，疮面脓已净，肉芽新鲜。此时若将间隔切开，使疮面完全暴露，则势必出血多，且易伤耗气血，故采用垫棉法，将疮口分别填充化腐生肌之纱条，再用多个棉球衬垫于两疮口之间，覆盖纱布以胶布绷紧。经 12 天后空腔闭合，两疮口完全隔开，继用此法又过 10 天即痊愈。此例说明运用垫棉法，不仅缩短了疗程，而且也减轻了患者的痛苦。

患者2，赵某，女性，24 岁。产后 45 天，患乳痈已 28 天，几天前右乳外上侧已在他院切开，来诊时疮口面积约 2cm×1cm，疮口下侧皮肤暗红，面积约 4cm×5cm，局部肿痛，按之可自疮口处流溢脓汁，此时正因脓腔位置在疮口之下，形成了袋脓，故以多个棉球，衬垫于脓腔处，衬垫时自下而上，同时在疮口上放置提脓之药捻，再一并覆盖纱布，以胶布绷紧，隔日换药 1 次。1 周后脓腔部位皮肤暗红变浅，再 1 周后皮色转正常，空腔闭合，疮面渐浅，再改用生肌纱条填充，数次后痊愈。

患者3，李某，女性，25 岁。颈部患瘰疬 1 年余，来诊时左侧颈部瘰疬自溃两月余，视疮面无脓，胬肉突出皮肤，用镊子触之，虽见出血，但无疼痛。曾多次剪掉胬肉，先后用高渗盐水纱条或乌梅粉外敷，均无明显效果。后采用

垫棉法，即先将乌梅粉撒布在胬肉上，再以棉球衬垫于药粉之上，覆盖纱布，以胶布用力绷紧，隔日换药1次，4次后疮面明显缩小，胬肉消其大半，再数日后痊愈。

患者4，杨某，27岁。产后35天，患乳痈已二十余天，来诊时，右乳外侧乳晕部红肿疼痛，按之应指，已形成乳晕脓肿，理当切开排脓，但因此处乳管分布较密，若施切开，常会导致疮口遗漏乳汁而不易愈合，甚易形成瘘管，故采用抽脓与垫棉法相结合的方法，首先将脓液抽出，使脓肿形成一空腔，再以多个棉球衬垫，覆盖纱布，以胶布绷紧。隔日来诊脓肿渐消。治尊前法，3次后乳晕部已无脓，再以棉球衬垫，3日后痊愈。

通过以上4例不难看出，垫棉法临床使用简单易行，疗效显著。此法之优势更在于应用范围较广，尤其在与内治法相结合的基础上，常可使较大疮疡疗程缩短，减轻患者痛苦，也常可与其他疗法（如抽脓、掺药等）相配合，而免除患者手术之苦，因此垫棉法在临床上也最容易被患者所接受。

临床琐谈

王玉祥

痔瘘是一种常见病、多发病，发病率占成人70%左右。

远在两千多年前的周秦时代，即有“周秦王有病召医，破痈溃痤者得车一乘，舐（音尸，取也）痔者得车五乘”的记载。在明代运用药物配合手术治疗痔瘘即很盛行，并有专门的手术器械，至今仍有不少医家沿用。多少年来，医学在不断发展、改进，但中医痔瘘的传统疗法，如枯痔、结扎、挂线等法仍沿用不衰，这是因为传统方法有其优点，中医治疗痔瘘的独特优点是疗效确，痛苦轻，失血少，无后遗症发生等。因此，搏得广大患者的欢迎，在国际上亦有一定声誉。

随着科学的进步和发展，传统的中医治疗方法也有了新的发展，例如复杂性肛瘘挂线法，我们配合部分切开，这样既保护肛门功能不受损害，又减轻了疼痛。痔疮的结扎疗法，根据不同病种、病型和部位，我们采用环形、“8字”、剥离、分期等法，不但杜绝了后遗症的发生，而且避免了脱线之苦。运用中药明矾制成枯痔注射液，不但施术简便，无痛苦，而且显效也快。较重脱肛（直肠脱垂），采用内服补中益气药物或中药低矾液注射法，既治法简便，疗效明显，又免剖腹手术之忧。肛裂较轻的用药物治疗，较重的药物配合挂线术或造口扩创术等，远期疗效也比较好。

不足之处是什么呢？提出来和同道商榷，个人在临床中体会，痔疮的治疗，大多解决“标”，很少解决“本”。因痔的病理变化是筋脉横解（痔静脉曲张）形成，我们无论用结扎法或枯痔法，仅是解决目见病灶，而埋藏在肛管直肠周围较深层病变的曲张静脉，不易完全去除或使它恢复正常。所以痔疮治愈后，有一定的复发率，因此必须嘱咐患者术后注意长期预防，才能保持较好的效果。怎样才能达到所有曲张的静脉恢复正常而不复发，这是个研究课题。在肛瘘的治疗中，我们采用的放射切开方法，虽然达到治愈目的，但往往遗留一沟状瘢痕。如系较深而肌层较厚的复杂肛瘘，术后则遗留沟痕较大，个别患者在一定时间内有肛门闭锁不严之弊。如免此弊，能否运用中药，以药捻方式，蚀去管腔，再用生肌之法，使其愈合。肛瘘问题，内口处理是关键，可考虑用一强有力清热解毒药物制成水或膏剂，肛内与管腔内灌注，抑制肛内感染，促使内口真正闭合，达到治愈目的。此设想我们正在研究中。脱肛（直肠脱垂），我们采用内服中药与点状结扎或低矾液注射法，虽可达到目见病灶消失（排便时不脱出），但乙状结肠和降结肠的松弛下垂（内脱），仍继续存在。对我们来说，这也是需解决的一个课题。肛裂我们采用的疗法，远期效果较好。曾统计 500 例此项手术，2 年后复查了 173 例，仅 1 例复发。

以上所谈，不是经验，而是我们的不足，是我们在几十年临床工作中还没有圆满解决的课题。望同道传经送宝，赐教满意之法，以弥补我们这一不足。

诊余偶记 |何汝翰|

对于皮外科患者的恢复期治疗，我认为调理脾胃十分重要。按李东垣说：“内伤脾胃，百病由生”“元气之充足，皆由脾胃之气无所伤，而后能滋养元气。若胃气本弱，饮食自倍，则脾胃之气既伤，而元气亦不能充，而诸病之所由生也”。我在临证中，即以脾胃学说为指导，在治法上注重调理脾胃，培土固本，对症治疗。白疕症，现代医学称为“银屑病”，又名“牛皮癣”，是常见的一种慢性炎症性红斑鳞屑性皮肤病，常反复发作，不易根治。几年前，我曾治一女病人刘某，患白疕 1 年，曾经过中医治疗，内服清热解毒凉血剂四十余剂后，症状减轻，但全身症状加重，转诊于我。患者自述心悸气短，自汗，神疲乏力。望其面色不华，唇淡，舌质淡，脉沉细无力，属气血两虚。按：白疕初期阶段，毒热壅盛，可服清热苦寒之品，但已服苦寒之药四十余剂，胃气已伤，心气不足，心失濡养，气虚不固，阳不卫外则自汗，汗乃心之液，汗多阳气亦

耗，以致气阴两损。损者益之，虚者补之，拟以益气健脾养血，佐以安神。方用：生黄芪15g，党参、当归、白芍、玄参、天花粉、夜交藤各12g，焦白术、熟地黄、远志各10g，陈皮、炙甘草各6g，配合外搽止痒药水。用党参，黄芪，白术以补虚益气，建中固表；熟地黄以补血滋阴；当归、白芍以养血敛阴；夜交藤、远志以养心安神止痒；玄参、天花粉滋阴生津止渴；陈皮、炙甘草理气健脾，和胃调中。共服五十余剂而获痊愈。

从治瘔瘤"散风"谈起

|张作舟|

罹患瘔瘤者众，其症状与西医荨麻疹类似，因其瘙痒无度，走窜无常的特点，与风性相合，故中医辨证常责之风邪所致。法以散风清热或疏风散寒。临床常见有些患者病势急骤，烦痒不可终日，以此法治之立见显效。沿习成法，医者多以瘔瘤惟风法可解。余早年临诊遇此类患者亦每用驱风之法，十发九中，然亦有屡治屡验屡发者，细细辨之，方悟同患瘔瘤，其症状各有不同之处，有病程久远，缠绵不愈者，有并见脘腹胀满、纳食呆滞者，有肢体倦怠、少气懒言者，证型之多，不胜枚举，始觉中医整体观念，揆度奇恒之精妙。盖瘔瘤，出没无常，瘙痒无度，虽属风邪为患，然随人体正气与先天禀赋等条件不同，致病亦大相径庭，以中医辨证方法识之，瘔瘤因风湿相搏，黏滞缠绵者，可治以驱风胜湿；表里不和，营卫失调，卫外不固者，可治以调和营卫；脾虚气弱，卫气不固者，更为常见，可治以健脾益气，固表扶正之法。总之，瘔瘤证候各一，治法有别，除以上几种外，尚有温阳固卫、养血熄风、凉血疏风、表里双解等法。盖患瘔瘤，病势缠绵者，风邪束表为标，正气不固为本。故治沉疴顽症应从"证"着眼，辨证施治，此为中医理论精髓之所在，取得疗效之根本，非一方一法所能及者。

瘔瘤诊治一得

|王 沛|

余于1964年8月，诊一39岁男性患者王某，北京籍建筑工人，身患顽疾瘔瘤已有34年病史。患者于5岁时初发瘔瘤，经常就诊于中西医较大医院，然均不见显效，长年处于痛苦之中，仅于1952～1957年间暂愈5年，随后症情有

增无减，瘖瘤天天发作，如遇他疾则病势显著加剧。发作之时，疹出急骤，发无定处，发于胸腹四肢，则隆起高突；发于两眼则睑帘封闭，视物不便；发于口唇则唇肿舌胖，翻出于口外；发于鼻则呼吸不畅；发于耳内则耳道堵塞；发于头皮则皮肤宣浮而按之有坑；发于肠胃则腹痛难耐。先后服方几百剂，西药无法计数。发作伴大便干时，口服 40g 硫酸镁及数粒麻仁滋脾丸亦无济于事。疹出成片，瘙痒无度，夜晚为甚，发无定时、无定处，疹色黄白相兼，疹形或为环状，或为地图之状，常伴大便干，小便黄，汗出，口不渴，喜冷饮。余诊之际，按脉浮数，舌苔薄白，脉证相参，为中焦脾胃失司，清气不升，浊气不降，表虚不耐风寒，遇风冷则引动蕴湿，浮起于肌表而发为瘖瘤。视其症情，法当调和营卫以固表，升提胃气以健中州，宗桂枝汤合清震汤施治。方药：桂枝 6g、赤芍 6g、生甘草 6g、生姜 3 片、大枣 3 枚、浮萍 9g、鲜薄荷 15g、苍术 9g，3 剂，水煎服。患者按常法煎药，两煎并 1 剂，自行顿服。服后当天瘖瘤消退，患者大喜，次日又按其法，续进 1 剂，出其所料，仅此轻微之剂量，2 剂而获痊愈，当即来院转告。数年后患者再次来院告之，瘖瘤未见再次发作，感谢至极，余闻后亦甚欣慰。

瘖瘤一证，相当于现代医学之荨麻疹，临床有急性，慢性之分，急者易愈，慢者难痊。其因有风，或有寒，或为湿，或为热，或因血虚，或内蕴热，往往合邪而发病，疹形多姿，证型各异。治之可用祛风清热利湿，荡涤里热，养血化瘀，调和营卫等法，根据病情施治，都可获满意之疗效。

小儿湿疹应注意消导

李秀敏

小儿湿疹是儿童常见多发的皮肤病之一，引起本病的原因很复杂。中医认为有内外因之分，内外因中以内因为主，内因中又以内湿为首，而内湿多由脾失健运引起。脾胃失运的关键是所谓膏粱厚味，煎炸油腻，或炙煿鱼腥，恣纵口腹而发。

有一宋姓 4 岁男孩，白嫩肥胖，喜食鱼肉，于面部和双小腿常起丘疹、水疱，瘙痒难耐，抓破流水，结痂脱屑，口中食臭味重，舌红苔黄腻，大便成球，四五日一行。诊为湿热型急性湿疹。治以清热利湿法，兼以消导。用龙胆泻肝汤加减：龙胆草 6g、栀子 10g、黄芩 12g、柴胡 6g、木通 10g、车前子 10g、黄柏 10g、苍术 6g、酒大黄 10g、焦四仙各 10g，炒莱菔子 10g，5 剂而愈。

当前人们生活水平日益提高，小儿又多独生子女，百般娇惯，喂养过好，

过饱，只顾高营养，不管能否消化、吸收。不少小儿只食鱼肉蛋奶，不肯吃素菜杂粮，这就使稚阳之体更助热势。久之则大便干结或溏泻，其味腥臭，小便短赤，胃不喜纳，口舌生疮，呃逆有食气，皆为食积于内，消导不利，脾胃不和，脾为湿固而不能化湿，久之湿邪化热，蕴于肌肤所致。症见皮损丘疹、水疱累累，浸淫流水，湿疹蔓延。故在治疗湿疹中在散风、利湿、清热、凉血、解毒、润燥等大法的基础上，凡见消化阻滞之证，皆适当加入消导之剂，如炒莱菔子、焦四仙、鸡内金等，以清肠胃，消积滞，除脾湿，待消化转佳，脾气得以健运之后，风、湿、热则易于消除。血得以清，毒得以解，燥得以润，湿疹则可以告愈，屡见效验。

马齿苋解毒汤治疗带状疱疹

李　林

带状疱疹在祖国医学中称为“甑带疮”“蜘蛛疮”“蛇串疮”“缠腰火丹”等，俗称“缠腰龙”。其辨证论治多宗《医宗金鉴·外科心法要诀》：“干者色红赤，形如云片，上起风粟，作痒发热。此属肝心二经风火，治宜龙胆泻肝汤；湿者色黄白，水疱大小不等，作烂流水，较干者多疼，此属脾肺二经湿热，治宜除湿胃苓汤”。本病初起局部皮肤出现不规则红斑，继而出现群集的丘疱疹，迅速变为水疱，伴有不同程度疼痛。好发于一侧胸胁腰肋，亦可见于颜面、腹部和单侧上下肢。我们在临床上，主要根据皮损表现，参合传统辨证，认为本病系由湿热内蕴，感受毒邪，湿热毒邪搏结，壅滞肌肤所致。因此，以清热解毒祛湿为治疗大法，拟以马齿苋解毒汤治之。

马齿苋解毒汤由马齿苋15g、大青叶15g、紫草15g、败酱草15g、黄连10g、酸枣仁10g、煅龙牡或磁石各30g（先煎）组成。所用马齿苋、大青叶、败酱草，黄连均为清热解毒药，其中马齿苋为主药。《本草正义》谓：“马齿苋最善解痈肿热毒”，其性味酸寒，寒能清热解毒，酸能收敛祛湿，故根据红斑、丘疹及丘疱疹、水疱等皮损的轻重多少，调整用量，收效较好。紫草是取其清热凉血之功；煅龙骨、煅牡蛎或磁石、酸枣仁则取其重镇安神，以收止痛之效。临证时，若皮损焮红，有几片红丘疹、丘疱疹集簇者，加牡丹皮、生地黄；皮损深红，有大量丘疱疹或数群成串水疱堆累者，马齿苋为20g，酌加金银花、连翘、泽泻；疱溃破且糜烂者，马齿苋为30g，酌加龙胆草、木通、蒲公英、紫花地丁。若剧痛者，去酸枣仁，加延胡索，不效加罂粟壳；剧痛不止或后遗疼痛者，可单服全蝎粉，每次2～3g，日1～2次。若体质较强者，可适当增加用量。

体质较弱、年幼及老年患者，用量酌减，年老者亦可加白术、党参、黄芪诸药。

临床上以马齿苋解毒汤为基础方，依据临床变化进行辨证加减，既便于掌握，又不失辨证论治基本原则，故疗效满意。我们曾治疗观察100例带状疱疹患者，治愈86例，其4～7天治愈53例，8～14天治愈者33例，平均治愈时间为7.88天。显效10例，有效4例。特此介绍，仅供同道参考。

发为血之余

李博鉴

余学友之弟，年方弱冠，体尚丰硕。每日研习学业，精心苦读，自恃强悍，常通宵达旦，晷无寸闲。近半年来，其白发日渐增多，情绪索然。遍求诸医，杂服汤丸，白发未减，反增失眠多梦，心烦易怒诸疾。其自阅医书，知“发为血之余”“肾其华在发”，遂自购七宝美髯丹、首乌延寿片、金匮肾气丸等药。服后未见寸功，白发反增多，彻夜难寐，自此神思大伤，忧虑寡欢，强酒以自宽，聊遣愁绪。及至来诊，其头发已花白大半，余视前医之方，皆补血益肾，壮阳固精之品。观其舌，质绛苔黄，诊其脉，弦数有力。知非血虚失养，又非肾气不足之证。余遂告之以病由：“青年之人，血气方刚，阳热偏盛者居多，复因心绪烦忧，血热内炽，而发失所养，故逐渐变白。此时应以清热凉血为治，汝屡进补肾益血之品，更加酒酪助热，犹如火上浇油，血热更甚，是故白发未除，又添失眠多梦。”患者闻后，疑信各半，遂展示其所抄录隋代《诸病源候论·白发候》一段；“肾主骨髓，其华在发。若血气盛，则肾气强，肾气强，则骨髓充满，故发润而黑。若血气虚，则肾气弱，则骨髓枯竭，故发变白也。”余笑而答曰：“巢氏所言甚是。肾虚则气血不足，发失所养，可以变白。而血热内蕴，发亦失所养，故能变白，今屡进温补，又借酒消愁，血热益甚，有若南辕北辙，故病不愈也”。其豁然开朗，顿启茅塞，邀余为其书方。余用凉血清热、祛风益肾之法，药用：牡丹皮60g、生地黄120g、侧柏叶60g、女贞子60g、黑芝麻90g、紫草60g、旱莲草60g､桑叶30g、蚕沙30g，共研细末，炼蜜为丸，每丸重10g，每日早晚各服1丸。除服药丸外，嘱其戒除烟酒，力避烦恼，襟怀舒畅。服完一料后，患者白发已减少近半。遂信心倍增，愿继服药。余据其舌脉及兼证，于前方加入桑椹60g、何首乌90g。共服4月有余，前后两易其方，已乌发如初，失眠多梦，亦已痊愈，余与患者，皆大欢喜。

追溯此案，白发一病，甚为常见。先天白发为先天不足，禀赋素弱，治当培补先天，滋养精血；老年白发，为肾气已虚，气血失荣，治宜滋阴补肾；青

年人白发，多由血气方刚，阳热偏盛，则血热内蕴者恒多，治宜清热凉血法为先着。“发为血之余”“肾其华在发”，均为先贤经验总结，然其间又有虚实之异，寒热之差，临诊之际，应仔细审别。

漫话葡萄疫

|李博鉴|

邻居赵某之子，年方7岁，身体素健。1周前因食鱼虾，次日晨起双下肢出现成批紫红斑点，压之不退。到某医院求治，诊为“过敏性紫癜”。经服西药3日不效，出血斑点日渐增多。遂携其子来家中，邀余诊治。患儿精神尚佳，但时觉头痛身热，口干咽痛。查其体，双胫前有成批紫红斑点，少数波及胫后，小者如针尖、粟米，孤立散在，微隆出皮面；大者形似指甲、钱币，境界鲜明，压之不退。其间有少许赤豆大小水疱及血疱。自觉轻度瘙痒。观其舌，质绛苔黄；诊其脉，弦数有力。为慎重起见，余沉思良久，并查考医书，及至《外科正宗》，载有“葡萄疫”一病，示与赵某。赵某虽非医生，但颇晓医理，遂读曰：“葡萄疫，其患多生小儿，感受四时不正之气，郁于皮肤不散，结成大小青紫斑点，色若葡萄，发在遍体头面。”及至此时，拍案而起，喜形于色，并问及中医治疗，余答曰：“过敏性紫癜，近乎中医的葡萄疫。多因病者禀赋不耐，食入鱼腥海味，腥发动风之品，则血热内蕴，壅于肌肤，迫血妄行，溢于肌外，以致血不循经，结成青紫斑点。亦有血热内蕴，外受时毒而发病者。凡起病较急，肤生紫红斑点，压之不退，伴身热烦渴，舌红脉数者，应属血热壅盛，外溢成斑。治宜清热凉血，通络化斑法”。余为之处方，药用：生地黄15g、牡丹皮10g、赤芍10g、白茅根15g、紫草10g、川牛膝10g、水牛角粉6g（冲）、丝瓜络6g、槐花6g，水煎服。赵某父子，欣然离去，服药5日后，查其双下肢紫红斑点已退，留有少许橘黄色斑片。观其舌质淡红，黄苔尽去，诊其脉平和，遂告之曰：“本病虽基本痊愈，但仍不可掉以轻心，尤其鱼腥海味，腥发动风之品，不可再服，否则旧疾复作。”赵某应允，亦嘱其子，又问：“本病是否均属血热为患？久病能否致虚？”余答：“本病亦可因禀赋素弱，或饮食不调，食伤脾胃，或病久反复，以致中气不足，脾失统摄之能，血不归经，外溢成斑。其皮损多是紫黯平塌，伴面色萎黄，食少纳呆，短气乏力，舌质色淡，脉象细弱。此属气虚不摄，脾失统血之能。治宜补脾益气，引血归经之法，可用归脾汤化裁治疗。”

小儿汤剂服法一得

张作舟

汤液法据传由伊尹所创，自秦汉至今已历千百年，现仍为中医临床遣方用药的主要治疗方法之一。“汤，热水也”（《说文解字》），汤药以取效确切、迅速见长。丸散成药虽用之方便，但一经制成各种剂型，其见效较慢，且非一人一法一方，药性难以丝丝入扣，故其效不如汤剂。

小儿患皮肤病者甚多，对胎峻（婴儿湿疹）、痦癗（荨麻疹）之类急证，施以汤剂多能应手，然而小儿混沌未开，难解人意，服药时每每拒不下咽，兼之小儿胃肠娇嫩，若服常人煎量，恐有过犹不及之虞。余临诊时常嘱患儿父母以浓煎汤剂之法，即先取开水浸泡草药约半小时，使之药性发挥，再如常法煎2～3煎，合并过滤去渣，取药之清液，以文火浓煎至3～5茶匙，徐徐喂与患儿，如此可使患儿易于接受，但又不失于中医传统辨证施治之大法，两全其美，其乐融融。

谈谈跟骨骨刺的治疗

马在山

跟骨骨刺是临床常见病，多发于40岁以上体态肥胖，肝肾虚亏者。女性多于男性，职业以售货员、纺织女工、理发员等长时间站立工作、行走或扁平足者为多，大都无明确的外伤史，也有偶然足跟踩着小石块或用力猛顿足跟着地而发生。此病患者初走时疼痛，活动后疼痛减轻，长时间行走时则疼痛更甚，严重影响工作和学习，而且不易痊愈。

此病在中医理论上属骨痹范畴，俗称足跟痛，X线照片观察，其跟骨基底部或粗隆部有不同程度的骨质增生。

我们根据中医辨证论治的观点，以外治法为主，内治法为辅，治疗跟骨骨刺数百例取得了较好的疗效。为了临床观察和治疗的方便，我们根据骨刺生长的部位的不同将跟骨骨刺分为6种类型：①基底部棱型；②基底部斜前型；③基底部斜下型；④粗隆型；⑤粗隆及基底部斜前型；⑥粗隆及基底部斜下型。跟骨骨刺引起的疼痛与骨刺的大小不成正比。但与骨刺的部位和生长的方向关系密切，所以我们根据临床表现及发病部位做了上述分型，便于辨证论治。

治疗中的外治法包括：①按摩法：主要在患肢小腿腓肠肌至跟骨基底部施以抚摩、揉捏、推按、点压、叩击诸法。常用穴位有三阴交、金门、中封、太冲、大钟、照海、昆仑、申脉等，以达到行气活血，通经止痛的效果。②锤击法：是用木锤由轻到重叩击痛点，以击破局部滑囊，此法适用于基底部斜前型。③熏洗法：药用透骨草、海桐皮、乳香、桑寄生、苦参、草河车、泽兰、紫花地丁、伸筋草、三棱、莪术、生川乌、生草乌、急性子、苍耳子，共研粗末，加水煮开熏洗患处。④药物敷贴法：药用苍耳子、急性子、木瓜、透骨草、白鲜皮、穿山甲、苦参等，共研细面，用老陈醋、凡士林调成糊状备用，待熏洗后敷贴于痛处。⑤温灸法：用自制温灸筒，内放艾绒及药物：荷梗、干姜、菖蒲、雄黄、生五灵脂、夜明砂、白芷、青盐、木通、乳香、没药、葱须、急性子，共研细面，每用少许与艾绒混合放入温灸筒内点燃，温灸痛点。⑥放血贴姜法：患处局部消毒后用三棱针刺入骨刺疼痛点，挤出少许血液，然后用鲜姜覆盖用胶布固定。

内治法①对年迈体弱，肝肾虚亏者，宜滋补肝肾、温补气血、强筋壮骨。服Ⅱ号骨刺丸：骨碎补、鸡血藤、女贞子、旱莲草、肉苁蓉、淫羊藿、川乌、狗脊、金樱子、补骨脂、蛇床子、莱菔子、丹参，共研细面，制水丸服用。②对外感风、寒、湿邪，经络痹阻者，宜驱风散寒，通经活络。服Ⅰ号骨刺丸：木瓜、急性子、威灵仙、透骨草、山药、骨碎补、香附、桑寄生、茄子根、川续断、钩藤、苍耳子、鹿角镑、神曲、淫羊藿、柴胡，研末，制水丸服用。③对足跟部有外伤史，气血瘀滞，疼痛较重者，宜活血化瘀，消肿止痛。服Ⅲ号骨刺丸：急性子、秦艽、川芎、威灵仙、木瓜、陈皮、苍耳子、白芍、红花、甘草，制水丸服用。

跟骨骨刺引起疼痛，中医认为肝主筋，肾主骨，中年以后肝肾虚亏，筋骨失去濡养，易受外邪侵袭，在劳损、外伤或体位、用力不当时，即可诱发而导致此病。用上述内外兼治的综合治疗可取得较好疗效。配方中急性子是一味主药，它的活血化瘀，消肿止痛作用甚为明显。在外用药中，老陈醋起软化筋骨、消炎止痛的作用。我们所用的内外治法的方药，对治疗其他部位的骨质增生也有疗效。当然这些方法仍需进一步完善和提高，以便更有效地解除患者的病痛。

认证确切方能收效

| 江正玉 |

一老年患者，腰有宿疾。自述在弯腰拣物时咳嗽一声，即刻疼痛不能转侧，

侧卧于床，强迫体位，痛苦面容，汗出不止，稍有移动则疼痛如折，咳嗽时疼痛尤甚。查腰部（在强迫侧卧位下），腰脊无明显畸形，压痛不重。余诊为气滞性腰痛。

治予针刺人中、养老、后溪三穴，5 分钟后，患者能在侧卧下变换体位，下肢的伸屈活动自如；10 分钟后，在扶持下可坐起；15 分钟后行针，患者能站立并在室内行走；30 分钟后拔针，患者能自己扶腰部作轻度的前俯、后仰和侧方活动。后又给坐凳推拿：患者坐一方凳，一人扶按两下肢，医者立于患者后，轻扶双肩左右旋转；再两前臂提腋下向后上方牵引，最后医者右手拉患者左肘于胸前，左手推左肩令其腰部旋转，用同法右侧旋转。患者感到腰部更显轻松。

针后推拿，能使一个瘫卧于床的患者直立行走，除其病痛，家人感到震惊、病者感到神奇。奇者不奇也，三穴有通窍理气之功，通则不痛；三穴均可重刺，也有以痛止痛之效。坐凳牵引推拿，能解因痛而引起的腰肌痉挛，调理三焦之气。

针刺、推拿后，配用宽胸理气、活血止痛的复元通气散内服（木香 10g、小茴香 6g、青皮 10g、陈皮 6g、穿山甲 10g、白芷 10g、乌药 10g、地龙 10g，甘草 10g），3 日后复诊，腰部活动自如而痊愈。

相继在门诊用此法治愈上百例患者，余认为此种治疗是解决气滞性腰痛之良法，如若您诊断无误，不妨临床上一用。

大将逐瘀汤之妙用 | 江正玉 |

大将者将军也，其性刚直不阿，率兵长驱直入，直捣敌窠。大将逐瘀汤，顾名思义，其药性峻烈荡涤，直达病所。此方为河南平乐郭氏祖传秘方，临床使用百年而不衰，使用得当，一剂则可除病，倘若用之不当，恐要大伤病者元气，故此不要误投其方药。

大将逐瘀汤由川军（大黄）20g，槟榔 20g、生姜 10g 组成，主治腰部努伤。

作者临床二十余载，多次遇到此病。曾一日，有一壮年工人来院就诊，两人扶持入室，令其坐，病者自觉坐下困难，腰部觉有硬物支撑，酸痛不可忍。问其伤因，病者自述：和一同事抬一重物，在用力直腰抬起时，腰部突然感到有酸胀麻感，随即放下，腰部发热，有束带感。同事令其活动而不能，1 小时后，自觉腰部如有支柱，行动艰难，随即到医院就诊。

检查：腰部显平直，腰肌紧张，活动极度受限，按压腰部无明显压痛点，

自觉腰部有胀满感。X线拍片示，腰椎无骨质改变，只显示腰椎前凸，生理曲度变直。此证系肩部负重，力所不达，致腰部软组织损伤（呈撕裂性出血），血离经脉，停积于筋肉之间，因此自觉腰部胀痛如柱支撑，伤于深部而压痛不明显，病为“腰部努伤”。予大将逐瘀汤1付，川大黄味苦性寒，为峻下药，有逐瘀生新之功，荡涤肠胃之污浊；槟榔为苦寒破气之品，行腑中之滞气，以上两味苦寒峻烈，易伤脾胃，故用生姜以护胃；再另加入肉桂6g，制其寒，用其下。

本方只能服1剂，第1煎服后，若大便次数增多，甚或带脓血，腹部隐痛，说明药已达病所，不要再服2煎；若头煎服后12小时无大便，或次数不多（1~2次），可继服第2煎，服后多有脓血便，随后觉腰部松软，大便次数多者可显腰部酸软，遂到医院复诊，给补肾壮阳汤3剂而愈（补肾壮阳汤：当归12g、川续断10g、杜仲10g、小茴香6g、补骨脂10g、青盐6g、骨碎补10g、木香6g、枳壳10g、焦三仙30g）。或给红糖姜汤饮用也可。

本方认证要准确，若确诊为本病而有合并症，或体弱，或女性，也要慎用或禁用。

经穴按摩治疗呃逆症

庞承泽

呃逆症亦称膈肌痉挛，多因受凉或食滞，饮食急促，精神因素以及行腹腔手术后等导致膈肌间歇性收缩的症状，其表现为不自主的单声或连声的、有力或微弱无力的呃逆。

中医经穴按摩用宽胸和胃、降逆调气之法可收到满意的效果。

1. 泻涌泉穴　用两拇指指腹按揉两足心涌泉穴约2分钟，向足趾方向用力是为泻法。涌泉穴属肾经，主降一切。

2. 补内关穴　用两拇指掐两内关穴约2分钟，可理胸胁之气

3. 按膻中穴　有镇定安神之效。

4. 点中脘穴　有通调胃气、和胃舒气之功。

5. 揉膈俞穴　两拇指按揉两膈俞穴约2分钟，亦可在此穴处捏起皮肤，边捏边令病人咳嗽，连续捏提3~5次，有舒气解痉作用。

6. 推肋壁　用两手分推两侧胁部20次。

据临床实践，以上方法可按照顺序操作，亦可做其中的某几种方法均可收效。

骨折夹板固定压垫是关键

李祖谟

先师在治疗骨折时，非常重视压垫的使用，因为只有掌握了压垫的使用原则、放置的部位、形状等特点，方能使骨折端达到相对的稳定。初学者以及尚未掌握使用小夹板固定治疗骨折及压垫放置原则的医生，对夹板固定治疗骨折持有怀疑态度。为了使已闭合复位的骨折不再移动，必用夹板寸带或绷带扎捆，岂不知，这样做不但骨折端得不到稳定，而且将会导致肢体严重的肿痛，甚至坏死，而造成残废，这在临床上并不少见。

我认为闭合复位整复骨折时，主要是力点要准确，因势利导，使骨折在巧力（符合生物力学的力）下达到解剖或近解剖复位。要保持骨折端的位置，则必须保持此力点有持续性的压力，这就是使用压垫的原理之一。同时也是许多人不理解小夹板为什么不用绑扎太紧就能治疗骨折的重要环节。

小夹板所以能固定骨折，其原理是夹板有固定力，通过寸带或绷带的束缚力而得到压力，此压力的面积越大，局部受力越小，力越分散，因此达不到固定骨折的目的。假如夹板把受到寸带的束缚力传导到压力比较集中的压垫上，则压力集中，受力点面积相对的变小，而骨折端所受得压力却相对变大，故骨折端获得相对稳定。先师告诫我“怎样整复的力点，就应怎样固定”，这就是压垫使用的基本原理。

压垫是用小夹板固定治疗骨折的关键，所以根据临床治疗的需要，力点的不同，肢体所需的位置，肢体的外形变化，骨骼的高隆及下陷，夹板塑形的不足等等，都要用各种不同形状，不同作用的压垫来完成，此乃夹板固定治疗骨折的关键所在。

睡　　功

庞承泽

睡功就是在床上的导引气功内养法。古人创造的睡功有多式，以晋代葛洪（字稚川，号抱朴子）的睡功法为佳。葛洪曾对他的弟子说：“吾有一术可以治病，可以延年，侧、屈、俯、仰，吾日行之，迄无疾病。”我国著名中医按摩专家曹锡珍老师在此基础上又增加了一个“垫”法，多年运用此五种睡功，收益

非浅。

“侧”就是右侧卧睡功，后人又称为“鹿眠”，因为这一卧式，是仿鹿的睡卧势，非常舒展安适的，故而又称为“睡神仙觉”。其姿势要领是右侧卧位，屈右肘，其手心向上放置于脸前，左手放在左髋部，右下肢自然伸直，左膝屈曲放在右腿前方。

“屈”就是仰面正身平卧，将两膝、髋曲屈，使股部靠近腹部，并用两手合抱双膝而卧，缓吸缓呼，自由量力而行，自由停止。

“俯”就是俯伏于床，摇头晃足运气呼吸的睡功，古人谓之“龟息”，是向万年长寿的龟学习内养法。其姿势要领是俯伏而卧，用两手或一手置于腹部，用鼻深缓吸气，贯满周身，再深缓呼出浊气。初学“龟息”，每呼吸一次，松力休息少时，再呼吸吐纳，均须自由量力而行。

“仰”就是仰卧在床的睡功，张臂伸足，像一条龙形，故而称为“卧龙睡功”。其姿势要领是仰面正身仰卧位，将两臂向上伸张少时，用两手掌由胸部向腹部推摩或左右伸张，两下肢伸直，松劲内息，缓吸缓呼。

“垫”就是仰卧伸足，用两手臂或两手握拳，自己在背部从上向下，用拳垫在背部各腧穴上。三五呼吸向下挪移一拳，至腰部时用两拳垫腰窝，十呼吸后再向下移至尾骨而止。此法可调动五脏六腑的功能，有助于消化，大便通畅。

以上 5 种睡功，每天睡前各练 1 遍，最后以侧卧式入睡，可保证睡眠的质量。神经衰弱、不寐症患者经常练习睡功是极其有益的。

升阳药物亦可升阴

高健生

目为先天之精所成，后天之精所养。肝肾之精气充盛，则目精彩光明。因此对内障眼病，如青盲、目昏、视瞻昏渺、视瞻有色等，每多从肝肾论治。肾肝同源，俱在下焦，补益肝肾之剂，又多属味厚质重滋腻之品，每于食前空腹或临卧服之，其药力直达下焦，补养肝肾之功益甚。但目窍精微，其位至高，脉道幽深，经络细微，补益之精气难于升运上达濡养目窍，如果在治疗中，对此点不予重视，虽施补益，疗效往往不显。

李东垣创脾胃论，以补气升阳独树一帜，为后世所重视，临床只要用之得当，可取立竿见影之效。如补气而不升阳，其清阳之气不能上升，虽施补益，其效亦微。在升阳药中起升提作用的除柴胡、升麻以外，其他如防风、羌活、蔓荆子等皆可应用，以达到祛风升阳之目的，有的甚至只取其升阳作用。

推而论之，在眼科范围内使用滋补肝肾剂时，如何选择升阳引经，使主降属阴的滋补药与主升属阳的升阳药合用，以达到滋补药力能够上行养目的目的，是临床眼科医师必须探讨和研究的问题。临证中，我体会运用“升阳药物亦可升阴”理论，指导临床辨证，治疗肝肾精亏型的内障眼病效果比较好。临床选用柴胡、防风两味药，其理论根据为：第一，局方明目地黄丸中用防风配熟地黄、生地黄、石斛、牛膝，以引肝肾之阴精升运；第二，《兰室秘藏》中李东垣制益阴肾气丸，方中用柴胡配六味地黄丸、五味子、当归，升发肝肾之阴精上承于目。除此两味外，羌活亦可选用。如杨仁斋《直指方》中所制明眼生熟地丸，即在局方明目地黄丸的基础上加用了羌活、菊花，其中羌活可入肝肾二经，与防风相配，加强了升运肝肾中之阴精，上濡头目的作用。

从补气升阳进一步到益精升阴的深入探讨，可以了解到祛风药对眼科临床应用来说，它不仅具有祛风之功，即祛风止痛止痒、消风肿之卓效，而且有升阳之作用。是补气剂中所不可缺少的，另外还有尚未被人们所重视的升阴之功，它们将在补益肝肾剂的配伍中发挥应有的和更好的作用，在眼科历代名方中，以内服方而论，祛风药使用之多，是首屈一指的。其中防风、羌活尤为首选，这与它们所具有的三种功能是分不开的。

翳沉而牢者，治在焮发

高健生

火疳一病，生于白睛巩膜之上，局部隆起呈结节，色红如小赤豆，形圆或带横长，以病程缠绵，反复发作为特征，多见于中年妇女，患者常为疼痛羞明所苦，一般以清肝泻肺、苦寒药剂治之。每有不效者，皆由火疳病因，不独以火邪炽盛而发病，亦有因寒邪凝滞化火所生者，单纯用苦寒凉抑之剂往往有寒凝益甚，郁火难散之弊，乃医者所戒。

此种病例，属寒热夹杂之候，专用苦寒凉抑之剂，有失之于偏，温散寒凝之方有助郁火，可能使病症表现加剧，亦非所宜。在清肝肺剂中，最好加用辛温发散之品。辛温发散药中，以选用麻黄为宜，一般人惧麻黄之辛温发汗，而不敢轻用，其实麻黄在麻黄汤中得桂枝相配，合方使用方为发汗之峻剂，用之必见太阳病表实无汗证，而在此处用之，取其发越阳气，达卫分而散寒邪，有阳和汤用麻黄之意，此其一；麻黄味辛能散，使郁闭之火邪有外达之机转，如《眼科奇书》中大发散用麻黄之意，此其二；在寒凉中稍加入辛温之品，以除凉遏之弊，有反佐之功，此其三；火疳病程沉长，病情反复，其翳属沉而牢者，

非麻黄之辛温不能焮发，此其四也。

抄《眼科奇书》一得

高齐民

记得在学生时代曾抄过一本《眼科奇书》，卷首序云：“清光绪十二年孙奉铭抄于重庆天府庙李氏老叟处”。觉得此书出处神奇，效必不凡。当抄到“凡外障不论如何红肿，总是陈寒外束所致，用发散药，寒去则火自退”时更觉所论新奇，它对证候的归属，完全与眼科著作相反，一般均把红肿痛热归属于阳证热证，治法不外散风清热、散风活血、清热解毒等。如《医宗金鉴·杂病心法》眼目总括中说：“外障无寒一句了，五轮变赤火因生”。外障属热属火，所以都用菊花通圣散加减施治。然《眼科奇书》认为外障属寒，清热必然误治，轻则“红肿虽暂去，必生翳膜，进而发为头风灌目及蟹睛”等，重则“服凉必穿，服补必死”。

20 世纪60 年代初，我在汨罗试点，房后邻居女性四十余岁，右眼完全失明十多年，一日工余间谈说起她患病及治疗经过，果如《眼科奇书》所预见，她初病外感发热，继则右眼红肿涩痛，十余日不消，求医于诊所，医生讲是风火，服寒凉数剂，红肿退云翳生，气轮渐渐溃烂，医又以为肝肾两虚而用药补之，终成蟹睛而失明。言毕求我诊治，见其求方心切，只好据《眼科奇书》所论，予以四味大发散加全蝎，嘱其服 6 ~ 10 剂，药后患者欣然相告，“失明多年的病眼，又能分出白天和黑夜，灰黑色的角膜溃斑变成灰绿色”，可惜，因她家庭人口众多，经济困难，稍辨黑白而中止用药。

在多年的临床实践中，凡遇外感发热后，眼睛红肿疼热的外障眼病，我都用四味大发散或八味大发散加减，均收到药到病除的效果。

1985 年 6 月中旬，患者吕某某，男，12 岁，两周前患外感发热，热退后右眼红肿，外侧为重，气轮上红筋满布，涩痛流泪，确诊为“单疱性病毒性角膜炎”，曾服四环素 1 周不效，又服激素控制仍不见效，滤泡有溃破之势，诊其脉缓，苔薄，余无所苦，据《眼科奇书》诊为陈寒外束，当用辛温发散，寒去则火自内消。方用四味大发散加桑白皮：麻黄 5g、细辛 1g、藁本 8g、蔓荆子 8g、生姜 5g、桑白皮 10g，6 剂，水煎服，日 1 剂。6 月 23 日再诊：其父代诉说，服上药 4 剂后，右眼红肿已基本消失，为防其寒邪再来，原方又进 6 剂，红筋退净，滤泡消散，一切症状消失，停药观察。患者家属再三称赞真是奇方。

笔者认为，作为一名中医大夫，诊余除攻读四大经典及精研与本科有关的医学著作外，还要博览群书，涉猎各科方证，由博而返约，才能达到高深境界。对那些立言奇特的方证，不能熟视无睹，要探究其理，并验之临床，用之得当，每每能出奇制胜，又能开拓新的法门。

漫谈谨守病机

陈素芳

我是西医眼科的老学生，又是西学中的小学生，本不该滥竽充数，为总结教训，将老学生在中医治疗中的西医观点及小学生在选择药物方面的知识贫乏所造成的教训写出来，以说明谨守病机的重要性。

1984 年 3 月初，有一女病人雷某，44 岁。因 2 个月来右眼视物不清，于多所医院诊治，诊为右眼底血管炎、动脉硬化、静脉阻塞等，治疗无效来我院求治。

半年来头痛如锥刺达巅顶，时传向额角，右侧重，口干咽燥，少气懒言，心烦不寐。烦渴饮热茶，颜面及四肢浮肿，善惊恐，多恶梦，尿清数，大便干。舌淡胖嫩有齿痕，苔微黄。

右眼视力：远 0.07，近 0.1 以下，眼底有水肿渗出、出血等等。中医辨证：视瞻有色，证为脾肾阳虚，气滞血瘀，湿浊中阻。治以温补脾肾，行气化湿，活血通络。选用四君子合五苓散加减，重在健脾利湿以治其标。药用：党参、生黄芪、泽兰、泽泻、茯苓、白术、桂枝、桃仁、红花、地龙、炒大黄、酒黄芩、柴胡、枳壳，7 剂，配合使用复方丹参注射液肌肉注射。药后视力进步已达 0.2，脸面及四肢浮肿减退，尿多，大便仍干。大黄加量，连续四诊后渐好转。五诊视力达 0.6，症减，日便 2 次。故去大黄、桃仁、红花。查血压 22.7/13.3kPa（170/100mmHg），方中加石决明，另以野菊花代茶饮，冀以降压。七诊时视力反而减退为 0.4，腹胀，胃不适，夜尿 2 次，舌稍黯，苔中黑滑。为脾肾阳虚之本证显现，故停用石决明、野菊花，改真武汤加味，药用：炮附子、茯苓、白芍、白术、生姜、生黄芪、泽兰、桃仁、红花、厚朴、党参、夜交藤、柴胡、酒黄芩、生甘草，3 剂。药后明显好转，视力恢复至 0.7，眼底水肿减退，出血现象吸收。后加枸杞子补肾益精，花蕊石止血化瘀而不伤正，守方不变，最后视力为 1.0，日后未复发。

患者素日劳倦伤脾，脾失健运而面色萎黄，湿阻于内故脸面及肢体浮肿。“诸湿肿满，皆属于脾”，脾肾乃先后天之本。审证求因，患者平日脾阳虚弱，久病及肾，肾阳不足。因气化不利故出现湿邪内困之象。气为血帅，阳气虚弱，

无以运血，致使气血瘀阻。《内经》曰：“谨守病机，各司其属。”虽病重而症繁，但以中医辨证而析之，紧紧抓住脾肾阳虚之本治之，兼以活血化瘀，使其全身阴阳调和，则症消病愈。但在病之初期已用黄芩、大黄，以后又一度加石决明、野菊花，故而出现腹胀，胃脘不适，夜尿多，视力减退，舌淡暗，舌苔中黑滑的阴寒之象。查根源是从西医观点考虑其降压作用，忽略了石决明咸寒，野菊花甘苦寒，只适用于肝阳偏亢的高血压。虚寒之体加寒凉之药，重伐脾胃阳气，故病不解而生他变，后改用真武汤加味，温阳化气利水，温补脾肾，补火回阳，散寒逐湿，活血化瘀而病愈。

此例说明辨证论治的重要性。眼病的诊治必须时刻谨守病机，审证求因，治病求本，否则病机转化而适得其反。

谈谈蚯蚓水治“红眼病”

齐 强

1975 年夏秋之季，故里有“红眼病”流行。一同仁荐用已故名中医蒲老之验方。用新鲜蚯蚓化水点眼，而取良效。方法：挖取鲜蚯蚓数条，洗净泥土，放在碗中，加糖少许，上盖一碗，待 24 小时后，蚯蚓化为水液，用其水点眼，每小时点 1 次。

曾遇一张姓，一家 4 口，3 天之内先后而发红眼病，故将该法介绍用之，分别先后各点 2～3 天均获愈。据患者称，用蚯蚓水点眼，自觉清爽舒适，且有止痛退红的效果。

考“红眼病”，即天行赤眼症，是由于感受时气邪毒而造成的一种白睛疾病。

蚯蚓又称地龙，性咸寒，体滑。善清肺经风热，走肝经，其性下行降泄，而善走窜。古籍载有蚯蚓有很多方面的疗效。本方用于治疗红眼病，既取其寒凉抑火之性，又取其屈伸活络之用，达同气相求之功。

有感于零金碎玉

袁立人

吾师陈西源，河北南宫人。早年从师于清太医院御医吴廷耀（焕臣）。精通医理，长于针灸，善治杂病。后拜于先祖门下，深得其传。临证处方，多简明精巧，疗效甚佳。

20世纪70年代初，“红眼病”（西医谓之“传染性结膜炎”，中医谓之“暴发火眼”）曾流行一时。有求医者问及中医治此病之效方。余虽治之，然效而不捷，遂请教陈师。陈师云：“此症属风属火，风火相煽，故发病急而见证速。治宜泻火散风为主，惟此法之中以泻火为首，散风辅之。盖火得风而愈炽，风遇火而愈急。火泻而风势必减，其症何由不去？吾早年治此有一处方，不妨一试：菊花15g、红花3g、防风3g、大黄3g。”并告诫说：“此方用量，菊花重而大黄轻，然大黄为君药，取其清热泻火而不取其攻下。佐菊花、防风以散风明目，伍红花以止痛消肿，则症可除。若目痛重者，可酌加木贼。”问及大黄治目之用时，陈师笑云：“李时珍在《本草纲目》中引《传信适用方》之说，大黄可治暴赤目病，汝可读过？即指此用也。为医者，不仅要通晓医统正论，零金碎玉亦不可忽视。”此后，我用此方治愈“红眼病”多人。多则三五剂，少则一二剂。方知此法之效验。医籍之中，名家大论自当精读，零金碎玉亦为珍贵。若因其小而遗弃，实治学者之憾。

试谈眼挫伤运用活血方

齐　强

眼挫伤，也叫“撞击伤目”或称“钝器伤眼”等，系指眼部受钝力挫伤，眼球没有穿破而言。

余在临床中，遇有眼挫伤的患者，常以活血化瘀、通络明目法为治则，运用活血方加减治疗，每每获效。

1977年3月接治一名右眼被鞭炮炸伤的10岁男孩，曾在他院诊为右眼钝挫伤、视网膜震荡、反应性虹膜炎，视力下降为0.1。伤眼炎症明显，红肿疼痛，投活血方加减，共服8剂，诸症皆除，视力恢复至1.0。

1978年8月，又治一名13岁男学生，右眼被弹子打伤3个月，经外院诊为“右眼角膜内皮血染症”，视力只有眼前数指不确，经服用活血方加减，治疗40天，角膜内皮血染全部吸收，视力恢复正常，而告痊愈。

眼部遭受钝器外力所伤，导致眼睛各部组织的血脉瘀滞，经络受阻而不通畅，故发生各种不同的症状。外伤及眼，血凝则脉道不通，血瘀脉络。治疗此症，必以活血通脉为宜。活血方乃余自拟方，即以桃红四物汤合血府逐瘀汤加减而成：当归12g、川芎10g、赤芍9g、生地黄10g、桃仁9g、红花9g、丹参10g、枳壳6g、桔梗6g、柴胡10g、牛膝9g、连翘9g。当归、川芎、桃仁、红

花、丹参、赤芍活血化瘀；生地黄凉血；柴胡、枳壳理气，此乃“气为血帅，气行则血行，脉道以通”之意；用牛膝能增强活血祛瘀之力；取桔梗引诸药上行；加用连翘取其解毒消炎之功。疼痛较甚者，可加服没竭散（乳香、没药为末）或服七厘散，以助活血通络之力。血灌瞳神者，或加服云南白药，以加强散瘀之效。若挫伤日久，气血瘀滞不散者，应酌加昆布、玄参、三棱、莪术、苏木等软坚散结、行积血之药。

古人云：“气血冲和，百病不生，一有怫郁，诸病生焉”“目得血而能视”。故治疗眼之挫伤，活血化瘀，通络明目法当合宜。

小议“六味汤”加味

葛英华

六味汤出自《喉科秘旨》，是喉科治疗“风寒喉痹”的常用方，具有辛温解表，疏风散寒的作用。其药物以荆芥、防风辛温解表，薄荷、僵蚕宣畅气机，甘草、桔梗清利咽喉。究其旨，仿其意，将六味汤加味，应用于“风热喉痹”“风热乳蛾”“烂喉蛾”等均获良效。如一患者，咽痛3天，进食饮水均感疼痛，伴有发热、恶寒，脉略浮数，诊为“风热喉痹”。用六味汤加金银花、连翘、牛蒡子，服2剂而痊愈。又遇一“风热乳蛾”之患者，在治“风热喉痹”方的基础上加草河车、赤芍、蒲公英，服2剂痊愈。如治“烂乳蛾”，在治疗“风热喉痹”的方剂中加板蓝根、生石膏、鲜芦根。我院一同志，患烂乳蛾已2天，经服用上药2剂，脓全消退，3剂而病告愈。

六味汤加味方的药物完全是平凉之品，而金银花、连翘与荆芥、防风的剂量之比以2∶1为宜。取荆芥、防风以散风邪；用金银花、连翘以清热解毒，并抵其辛温之烈，以免助火势，且发挥辛凉解表之功用，尚有其他凉药以兹辅助，故临床能取得较为满意的效果。可见以一省三，融会变通，领会其旨，灵活运用，是我们学习古人之宗旨。

治疗声音嘶哑的两石两子汤

耿鉴庭

这是扬州耿氏数世沿用的有效方剂，治疗慢性喉炎，声音嘶哑，以及声带息肉与结节，具有一定效果。其方药如下：

西月石 1g ……………………………………………………………… 主
海浮石、安南子各 10g …………………………………………………… 辅
诃子肉 10g、桔梗 6g ……………………………………………………… 佐
枇杷叶（蜜炙）12g、甘草 6g ……………………………………………… 使

用法：水煎，徐徐服。

方解：此方以西月石（即硼砂）为主，除疾去胬（息肉）。《本草徵要》说它能“退障、开昏，除胬肉，消痰止嗽且生津”，确是事实。但仅能用 1g，万不能多用。海浮石，安南子（即胖大海）为辅，协助主药清肺、清音、祛疾。诃子肉、桔梗为佐，前者敛肺清音，后者清咽喉祛痰。枇杷叶、甘草为使，润肺、和中化痰，合之可总收清化痰热之效。痰热既去，则声音可清，息肉、结节可除。此是从诃子清音汤加减而成。其妙在于胖大海、诃子并用，一滑一涩，一开一合，尚可在分量方面，有所改变。如便秘，即多用胖大海，少用诃子。如便溏，则多用诃子，少用胖大海。

加减法：若因多语伤气而得者，可加玉竹、沙参，以养肺气。若呛咳，可加甜杏仁、蚕蚀后之桑叶络。若脘闷而痛，可加木蝴蝶。若显肺阴虚之象，可加天冬。若肾气不充，而有出血现象者，可加血余炭。

上方可连用 14 剂，服 2 日，停 1 日。若息肉仍不除，可加山豆根、山慈姑。

（张锡元　整理）

小议“金钗石斛”清音之妙

齐　强

素常每遇多语、高歌、大声呼号而致声音嘶哑，或戏剧歌手要求护嗓而索方者，一般贯以金银花、胖大海、麦冬为方以递之。但不知石斛确有清音出声之特殊功效，已故戏剧大师梅兰芳先生的护嗓妙法之一，就是常饮金钗石斛水。

余在临床中，凡遇职业性声音哑者，则常拟用金钗石斛 12g、玉蝴蝶 2 只（2 片），煎水代茶饮之，每收良效。1976 年春，曾遇一位业余学戏之青年王某，因练习发声用嗓不当，而造成音哑，故来求治，遂嘱饮用上方 3 剂而愈。不久声哑又复，再度饮用而告痊愈。

究其声音之源，乃出于肺，而根于肾，响于喉咙。古有“肺如钟，金破则不鸣，金实亦不鸣”之说，肺气旺盛，肾精充沛，声音清亮。由此可见，声音之清浊，响与不响，与肺、肾的关系最为密切。

因多语、高呼而伤气耗津，即金破不鸣，金钗石斛味甘性微寒，能入肺、胃、肾三经，主补五脏，并有滋阴生津，补脾进食，益精壮骨之功用，今运用于治疗声音嘶哑，或保护嗓音，是有其道理的。

从“蓟丘”谈到小蓟治鼻病

耿鉴庭

北京自从辽、金以来，即已有燕台八景之说，其中之一即是“蓟门烟树”。蓟门来源已久，唐代的本草学家陈藏器曾经说“相传以多蓟得名”，唐代的诗人祖咏即有“望蓟门”的诗，实际上，蓟门已成今日北京一带的代称。而蓟门又是因蓟丘而得名。明·蒋一在《长安客话》里说“今德胜门外，有土城关，相传为古蓟门遗址”。蓟，是菊科植物，是常用药材之一，有大蓟，小蓟之分。陶弘景说：“大蓟是虎蓟，小蓟是猫蓟，叶并多刺。”虎和猫同科，爪甲都是尖利的，正说明大蓟、小蓟的刺和虎猫的爪甲一样。《外台秘要》引《神妙方》治“鼻塞不通，小蓟一把，水三升，煮取一升，分服”。在中草药展览会上，曾见到一个效方，是在这方的基础上，用小蓟煮鸡蛋治鼻病，取得满意的效果。我家治日久的肥厚性鼻炎，鼻甲肥大，血管粗张，有时出血，且经常气窒难通者，用之多效。小蓟既能破宿血，又能生新血，具有活血化瘀作用，又有双向调节的类似意义。治僵肿已久者，必须活血，乃外治之定理，用于鼻科，亦甚吻合。

（丁燕娣　整理）

叶心清治疗虚性口疮的经验

叶成鹄　姜溃赟

口疮一症，虽非大病，但如反复发作，或迁延不愈，常可影响进食和说话，给病者造成很大痛苦。叶心清老大夫系蜀中名医，精通针灸，兼善内科。行医四十余年，积累了丰富的临床经验。兹将其治疗虚性口疮的经验介绍如下。

口疮有虚实之分，新病多为实火，久病多为虚火，反复发作。遇劳即发是虚性口疮的临床特点。张景岳曾说：“口疮，连年不愈者，此虚火也。”叶老认为，此种虚火有气虚和阴虚的不同，应加以鉴别。气虚者，多由劳倦、久病等脾胃之气受损，或口疮日久，灼阴耗气，脾胃气虚而阴火内生，发为口疮；阴虚者，每因思虑劳倦，心阴暗耗，或热病后期，阴分受伤，阴虚则火旺，上炎于口，发生口疮。临证治疗时，切忌妄投苦寒之品，须根据其证候特点，或补气，或养阴，辨证用药。对气虚而生口疮者，叶老常用东垣之补中益气汤加减治疗，益气升阳，调补脾胃，使中气充足，则阴火自除，口疮得愈。对阴虚火旺而发口疮者，叶老善用钱乙之六味地黄丸改汤剂加上肉桂少许治疗，滋阴补肾，补中有泻，寓泻于补，此即王冰所谓"壮水之主，以制阳光"之法，方中加入上肉桂4.5g以引火归元，并配合针刺治疗，取大陵、太溪二穴。大陵为心包经原穴，又为子穴，泻之可清心安神。太溪为肾经原穴，补之可益肾清热，二穴并用，补肾水降心火，其效甚佳。有患者王某某，女，40岁，患口疮3年余，反复发作，苦不堪言，曾屡服西药维生素类及中药苦寒清热之品治疗，罔效。后就诊于叶老，辨为肾阴不足，虚火上炎之口疮，投以六味地黄汤加肉桂4.5g，服药9剂，并配合针刺治疗5次，口疮消失，随访7年未再复发。我们亦曾用上述方药及针灸穴位治疗多例虚性口疮患者，均获得满意的疗效，证明此法在临床上是行之有效的，今特录之，供同道们参考。

艾灸是否也能出现循经感传现象

李绮芳

针刺经穴时，术者时常会感到针下沉紧，如鱼吞钩饵之沉浮感觉，被针刺者时常会感到针刺部位出现酸、麻、胀等感觉，且此感觉时常会沿着经络路线传导。艾灸经穴时是否也能出现感觉传导现象，是一个值得研究的问题。

1965年，我在针灸临床中发现艾灸经穴也能出现感觉传导现象，在《针灸杂志》上作了报道。1978~1979年，我对艾灸感传现象进一步做了观察：点燃艾卷一端作温和灸法，对122例出现感传现象的患者的十四经穴共445穴次观察，发现艾灸经穴出现的感觉传导路线基本上与祖国医学经典著作中所记载的经脉循行路线相符合。例如：①艾灸足三里穴，艾灸感觉沿胫骨侧下行经上巨虚、下巨虚、解溪至次趾外侧端厉兑；向上经膝、伏兔、髀关、腹、胸，经缺盆，循颊，过耳前，循发际至额颅。艾灸感传路线与足阳明胃经循行路线基本上相符合。②艾灸曲池穴，感觉沿上臂外侧缘向上传导，经肩髃、颈、面至鼻旁迎香穴；由曲池向下传导，经前臂前缘、手背第1掌骨与第2掌骨间，至示指内侧端商阳穴，艾灸感传通过达到的部位与手阳明大肠经循行路线相符合。③艾灸内关穴，感传沿前臂内侧正中线，经过肘窝中央、上臂内侧中线，向上传导到胸；向下经掌心，到达中指尖端中冲穴。艾灸感传路线与手厥阴心包经循行路线相符合。

在临床观察中，我还发现艾灸感传存在个体差异，敏感的人传得远，感觉性质为热感、麻热感或麻热胀感，而且艾灸感传常呈双向性传导，由艾灸穴位向所循经脉上下传导。

另外，我还对77例出现艾灸感传现象者的感传速度进行了共计222穴次的观察，测定的结果是，艾灸感觉传导的平均速度为0.83cm/s。

艾灸感觉传导路线基本上与祖国医学经典著作《灵枢》上所述经脉循行路线相符这个事实对经络的客观存在提供了一项佐证。

浅谈针刺手法“烧山火”与“透天凉”

张士杰

针刺补泻及手法早在《内经》中已有论述，如《素问·调经论篇》：“有余者泻之，不足者补之”及《灵枢·九针十二原》：“凡用针者，虚则实之，满则泻之……徐而疾则实，疾而徐则虚”等是。奈因《内经》一书，殆非一时之言，而所撰述亦非一人之手，故对上列补泻徐疾之释义亦不一致。《灵枢·小针解》释为：“所谓虚则实之者，气口虚而当补之也。满则泄之者，气口盛而当泻之也……徐而疾则实者，言徐内而疾出也。疾而徐则虚者，言疾内而徐出也。”而《素问·针解篇》则释为：“刺虚则实之者，针下热也，气实乃热也。满而泄之者，针下寒也，气虚乃寒也……徐而疾则实者，徐出针而疾按之。疾而徐则虚者，疾出针而徐按之。”两者显然有别，而《灵枢·官能》：“泻必用圆……疾而徐出……；补必用方……气下而疾出之”等论则均与《灵枢·小针解》同而异于《素问·针解篇》，且均未强调针下寒热为补泻之标志。明代，徐风在《针灸大全》中，才首先提到了“烧山火”与“透天凉”，其文曰：“考夫治病，其法有八，一曰烧山火，治顽麻冷痹，先浅后深，凡九阳而三进三退，慢提紧按，热至，紧闭插针，除寒之有准。二曰透天凉，治肌热骨蒸，先深后浅，用六阴而三出三入，紧提慢按，徐徐举针，退热之可凭，皆细细搓之，去病准绳。”此后明代李梴也在《医学入门》中提出了：“凡补先浅入而后深入，泻针先深入而后浅入，凡提插，急提慢按如冰冷，泻也；慢提急按火烧身，补也。如治久患瘫痪，顽麻冷痹，遍身走痛及癞风寒痁，一切冷症，先浅入针而后渐深入针，俱补老阳数，气行针下紧满，其身觉热带补，慢提紧按老阳数或三九二十七数，即用通法，扳倒针头，令患人吸气五口，使气上行，阳回阴退，名曰进气法，又曰烧山火。治风痰壅盛、中风、喉风、癫狂，疟疾单热、一切热症，先深入针、而后渐浅退针，俱泻老阴数，得气觉凉带泻，急提慢按初六数或三六一十八数，再泻再提，即用通法，徐徐提之，病除乃止，名曰透天凉。”继而高武和杨继洲也分别提出了类似之手法，其术式与前者亦有异同。其中，不论用何术式验之于临床，均可在部分患者中取得凉或热的反应，而不是皆有反应。这就要结合时空和机体条件来看待。如由于天温日明和天寒日阴以及月之始生、月之盈虚，皆会影响机体的气血状况，故凡刺之法必候日月星辰、四时八正之气，气定乃刺之。再如《灵枢·行针》云：“百姓之血气各不同形，或神动而气先针行，或气与针相逢，或针已出气独行，或数刺乃知”，也指出刺之反应也因人而异，不能强求一致。寒热并非判断效应之惟一标志，因此，在临床中如不考虑上述诸项，单纯用手法追求针下寒热甚至无问其数，则易造成“刺之害，中而不去则精泄……精泄则病益甚而恇”之弊。

论针灸配穴要少而精

贺普仁

针灸治病讲究辨证、配穴以及手法等。其中配穴这一环节，尤为重要。配穴技术水平的高低主要看所选穴位与临床证候是否恰如其分、丝丝入扣。此外看选穴多少，是不是少而精，也是个关键。

常言说，将在谋而不在勇，兵在精而不在多。作为一个针灸医生在临床实践治病时也要善于谋虑，也就是全面彻底地了解患者发病的全部过程、然后精选少量的穴位，即可消除病痛，使机体恢复健康。反之，如果医生不是认真地进行辨证论治，而盲目地扎许多针，有些穴位与疾病无关，这样不仅对改善症状无益，反而会损伤病人的正气。

因为针灸的刺激都要通过皮肤传入，穿透肌肉或筋骨的间隙，不管多么高超的医生运用巧妙的针刺手法，对机体也会有些损伤。对患者来说，不必要的刺激总是个额外负担。每因此造成许多病人惧怕针灸，非迫不得已，不求治于针灸。这是值得改进和必须注意的问题。

我认为在保证临床治疗有效的基础上，应该尽量少配穴，从而相对减少患者不必要的痛苦。这样，不仅对患者有好处，对我们总结临床疗效也是有利的，能够及时发现有效穴位和穴位的相对特异性。

但应说明一点，针灸临床配穴少而精，不是死板的片面的掌握，重要的是根据病情的需要，配穴该多就多，该少就少。虽然我们提倡少而精，但决不等

于万病一针。

漫谈艾条灸的奇效

李志明

艾条灸，从明代至今，是应用最广的一种灸法，不但简便、经济而有奇效，病人自己也可施灸，很受病者欢迎。它适应证广，还能防病健身。常用的施灸方法有两种。

温和灸：将艾条点燃一端，距施灸穴位或部位2cm高，固定不动施灸，皮肤感温热舒适为宜，每穴灸5～20分钟，每次可选1～3穴。

雀啄灸：将点燃艾条的一端对准施灸穴位或施灸部位，距皮肤2cm左右，如小鸟啄食一样地上下起落施灸，每穴灸5～15分钟。

艾条灸足三里、内关能即时降血压；灸至阴穴能转胎位；灸足三里、曲池、天枢、关元治疗泄泻；灸膻中、乳根治疗乳汁不足；灸气海、蠡沟治疗痛经；灸隐白穴治疗血崩；灸风池治疗鼻塞等等，都有立竿见影之效。

我常用艾条灸治疗神经性皮炎、带状疱疹，褥疮等病症，也常收到满意的效果。兹举一例。某男性患者，21岁，因外伤截瘫4个月，引起褥疮已4天，尾骨端处褥疮面3cm×5cm，创面新鲜，无脓液，舌苔薄白，脉沉细。因截瘫翻身少，局部受压，经络运行受阻，气血瘀塞不通，经脉失养所致，治宜温通经脉，活血祛瘀，用艾条回旋灸，每次灸10分钟，家属灸12次，历时17天治愈。因艾灸能温通经络，活血祛瘀，使经脉通畅，气血运行通畅，促使褥疮愈合。

漫谈针灸用穴

张世雄

全身穴位众多，不算奇穴，仅经穴就有360多个。综观穴位主病，一穴只治一病者极少；而一病多穴可治者，却比比皆是。故临证如何精选穴位，是个值得研究的问题。

1. 肘膝关节以下，属于经脉的根部和本部，是特定穴比较集中的地方，特定穴的临床意义很大，奥妙无穷，针灸文献中不乏记载，大家也都比较熟悉，兹不赘述。

2. 头面部属于经脉的结部和标部，是交会穴比较密集之处，全身103个交会穴，位于头面部即有38个之多。这一特点提示了该部穴位主病范围的广泛性。有人说，头面部穴位能治它处病证者多矣。例如：水沟、素髎治厥脱；眉冲、攒竹治哕呃；睛明、天柱疗腰腿痛；风池、风府治卒中；迎香治蛔厥；下关疗跟痛；翳风起足痿；听宫除三痹；通天宣鼻窍；玉枕治目疾；神庭治癫狂；百会举陷气等等。验之临床，都有得心应手之妙。近些年来比较盛行的头针、耳针、眼针、鼻针、面针等疗法，在临床上所积累的新经验，也说明头面部经、穴在主病范围方面有着很大的潜力。

3. 颈部是全身经脉通达头部的桥梁，此处的穴位也很重要。尤其是天突、人迎、扶突、天窗、天牖、天柱、大椎、天鼎等穴位，均能起奇疴大病。天突治噎膈、气厥、咳逆、暴喘；人迎治胸满气逆，中风偏枯；扶突治暴喑、气哽、瘿瘤、瘰疬；天牖治暴聋、目昏、多梦、头痛、天窗治口噤、窍闭、耳疾、颊肿；天柱治肩背腰痛，头重脚轻；大椎治痫、癫、高热、诸节肿痛；天鼎治头项难顾、肩臂痛麻等等，临证都有确实疗效。

4. 任、督两脉是躯干部经脉的纲维，总括一身阴阳，其中也有几个主要穴位，疗效各有千秋。长强治癫狂、痔疾；中枢治胃胀、脊强；至阳治膈塞脘痞；神道治惊悸、失眠；气海、水分治腹胀痛泻；巨阙、中脘治心胃之恙；关元、神阙，扶阳固脱甚效；膻中、鸠尾，理气宽胸最灵。

5. 奇穴是经穴的补充和发展，临床价值亦不可低估。例如，印堂治惊风；太阳治头痛；新设治落枕；百劳治咳嗽；腰奇治癫痫，鹤顶治膝冷；十宣治厥、热；四缝治疳积等等，临证都很有效。此外，华佗夹脊穴禀足太阳与督脉之气，治疗内脏疾病有独到之功。其主病范围，可参照同水平之背俞穴掌握，而其疗效及针刺的安全性，却又较背俞穴为优。

6. 以门、海、冲、关、池、泉、溪、谷命名的穴位，针感一般比较明显，疗效也较突出。

7. 医家各有玄机术，专病常靠专穴医。关于这方面的经验，历代针灸书籍，尤其是针灸歌赋中，载述十分丰富，值得深入研习。

8. 临证点穴，虽有文献可考，但也不宜过分拘泥。揉按体察，指下有空软或突起之感，而患者自诉舒适或酸痛，此处是穴。于此下针，容易得气和行气；一旦气至病所，多能获效。

9. 穴位配伍，应该本乎阴阳。下为阴，上为阳；右为阴，左为阳；腹为阴，背为阳；里为阴，表为阳。无论任何疾病，究其根源，不外阴阳失和；针灸治病，也总不离调和阴阳。因此，临证配穴，除要考虑经脉的本经循行、相关脉象、所主病候、标本根结、别络所属、经筋皮部，及经脉之间的表里联系、

同名联系、交接联系、生克联系、气街联系、奇正联系之外，充分注意到阴阳配伍的原则，对于提高临床疗效是很有帮助的。譬如临证拟取二穴，则最好按照一上一下，或一左一右，或一腹一背，或一表一里的原则去选取最恰当的穴位。这样可以充分发挥穴位局部、邻近、远端及全身的治疗作用，因而可以取得最好的临床疗效。

以上是我临床用穴的点滴体会，仅供同道参考。

针灸治病三要

吴濂清

针灸治病或有效或无效，成败何在？首先在于辨证准、病位明，而选穴有所依据。失此取穴，往往有过多或不当之弊。治病必先明脏腑经络，以知病在何脏、何腑、何经，此为辨证配穴之根本。据此再选择对该脏该腑有治疗作用的俞穴，使治疗有的放矢。曾治朱某，女性，44 岁。患尿频、尿急、尿痛，少腹胀痛 2 天，舌苔黄腻，脉象滑数。尿检：白细胞每视野 50 ~ 60 个，红细胞每视野 0 ~ 1 个，尿蛋白 ±，诊为膀胱湿热。先取三阴交，以其为足三阴经之交会穴，肾与膀胱相表里，理论上、临床上都已证明该穴对膀胱疾病有治疗效应，又加膀胱募之中极穴，施以上补下泻手法，针后腹痛立止。2 次后症状完全消失。尿检："未见异常。" 5 天后再复查，尿检仍为"未见异常"。所以，治病必先明病在何脏腑经络，选穴必先明穴位与脏腑的相关效应。马丹阳以 12 个穴位而治疗多种疾病，诚为掌握穴位对脏腑、部位治疗效应的典范。医者治病，必先明此理。

第二是取穴要准。王乐亭老师在世时经常教诲：不明"取三经用一经而必端，取五穴用一穴而必正"之理，是治不好病的！事实正是如此，穴位配方再好而无准确取穴做保证，等于画饼充饥。既往对取穴要有真传之说，所谓"真传"，即对穴位的部位（包括体位、特定姿势）、取法、针刺的深度、方向等学有所本，学问扎实、准确。现以太阳穴为例，一般谓眉梢与小眼角之间后 1 寸，颧弓上陷中。设若偏上必针不深。若在颧弓上缘下针，可刺 1 ~ 1.5 寸。若重复上点进针，但针柄上偏 5° ~ 10°，则可针 2 寸深，针感传满上颌。故所谓"准"是要求对穴位的部位，针刺的深度、方向等要有深入的研究。

第三是明补泻。首先要解决的难点是有无补泻？撇开对补泻的文字争论，让我们从事实进行考察。人有黑白胖瘦、强壮虚弱的不同，针有长短粗细之异，法有疾徐轻重之别，可见针具、体质、手法等方面的差别是客观存在的，为达治疗目的所施行的各种不同补泻手法也相应存在，故补泻之说自可成立。因此，补泻实际上有两层意思。其一，补、泻是指为达到某种治疗目的进行所谓补或泻。其二，是指为达到某种治疗目的而运用不同的补泻手法。针灸医生必须明白人有强弱不同、病有急慢之分，补泻手法自应有不同之理，以领悟“针灸无功，补泻不清”之言，再以治疗效果为检验补泻手法、理论优劣的尺度，潜心学习，勇于实践，细心观察，摒弃只可意会不可言传之说，自能登堂入室，补泻之妙尽可得矣。

诊断明，配穴精，取穴准，补泻手法适度，疾病转归如何，自是不言而喻之事。故针灸者当明此治病三要。

对子午流注纳甲法的几点认识

吴濂清

我所认识的老针灸医师都懂流注，但他们都不用子午流注纳甲法配穴，王乐亭老师、杨济生老师也是这样的态度。我曾特意向杨济生老师求教，他恳切地谈了自己的看法，结论是各走各的路，并风趣地对我说，现在你是半路跟我学，我也一定教你，你就学我的这几针吧！二位老师都作古了，但“各走各的路”仍回响在我的耳畔。

现将自己所学的这方面的知识，提供给大家做参考。

认真研究《灵枢经》的几个数字

1.《灵枢·营气》篇记载了参与流注的经脉有十二经脉和督任二脉。

2.《灵枢·脉度》篇记载了参与流注二十八脉的长度。二十八脉是：手三阴、手三阳、足三阴、足三阳和跻脉、督任二脉，“凡都合一十六丈二尺”。

3.《灵枢·五十营》篇记载“人经脉上下、左右、前后二十八脉，周身十六丈二尺……呼吸定息，气行六寸，……一万三千五百息，气行五十营于身，水下百刻……”。

若经脉流注是上面所述之内容，子午流注在理论上的疑点如下。

1. 十二地支十二时辰，参与流注的经脉却是十二经脉加跻脉和任督脉，后三者既参与了流注，为什么只由十二正经司开阖时间？

2. 若流注是指十二正经，则其脉度不足十六丈二尺，如何循行流注？

3. $\frac{13500\text{息}}{100\text{刻}}=\frac{135\text{息}}{1\text{刻}}=9$ 息/1 分钟[①]。这是古人的观察，现在如何认识？

4. $\frac{16\text{丈}2\text{尺}}{6\text{寸}\times 9}$经脉流注一周需30分钟。十二经脉、跻脉、任脉、督脉依次鱼贯循行，30分钟流注一周，机会均等，十二经脉各司一个时辰将怎样流注？

5. 脉有长短不同，手三阴“从手至胸，长三尺五寸”，足之三阳“从足上至头八尺”，因此，各经流注时间不会相同，若以流注立论，各经均司同样长的时间是否也与理不合。

6. 《灵枢》谓流注的特点是“营周不休五十而复大会，阴阳相[①]贯，如环无端”，十二经脉各司一个时辰与此精神是否相符？

纳甲法的理论必须接受临床实践的检验

子午流注纳甲法的理论研究必须改变临床系统观察少和单独应用治疗少的状况，没有子午流注的单独应用并结合临床系统观察的事实，这一方法是不能兴旺发达的。有人辩解说，流注八法并没有说不能与经验穴同用，但是，这样做是忽视了对比法在科技中应用的重要性。在20世纪50年代中期，阑尾穴加青霉素治好了阑尾炎，但不能说全是针灸的作用，以后单独应用针灸治疗阑尾炎、急性扁桃体炎等，并应用现代医学的观察研究方法，人们才得出两点认识：①针灸有抗炎作用；②腧穴对脏腑等有相关特异性，这个结论得来不易。子午流注若没有大量单独应用的系统的临床观察，就不能只说别人对子午流注没有认识。

子午流注纳甲法必须由临床实践提供大量的科学统计数字；证实其按日按时开穴确能治疗大量病种，才能被大家理解和采用。

另外，纳甲法的理论必须解决按日按时变经、开穴与经络、腧穴的主病、主治理论体系之间的矛盾。

按日按时所取之经脉、所开之腧穴，往往与病人所患之病的脏腑、经脉主病相距甚远，腧穴主治亦不相关。在理论上，就把纳甲法的治疗作用割裂于中医脏腑、经络、辨证论治的体系之外了，难道纳甲法的治疗作用属于另外的一个时间医学治疗理论体系吗？

追本溯源，纳甲法属于子午流注理论的一个分支，而子午流注则是中医理论的组成部分，所以，纳甲法理论与中医脏腑、经络、辨证论治理论如何协调、统一起来，是纳甲法研究中必须解决的理论问题。“各走各的路”对于老一代针灸前辈或许是必要的，对今天正在继承、发扬针灸学术的当代针灸工作者来说，则应该提倡“百家争鸣”，走促进针灸学术繁荣、发展的共同道路了。

---

① 古时之一刻，约合现在时钟的14分钟多，为计算方便以15分钟计。

我对针刺“得气”的体会

贺普仁

在未实行针刺补泻手法以前，首先要求得气，这个问题是值得我们共同重视的一个关键问题。得气是针灸医生通过针下的不同感觉来加以分析归纳，可分为正气与邪气两大类。所谓“得气”，单纯凭借患者口述酸、麻、胀、痛的自觉反应并不全面，必须结合医生手指的感觉，才能得出正确的判断。

在临床治病中，我体会到行针得气，是针刺取得疗效的基础，也就是说针刺得气与否或得气速与迟与疗效有着密切的关系，同时在得气过程中尚能判断疾病的预后。针下辨气，不仅可以测知机体抗病功能的盛衰，同时对疾病的好转和预后均有很大帮助。如转针费力，有滞涩感为邪气实；如转针不动，则知邪气极盛，经络不通；如针下不松不紧，不吸不涩，徐徐和缓，乃和平之象，此为正气；如针刺终不得气曰虚极；针刺如插豆腐内者乃胃气不行，《内经》曰：“无胃气则死”，故预后不良。

正气是人体的正常生理功能，邪气是反常的病理现象。医者可通过针刺手指的感觉来辨别正、邪的盛衰，然后因病因脉施以不同的补泻手法。

论针刺、刺血、艾灸、火针的治疗作用及其相互配合应用

于书庄

针刺法、刺血法、艾灸法、火针法是针灸临床最主要的治疗方法。这四种方法，各有其不同的治疗作用及其适应证。因此，针灸工作者必须认真探索其主要功能，不断地总结其应用规律，才能在临床上有目的地选择应用，从而收到良好的治疗效果。

针刺法，这里系指毫针的针刺法。针刺的目的在于调和气血，使失调的阴阳、气血恢复平衡，达到治病的目的。为此，历代医家创立了多种针刺手法和针刺补泻方法。这些操作方法的目的，是为了寻找不同性质的针感，用以治疗不同性质（阴阳、表里、虚实、寒热）的疾病。如柔和的酸胀感，治疗虚证、慢性病、体质虚弱之人；触电感、强烈的酸胀感，治疗实证、急性病，体质壮实之人；热感治疗寒证；凉感治疗热证；抽搐感治疗内脏下垂（气陷证）。痛

感虽然不是术者主要寻求的针感，但针刺人中、涌泉、十宣等穴主要是痛感，用以醒神开窍，治疗神志昏迷的闭证。另外还有一种沿经到达病所（气至病所）的针感，可以提高针刺治病的效果，治疗各种不同性质的局限性疾病。因此说，针刺法具有补虚、泻实、清热、散寒、升清、降浊、祛瘀行血等作用，故针刺法在针灸临床上应用最广，成为针灸治病的主体。

刺血法，即络刺法，是以三棱针刺破人体特定部位的络脉或穴位，通过“刺络取血”达到治疗疾病的目的。该法主要起着泻热降火和祛瘀行血的作用，以及通过其泻热降火和祛瘀行血的作用，取得退热、止痛、解毒、止痒、消肿、镇吐、止泻、急救、熄风解痉等效果。刺血泻热，适用于治疗外感风热、暑热、燥热、毒热、热极生风、热深厥深，以及积滞化热等实热证。刺血降火，则适用于治疗五志化火、气火上逆的实热证。祛瘀行血，适用于治疗寒凝血瘀的痹证，气血壅滞的肿胀，气滞血瘀的疼痛等血液运行受阻的血瘀证。由于刺血法的泻热降火和祛瘀行血的作用强于针刺法，故刺血法成为针刺法的右翼。

艾灸法与火针法虽然均属温法，但二者尚有区别。因艾灸的温热比较柔和，作用面积大而深，作用时间较长。而火针温度高，作用面积小而深，作用时间短暂，故二者的作用有所不同，适应证也不完全一样。如艾灸具有温补阳气、温散风寒、温化寒湿、温散血肿以及温通经脉的作用，适用于治疗阳虚火衰、亡阳、寒湿、虚寒、寒邪偏盛的痛痹、劳损以及扭、挫伤的血肿等证。而火针除具有温散寒邪、温化寒湿、温通经脉，用于治疗经筋病的疼痛、转筋的寒湿证外，还用于阴疽（瘰疬）的散结、排脓，腱鞘囊肿的排液等。在临床上如欲回阳固脱，只能用灸法而不用火针，而痈疽的排脓，只能用火针而不用灸法，故二者既有相同之点，又各有其独到之处。

在临床上，有某一法单独使用，也有两法并用、三法并用者。其选择应用的原则，是根据疾病的虚实寒热以及病情的轻重，结合治疗方法的不同作用决定的。

针刺法在针灸临床上应用最为广泛，但针刺法的助阳温寒作用次于艾灸法，因此，治疗一些气虚、阳虚的轻证，可以单独使用针刺热补法，治疗其重证，则应针刺与艾灸并用，以增强其助阳的作用。治疗寒证、寒湿证较轻者，可以单独使用针刺热补法，对于沉寒痼冷、寒凝血瘀、痰饮内停之证，则应针刺与艾灸并用，以增强其温散寒邪，温化寒湿，温通经脉的作用。至于火针与艾灸的选用，火针主要用于治疗寒痹（经筋病），以及消散阴疽，而艾灸法既用于治疗经筋病，同时还用于治疗脏腑的虚寒证。

针刺法的泄热降火、祛瘀行血的作用亚于刺血法，因此，在治疗火热或经脉瘀阻的轻症，可以单独使用针刺法，若火热，毒热以及经络瘀阻重者，则应针刺与刺血并用，以增强泻热降火、祛瘀行血的作用。刺血法适用于实火证，虚火证只宜针刺，不宜刺血。

针刺、刺血、艾灸并用，主要用于治疗寒凝血瘀的痹证，如慢性腰腿痛的寒凝血瘀证，若下肢出现血络者，可刺络出血，未出现血络者，可刺井穴出血以祛瘀行血；灸肾俞等穴以温散寒邪，温通经脉；针刺环跳、阳陵泉等穴以通经。火针、刺血、针刺并用者亦有之，如治疗漏肩风，用火针点刺局部以痛为输，若患者感觉憋胀痛，可刺外关络脉以祛瘀行血，针刺下肢相应的条口（透承山）、飞扬、绝骨穴（根据病属何经选用）。

上述是常用的主要治疗方法的治疗作用，及其相互配合应用的梗概，望我同道深究之。

脏腑经络理论指导针灸临床的几点体会

任守中

针灸学是中国医药学的重要组成部分，是祖国宝贵的医学遗产，它通过针刺与艾灸调整经络脏腑气血的功能，从而达到防治疾病的目的。针灸治疗时，要辨明是哪一经、哪一脏、哪一腑的病证，选穴配穴，辨证施治。

由于经络有一定的循行部位，而且十二经脉与脏腑有络属关系，阳经属腑络脏，阴经属脏络腑。因此在临床上，可以根据疾病所出现的证候及其出现的部位，作为诊断病证的依据。例如，肺司呼吸，其经脉属肺，故咳嗽、哮喘，可知为肺脏病证。内脏有病时，可在其相应的循行部位出现各种不同的症状和体征。用手指循经按压，对经络进行诊察，按压俞、募、原、郄等有关穴位，以诊断其相关的内脏病证。在经脉循行路线或穴位上出现压痛、皮下结节或其他异常反应，是诊断疾病的重要依据，例如胃病患者常在胃俞穴处出现压痛点；肠痈（阑尾炎）患者常在大肠的下合穴上巨虚或阑尾穴处出现压痛点。

针灸治疗时，除可在病变的局部或邻近部位取穴外，更重要的是要在相应经脉循行的远端部位上取穴，也就是循经取穴。循经取穴治病就是根据“经络所通，主治所及”的理论进行取穴治疗的。循经取穴多取肘、膝关节以下的穴位。例如：腰痛取委中；面瘫取合谷；咳嗽取手太阴肺经的尺泽、列缺或与手太阴肺经相表里的手阳明大肠经的曲池、合谷；胃脘痛取足阳明胃经的足三里等。针灸治疗时，还可以上病下取和下病上取，例如，头顶痛取足厥阴肝经之太冲乃上病下取；腰脊痛取督脉的人中；脱肛取督脉的百会乃下病上取。

小儿常见的积滞与伤食泄泻乃因饮食不节，喂养不当，损伤脾胃，脾胃运化失常而引起。治宜健脾和胃、消食导滞。常选用胃之募穴中脘及足阳明胃经的合谷、足三里穴，亦可选用能够消食滞，健脾胃的四缝穴进行治疗。遗尿多因肾气不固，膀胱失于约束而引起，在治疗时常选用足三阴与任脉之交会穴关元或膀胱之募穴中极与足三阴之会穴三阴交以补益肾气，加强膀胱的约束能力。由于大椎穴乃督脉与诸阳之会，督脉通于脑，故针刺大椎能加强膀胱的约束能力，因此我们在治疗遗尿时，亦常选用大椎穴。癃闭，其病位于膀胱，乃因气化不利，小便不得通利，是以排尿困难，甚或小便闭塞不通为主症的疾患。病势缓，小便不利，点滴而下者谓之“癃”，病势急，小便不通，欲溲不下者谓之“闭”。其病机为肾气受损，膀胱气化功能失常；或中焦湿热不化而移注膀胱，膀胱气机阻滞，发为癃闭；或由跌仆外伤，以及外科手术后，膀胱气机受损而致尿闭者。治疗其证时当辨证施治。对肾气不足者，宜选用肾的背俞穴肾俞、足三阴与任脉之交会穴关元、足三阴之交会穴三阴交以培补肾气；对湿热下注者，应清利膀胱湿热，常取膀胱之募穴中极、膀胱之背俞穴膀胱俞与足三阴交会穴三阴交；对因外伤或手术所致膀胱气机受阻者，宜选用膀胱之募穴中极穴及足三阴之会三阴交，以通调膀胱气机。在临床实践中，发现针刺足厥阴肝经的足五里穴对因湿热下注或外伤而引起的尿闭，效果很好。例如患儿周某某，2 岁半，男，1985 年2 月19 日因尿闭29 小时由外科转来针灸科治疗。初诊时，患儿尿道口红肿疼痛，膀胱胀至与脐平。针刺双侧足五里穴后，当即解出大量小便。留院观察，4 小时后又自动解出小便，膀胱已不胀。我们为什么选用足五里治疗癃闭呢？足五里穴乃足厥阴肝经穴位，位于大腿内侧，足厥阴肝经循股阴（沿着股部内侧），入毛中（进入阴毛中），过阴器（绕过阴部），抵小腹（上达小腹），故针刺足五里可以治疗癃闭，尤其适用于因湿热下注或由于跌仆外伤或下腹部手术致使经气受损而癃闭者。另有 4 例患儿经针刺足厥阴肝经足五里穴后也解出大量小便。实践证明中医基础理论对针灸临床诊断治疗确有指导意义，应当努力钻研学习，更好地应用于指导针灸临床实践。

针灸心得漫谈

田从豁

针灸的临床治疗，应在中医理论指导下，先确定病位、病性及病因，并确立治疗大法，然后根据经络脏腑的关系、穴位的性质、功能进行辨证求经配穴，随症灵活施治。每次取穴不在于多，而在于精当。要做到一穴多用，配穴处方严谨而恰当，一组穴位之间，也有君臣佐使的配伍问题。如治月经不调，取关元调冲任以安血室谓之君，三阴交补脾胃以资生血之源谓之臣。其中血热者，加血海用泻法调血谓之佐，配支沟用泻法，清中、下焦之热谓之使。血虚者加阴陵泉用补法，以健脾养血谓之佐，配曲池用补法，以调血中之气谓之使。还有一些少而精的配方，其作用相辅相成，临床应用效果也颇满意，如：肩髃配曲池治一切郁热气结、脘闷躁烦，呃逆纳差等证；通里配足三里治疗失眠，隐白配三阴交治疗崩漏等等。

关于针刺补泻手法，由于个人经验和习惯的不同，无论哪种方法，运用得当都会产生较好的效果。我在临床中是以提插捻转补泻为主，配合呼吸、迎随、深浅、轻重四法，但在具体应用时，应根据不同病证、不同穴位（主要是穴位所在的部位)，施以不同手法。如四肢穴多用提插捻转补泻法，或配合迎随补泻；背部、腹部穴位，往往是几种补泻手法配合运用；头部和四肢末端之浅表穴，则多用呼吸补泻，如鼻衄针上星吸气泻之，崩漏针隐白呼气补之。

另外，针刺治疗要特别注意左右手的配合，要求进针均匀而有力，刚柔相济。针灸医生应练好气功，气随手出，以心通经行气，以意念治病，要善于候气和催气，应做到进针后，患者感到重则重如磐石，轻则轻如羽毛。留针与不留针或留针时间之长短，应根据病情而定。一般治疗杂证、慢性病，宜留针 30 分钟到 1 小时为好。

治疗急性病要快要准，治疗慢性病要妥要稳。总之，治病不可急于求功，从根治末，虽慢亦非不好。认证后贵在守方，无论用针用药都有后效，因此治慢性病时，医生要有信心、耐心，切忌变法更方过频。

针药配合，灵活选用

田从豁

要做一位好大夫，就应当尽一切努力早日解除患者病痛。我主张既精通中药也要精通针灸。那种重视中药、轻视针灸的做法对病人是不利的。无论哪种病，宜针宜药，何时用针，何时用药，何时针药并用，或先针后药或先药后针，皆应灵活掌握。如中风之闭、脱二证，本为一实一虚，治法截然不同。但该病多为先闭后脱。凡见面红目赤，烦躁不安，脉弦或沉滞，应急按闭证施治。虽有时亦可见两手撒开，二便失禁等部分脱证之象，但也应本着先开窍而后固脱之法，用圆利针补人中，泻风府、合谷、涌泉，以提插强刺之。若体质强壮者可用三棱针刺十二井穴放血。在一般情况下，针后患者多知痛回避，此时应迅

速投以清开、化痰、开窍之药。若经上述治疗患者毫无反应，宜再审脉象，凡脉象沉细或虚大而不规则，面部无神、肌肉松弛者，应按脱证施治，予以回阳固脱。其中最捷便而有效的方法是用隔姜灸关元、气海各 15 ~ 20 壮。无论闭证或脱证的治疗，皆应先针灸而后用药。尤其针灸见效就在当时，故不可墨守成法，必须审察体征、脉象，灵活施治。

总之，对暴病急症，或神经、精神系统疾患，且身体强壮者，多以针灸为主；若重笃危证，或身体过度衰弱者，则以药物治疗为主；对一般慢性病则多针药并用，这样每每收到单一方法所不及的效果。

谈针药结合一案

| 姜揖君 |

针刺为中医治疗疾病的一种方法，在唐宋时代就有明确的分科，并列入医事教育，早为各科运用于临床多种疾患。曾于 1964 年春节间回江苏探亲时，遇一谈姓患儿，高热，年 4 ~ 5 岁。当时“流行性脑脊髓膜炎”散在发生，当地卫生院拟诊此病，欲转送县医院，由友人邀我诊视。症见高热 41℃，头痛剧烈，呕吐烦躁不安，时而抽风，项强，角弓反张，且诉腹痛，面红舌赤，脉数疾。即与先刺风池、风府、继针合谷、足三里，用泻法不留针，顷刻之间，头痛即止，神情转安，给银翘散方加葛根、板蓝根，其中金银花、连翘、葛根皆成人量加倍，服 2 剂后病愈。回忆此症，若不先与针刺，则不能制其来势之猛烈，这种处理方法，是宗仲景《伤寒论》中的反烦不解先刺风池、风府，以及项背强几几加葛根法而来。银翘散为《温病条辨》治温热病的辛凉平剂，吴瑭在书中并列辛凉轻剂与重剂，此儿高热何不用重剂白虎之法呢？这是因为发病在春初，而且时令气候尚寒，患儿见症又没有明显出汗口渴，辛凉重剂白虎汤是阳明经证主方，患儿面红舌赤，热虽在阳明之经，但其热未至炽盛之候，故不用辛凉重剂之法。另外，外感急症，且小儿脏腑娇柔，变化迅速，当遵守“治外感如将”原则，吴氏说“兵贵神速，机圆法活。”所以加大银翘、葛根之用量，以求速决，因而取得了针药桴鼓之效。

足三里、上巨虚、下巨虚的联用

十二经每经皆有一合穴。“合治内腑”扼要说明这类特定穴治疗腑证。大肠、小肠二腑系手之经脉，除各有合穴位于肘部外，在腿部足阳明经脉也有它们的下合穴“上巨虚”和“下巨虚”，与足三里在膝下三穴相连接。余多联合使用于下肢痿证，常称为一种排针法，适宜于两腿肌肉萎缩、肌筋痿弱的慢性疾患，但也能治疗急腹症之属于胃肠道疾病。1963 年有一石姓患儿，6 ~ 7 岁，突然腹痛、腹胀、呕吐，先经西医诊查，满腹阵发性绞痛，听诊过水音亢进，腹部有肠形存在，诊为肠梗阻，准备手术，家长顾虑其后遗症对劳动有影响，拟用别法，因而请我诊治。见患儿腹痛阵阵发作，不让按抚，儿父备述上情，我考虑小儿不易服用汤药，而且呕逆也不能容存汤水，又思肠梗阻症急，现已准备手术，再延是否会导致肠麻痹而影响手术？乃计划作 2 小时症情观察，于是令家人按定患儿股膝之上，乃针两足三里穴，并针上巨虚、下巨虚留针，三穴左右轮流施行提插捻转。自针两足三里穴后，阵痛即不剧烈，继而痛停呕止，患儿安适，留针 1 小时。次晨往视，患儿已在进早餐，询问所备的汤药，家人诉称因痛解安卧，煎好之药，未给饮服，调理二三日病痊愈。论相连俞穴的排刺，是取穴一法，在一经脉上连用数穴，不仅使局部治疗范围扩大，而且接连的刺激反应，循经感传，对内脏不断加强作用，改变了病理反应。联用此三穴，即依据此理，同时也说明了合穴的性能。针灸一般在治病取穴原则上，慢病多取局部俞穴，急症宜取远道俞穴，该患儿的疗效，不独理论与实践相应，对于施术方面，也是方便有法的。

交叉用穴

交叉用穴有两类，一是病位与用穴的交叉，病在左或右侧，取其对侧俞穴，即《内经》记载的左病取右、右病取左的巨刺和缪刺方法。不过巨刺取经，缪刺取络，有深浅不同之分。一是在上肢取左或右侧之穴与下肢的对侧穴配合，此法应用广泛，亦是整体性调治面广的方法，该法常取有协同作用包括同名经上下相应作用的俞穴。如右曲池、左足三里，左神门、右三阴交，这样可以少刺穴位而起各穴综合之效，尤如复方小剂量多种药物合用一样，而且可交互换用，对慢性疾患较好。这种交叉配合方法，对病在四肢一侧，取患肢一穴，再取对侧一穴以相应，施术过程中，更便作严密观察，详细筛选，体现专穴功能。20 世纪 60 年代初，一次我值夜班，一老年住院患者，病股骨颈骨折，经固定躺卧床上疼痛呻吟，护士遵医嘱已注射度冷丁 50mg1 小时许，仍未止痛，为求缓解疼痛，乃以针刺方法，针患肢太冲穴，配对侧合谷穴，给以病人能耐受的连续提插捻转手法，上下同时行针，约经数分钟，痛渐轻缓，稍停再行针，疼痛停止，渐欲入寐，余嘱留针 1 小时，次晨护士交班报告该患者痛止后夜眠安好。

隐白穴的适灸证亦适针

一年春节间，正值农历除夕之夜，一同里人杨姓之女，患青春期功能性子

宫出血症，阴道出血不止，邀我往诊，其母焦急万分，夜深各家均已闭户，当时筹划颇难，使送往医院，又天寒路远；血出不止，又不宜多动，因思治血崩症有三个原则，即“塞流”“澄源”“复旧”三法，目前急需塞流，首应止血。隐白穴对经血妄行是有效穴，又便于施行刺灸。在临床经验及古人记载，此证需用艾炷灸法，一时未备艾绒，于是试用针刺二穴，妄血竟然缓止。次后加用胶艾合地黄等汤药，续治转愈。灸与刺为两种方法，二者有偏补偏泻的不同，也有各自的补与泻。但又有其共同作用，所以有人说灸刺都是对人体的一种良性刺激，这样，似乎可以无需有补泻之分。我认为补泻二法是对病势进退和人体虚实而言，虽有人不讲补泻，而虚实是存在的。刺灸与机体当时的状态有密切关系。人所尽知，如在恶寒战慄时针大椎可除寒；当发热时针大椎可清热。能以合适的刺激则机体向有利方面转化，疾病转好，所以说俞穴有其双相作用，而要实现其作用，必需借助于一定的方法和手法，能转变疾病和机体的虚实形势，即体现了补泻作用。因此说补或泻的方法往往是因势利导，医者应审时度势，灵活掌握。

同病异治 |高立山|

心悸动，脉结代，一般都以心气不足或气阴两伤为治，多用炙甘草汤为主方。然临证并非完全如此，治应随证变通，不可拘泥一法。在从师学习时，遇一老年妇人，近日来常心悸、心慌，胸闷憋气。经老师诊查，脉结代，无其他症候，惟近几日大便不畅，老师即用润肠通便法，穴位用上巨虚、内关，方用五仁桂皮汤加减，服药2剂。两天后复诊，大便通畅，脉不结代，心悸、心慌，胸闷、憋气全都消失。又治一28岁农村女教师，体胖，诊时自述心悸、心慌，有时气短，舌淡红，苔白稍厚，脉结代，询问大便正常，除此无他。问其发病经过，初因写黑板报站小凳上，不慎摔倒，此后渐发上述症状，前医曾用炙甘草汤不效，今大便不干，又无须润肠，回忆老师曾治一例酒食后睡觉不慎掉在床下，起来则不能说话，经用导痰汤加减豁痰开窍而治愈。想到此病人形胖多痰湿，舌苔白厚，又系摔倒之后，既无瘀血之征，亦无火热之象，故用豁痰开窍法，穴取丰隆、间使，方用二陈汤加味，服5剂而病愈，脉象恢复正常，症状消失。其三，一部队女美工人员，二十余岁，也是心悸心慌，睡眠不安，作心电图诊为三联律，诊脉结代，舌质淡，苔薄白，二便如常。查问患病经过，系患者单位领导和医务人员配合下，白天为一电击死亡者化装。夜间人静，想起白天死者，自己不由恐惧，心悸不停，不能安睡，在部队医院查心电图不正常，但治疗不效，遂转做针灸治疗。分析情况，证属惊恐伤肾，恐则气下，惊则气乱，心肾不交，致成心悸、失眠，脉结代。故用交通心肾法。穴取心俞、肾俞、太溪、神门、脾俞。方用朱砂安神合六味地黄丸，针刺10次痊愈，心电图恢复正常，诸症消失。

以上3例，同是以心悸动，脉结代为主症，但治疗都未用益气养阴之常法，而用润肠通便、祛痰开窍、交通心肾之法，均都取效。足见中医辨证治疗的优越。要知常达变，要依据发病原因、经过，随证具体分析、治疗，才能取得较好效果。这也是中医辨证论治中的同病异治。

望诊知余热

田从豁

治病的关键在于认证，抓住病机，熟悉药性、穴位，方能应手奏效。在认证中望诊尤为重要，历代名中医都很重视这一点，所谓望而知之谓之神。吾师高凤桐老大夫对此很有体会。记得有一刘姓男孩，13岁，1个月前患温热病，高热不退，并有神昏谵语等症，曾服中药清热解毒重剂和紫雪丹、安宫牛黄丸等，经治疗十多天，热退、神志转清，惟遗有失音不语，烦躁不安，苔薄白，脉涩，故前医认为系因用凉药太过，寒闭肺窍。又经中药、针灸治疗月余，毫无效果。吾师诊治时，则根据望诊，抓住患者烦躁、欲言不能之神态，认为仍属余热未尽，热闭肺窍。故命我针刺少商，中冲，并放血少许，清其肺热心火。二诊加针哑门、人中用以开窍，共治疗4次，患者言语自如，烦躁不安消除，一切恢复正常。

毫针手法逸话

王居易

杨某，余老友也，一日来诊，谓左下肢麻木、沉重旬日，深畏中风先兆。杨君体素平平，近耳顺之年而雄心不减，饮食不节，且有烟酒之癖。是秋冬令早至，遂生斯症。诊毕余允无虑，选取环跳一穴，令李医操针，余旁观之。李君随余有年，操作、手法与余相仿，下针后，杨君若无事状，慰曰：“下针毫无痛感，颇佳!”须臾，经气骤通，左下肢如触电状、如痉挛状，杨君大呼：“至

矣！至矣！电触足趾！”留针期间，缩卧床上，不敢稍有小动。起针后，杨君跛行至诊桌，怨余曰：“过矣！我来访老友求治，汝竟忍心旁观？今不但麻木、沉重，反增疼痛，腨已如撕如裂！明晚当去汝家就诊，请备酒饭。”余无奈，令重新侧卧，再为针之。仍取环跳，余凝气敛神，细施温补之手法，即缓缓寻之，细腻求之，轻轻抚之，温温恋之（简称：寻、求、抚、恋之法），使针感沿足少阳胆经缓缓达于足趾，再留针20分钟，杨君异之曰：“汝针之来似热水徐徐灌至全足，虽似触电，然‘电压’极低，虽似注水，然水过而不留迹，仅冲刷、温熨而已！怪哉怪哉！”起针后病若失。杨君揖而谢曰：“明晚不敢相扰，方便之时，请来我家小饮。”

数日后，李君与诸生正容谓余曰：“请言杨诊之手法？”余问曰：“此例手法应补耶泻耶？”李君曰：“当用补法，然仅得气而已，患者已不能容忍，何补泻之有！”余曰：手法之讲求，文献记载颇丰，今之言者亦众，持一家言，众难服，持诸家言，已难从。此亦余多年临床困惑之处！简言之，得气、补、泻而已。细言之，得气之法有候气、催气之分，继则有行气、导气之法，而后才有补、泻之别。然补、泻为手法之两大法门，无论候气、催气、行气、导气，补泻之意已寓其中。今之杨姓患者，本当用补法，李君操针过急过重，得气之时，已成泻“势”，经气本虚，邪气更盛，病势有进无退，针后症状加重在所难免，若令病人归去，待1～2日后，疼痛自会渐减，亦无大虑。杨君系我老友，且嘴皮尖刻，只得再针而补之。李君谓：“请言补之操作？”余曰：“文献之中自有，请熟读之！”诸生正容再问：“请细言师之手法！”答曰：“余之补法操作，虽参照前人经验演化而来，终属一人管见，诸公只宜意会，不敢明言，今被诸君审问若此，姑作传闻听之。”遂略释如下。

人身经络，内连脏腑，外络肢节，行气血、和阴阳，处百病、调虚实；人身俞穴，分属各经，应病痛，调气机。古人“以微针通其经脉，调其血气”，此毫针祛病愈疾之至理也。

请喻之琴筝，琴弦系于弦板，外浮于面板，集于琴颈，上结于琴轴，内触于音梁、音柱；能发四八之音度，能转十二之调律，此琴艺之根本也。然琴筝无情之物，藉操琴者艺技，右手弹拨，有推、引、徐、疾、弹、扣之分；左手按弦，有升、降、滑、涩、拨，扪之别。两手相谐，喜、乐、悲、伤贯注于弦指，可发千古之心声，或易水壮志、或梁祝催泪，高山流水尽在曲中，手法之妙宁不伟哉！

针家手法，更甚于此，人有七情六欲，气血流注不息，经络交错有致，俞穴有原、络、郄、会、俞、募、五俞、气街之异，病患有男女、老少、四季不同。是故操针者，应详审持针、压手之配合，分清右手提插、捻转、弹拨、刮压之宜；细求左手循、按、切、扪、推、截之机。务使气血相随，虚实平复，阴平阳秘。古人云："上守机，机之动，不离其空，空中之机，清静而微，其来不可逢，其往不可追""逆而夺之，恶得无虚，追而济之，恶得无实，迎之随之，以意和之"（引自《灵枢·九针十二原》），诚为至理。

由此可知，毫针手法最忌粗鲁、急躁，泻法虽求经脉畅通，亦不可过度，补法更宜轻巧、柔缓。余予杨某进针后，候气之术，小心翼翼如履薄冰，探索而行，指下略有沉紧，病人略觉传导，必谨守其气，左手紧按其穴（周围），不使气散，右手轻压，不离其空，候其经气缓缓灌注经脉，右手再略加指力，使经气自养。此即余所谓寻、求、抚、恋之法。我于手法操作之时凝神、屏气之痴态，惟知针者知之，不知针者必讥之！

至于提插、捻转、左转右转、拇指向前、拇指向后、九六之数等等，何补何泻？医者可自选一种练习之，多多临床，磨炼日久，自能领悟古人手法之真谛。我于此道，困惑之处尚多，仍属门外人，逼问太甚，供述至此。当言者已言，诸公幸勿再问。

言毕，诸生面色各异，再谢而去。

灸与长寿

阎润茗

灸取于火，火性热而属阳，其性走而不守，善入脏腑。灸条或灸炷用艾绒制成，取其辛香之性，以通十二经络，理气和血。古人用灸法来治疗疾病的记载很多，灸的作用不但能治病，而且对人体有突出的保健作用。过去有"若要安，三里常不干"的名言，意思是要想保持身体健康，就要经常灸足三里穴，使该处常有灸疮。因古代多用直接灸，灸后要发灸疮，故有三里常不干的说法。

我在多年的临床实践中，证明艾灸足三里穴，确有扶正祛邪、益寿延年之功。如患有"心痛"证（冠心病心绞痛）的患者，经过每日隔姜灸足三里穴3壮，10天后疼痛的发作次数明显减少，长期施灸后，不但使"心痛"症状消失，且能恢复正常工作。一哮喘病患者，每至春秋两季即哮喘发作而住院治疗，已五六年，经用隔姜灸足三里穴之后，至春秋季节，发作明显减轻，不但不需住院治疗，而且能坚持全日工作。

笔者已过耳顺之年，进入老年人行列，虽能坚持工作，但在工作之余，即感全身疲倦乏力，如再参加其他脑力劳动或社会活动，则有力不从心之感。经用隔姜灸足三里穴，3个月左右，自觉体力明显增强，在工作之余，不但能用

较多的时间读书、备课、参加社会活动不感到疲倦，而且睡眠、饮食亦较灸前香甜，且精力充沛不易感冒。说明灸法有补阴益阳、通畅经脉气血的作用，使逆者得顺，滞者得行。足三里穴是胃经的下合穴，“合治内府”，有扶正培元，祛邪防病的作用。《千金方》记载“灸五百壮，少亦灸一二百壮”。灸之可使身体阴阳平衡，收到祛病延年之效，即“阴平阳秘，精神乃治”之谓。

当前我国60岁以上的老人占总人口的7.5%。人口的平均寿命已由解放初的35岁，增至七十余岁，而且可以预期，这种递增率还将不断提高。衰老是不可抗拒的，然而延缓它的进程则是完全可能的。如能坚持应用祖国医学中的保健灸法——隔姜艾灸足三里穴，确能使老年人延缓衰老，健康长寿。

针法治疗脏躁

董怀一

“脏躁”缘于患者情绪不宁，七情所伤，喜怒无常，抑郁过甚；见症不一，在临床治疗本病的过程中，有几点体会，列举数例如下。

患者秦某，患暴哑症。十年动乱中，突然失语。经过多方医药治疗均无效果。后经人介绍到我院门诊，做针灸治疗。治疗前，我给他以暗示，使其精神缓解，随即取穴哑门，重刺捻转，并令其用力高呼，遂发出声音，后又针刺两手内关穴，言语即恢复正常。因患者全身并无其他症状表现，但张口失声，属于肝热躁急，阴虚阳亢，情绪不宁。故取哑门穴以醒其脑，取内关穴治其心脾，心脾通，脑醒，发音功能恢复正常。

患者张某，新疆人，因患眼睑下垂，眼睑粘合一起，闭合难开，医药治疗数年无效，经眼科诊断为癔症性疾患，但无法治疗，转针灸科就医。对此患者，首先给他以安慰，并暗示他病情一经针治，即可恢复，使他在思想上有一轻松愉快的感觉，然后取睛明穴，下针1寸，随即重刺捻动，令其用力睁眼，两眼遂即睁开，视力不减当年。连声称赞，真乃神医。自此眼睑活动自如。

患者李某，因与旁人玩笑，击中头部。两目突然紧闭，每当用力睁眼时，嘴随之张开，但眼睑不能上提，两眼仍不能睁开。到眼科治疗，诊为癔症性疾患，转来针灸门诊治疗。我据上述病情，选哑门穴，重刺捻针，令其闭口睁眼，很快恢复正常，按该例患者，以往并无眼病，经常有头痛失眠，故用哑门穴以醒脑，活其督络，贯穿二目，醒脑安神即可促进其功能恢复。

患者李某，因在某医院看病时打针，针后下肢即不能动转。经多方治疗无效，未能确诊，只说是注射刺伤神经而形成瘫痪，后经人介绍来我院治疗。检查其肌肉发达，皮肤感觉正常，面部及脉舌均无异常病变，关节骨骼正常，不似打针损伤神经，观其形态，拟诊为脏躁，选用环跳、阳陵泉、秩边三穴。先刺环跳、阳陵泉以泻肝，予以重刺重捻，使其有豁然通畅之感，针后患者即能下地行走，但还有点跛，又补刺一针秩边穴，深刺重捻，患者随即行动自如。此证属阴虚肝盛，心肾不交，重刺环跳、阳陵泉两穴以泻肝，刺秩边强其心肾，安其神，通其脑，即可恢复运动功能。

仅此几例可以看出，针灸治疗脏躁是有特殊功效的，但并不是凭一两个穴位即能达到治疗目的的。一要明确诊断，二要选定取穴的性能，三要对患者给予心理暗示，下针后要让患者配合行动，定能收到满意的效果。

口眼㖞斜后遗症的形成和治疗

|于书庄|

口眼㖞斜属于中风病范畴。在病因上有外风与内风之分，在病证上有单纯口眼㖞斜和与卒中半身不遂合并出现两大类。今对口眼㖞斜外风证形成后遗症的原因及其治疗法则，谈谈个人见解。

该病多因络脉空虚，或因开窗睡觉，或因乘车受风，尤其是耳孔受风，风寒之邪侵入阳明、少阳之络，以致经气阻滞，经筋纵缓不收而发病。由于人体感受风寒的程度不同，素质各异，故在临床上除见不同程度的蹙额、皱眉、耸鼻、露齿、吹口哨、眼睛闭合障碍等症状外，可区分为寒邪偏盛证、热邪偏盛证、风邪偏盛证。

寒邪偏盛证（寒证）：因为“寒性凝滞”，气血运行不畅，故口眼㖞斜之前，多见耳后痛或偏头痛。口眼㖞斜后疼痛更加明显，严重者影响睡眠。若病程日久则形成寒凝血瘀证。故久病可见面肌僵硬。再者“寒性收引”，故口眼㖞斜前后，症见面肌拘紧，若病程日久寒邪未除，则见病侧眼裂小于对侧，人中沟反而歪向病侧，或见联动运动（当病人瞬目时上唇颤动，露齿时眼睛不自主闭住等动作），或见面肌抽搐，病侧脸怕风畏寒，舌苔薄白，脉早期多见浮弦或浮紧，晚期可见平脉。

热邪偏盛证（热证）：人体感受风寒之后，由于素体阳盛，寒邪化热，则可出现热证。因为初感风寒，寒性凝滞，气血运行不畅，故口眼㖞斜前，多见耳后微痛，待寒邪化热后，疼痛很快消失。热则弛缓，故口眼㖞斜后症见面肌松弛，额纹平坦光亮，上眼睑下垂，上唇下垂，重的颈部肌肉亦松弛。再者热盛则伤阴耗液，故久病可见眼干，阴伤筋脉失濡故可见面肌轻微跳动，苔黄腻，

脉濡数。

风邪偏盛证（风证）：人体感受风寒之后，由于寒邪不重，素体亦无阳盛，故口眼㖞斜前后，多无不适，或见轻微面肌拘紧，而无疼痛及面肌松弛等症状，舌苔薄白，脉浮缓。

上述三证，风证最轻，经针刺治疗很快即可痊愈，所以不会遗留后遗症。此证约占发病率的20%。热证最重，但热则弛缓，症见面肌弛缓，故此证虽不能自愈亦不会出现面肌抽搐等后遗症。此证约占发病率的16%。因此，出现后遗症的只有寒证，因为“寒性收引”，治宜温散。假若医者在临床上不进行辨证施治，无论何种性质的病情，一律采用针刺，如此则寒邪不得消散，就会出现联动运动、面肌抽搐，以及病侧眼裂小于对侧，人中沟歪向病侧、面部拘紧、怕风畏寒等后遗症。所以口眼㖞斜后遗症的形成，决不是初病时医生使用针刺手法轻重，取穴多少之害，实因医生未进行辨证施治，寒邪日久未能消散之故，医者应该明察。

根据“寒者温之”的法则，治疗寒证宜用温法，用以温散寒邪，温通气血。温法中包括针刺热手法、穴位贴敷鲜姜泥法、艾灸法和火针法。这四种温法无论治疗初病或久病均可使用，只是根据具体情况掌握。如针刺翳风、完骨均宜用热手法（即进针后缓缓压针1～2分钟刺入应刺的深度，使针下或沿经到耳、偏头出现热感）。穴位贴敷鲜姜泥法是将鲜姜捣成泥，用三棱针或毫针点刺穴位出血后，敷鲜姜泥，大约10分钟病人感觉面部发热即可除去，每周1～2次，常用的穴位有印堂、颧髎、翳风等，刺血起着祛瘀行血的作用，敷姜有着温散风寒之功效。艾灸法是用艾卷温和灸颊车、翳风穴，每次灸10～15分钟，以局部红润为度，灸法对于消散面肌僵硬有卓效。火针法是以火针烧红点刺穴位和阿是穴，常用的穴位有阳白、四白、太阳、颧髎、大迎、地仓、颊车、翳风、完骨等，阿是穴是根据病人拘紧，抽搐的部位而定，一般可以每周1～2次，若火针刺后针孔周围红润不消，则应延长间隔时间，此时可用穴位贴敷鲜姜泥法，若火针刺后病人针孔周围不红润，则可每周火针点刺2次。

至于远端穴位，阳明经常用的是合谷、足三里，少阳经为外关、阳陵泉。合谷、外关使用行气法，即进针得气后，以轻度、中度得气为宜，首先排除非应至之气，然后令患者将其环指放在针柄下，用其示指和中指放在针柄上按压15～20分钟，在临床上使用此法，可以使50%以上病人的经气沿经到达病所（脸），又可以节省人力。通过温度测试，病所温度低于对侧，待气至病所后病所温度升高，与针刺前相比有着非常显著的差异，每次针后这种效应可以维持相当长一段时间。若使用行气法病人脸上出现凉感（占极少数），这种病人则不宜使用行气法，而采用针刺热手法。

使用上法治疗，则寒邪得散，气血流行，故治疗初病可以不出现后遗症，治疗后遗症亦可以收到一定的效果，望同道们验之。

临床应用血海穴的体会

李洁力

血海是脾经的穴位，在髌骨内上方2寸处，主治甚广，如月经不调、经闭、痛经、荨麻疹、湿疹、贫血、下肢风湿等。有的书上说，该穴为脾血归聚之处，具有祛瘀血、生新血之功。

我在临床上主要用此穴治疗风湿性关节炎和类风湿性关节炎，取得了较满意的效果，体会到该穴有祛风湿、活血、止痛、消肿的作用。以此穴为主，配合风池、肩髃、肩髎、手三里、曲池、外关、阳溪、合谷治疗上肢的风湿性关节疼痛，效果较好。以此穴为主，配合髀关、风市、阴市、足三里、阳陵泉、昆仑治疗下肢风湿性关节痛也收到较为满意的效果。

此穴尤其对降血沉有明显的作用，这点虽没有做过大量的系统的观察，但在日常的门诊工作中也有对比，有些病人，血沉较快，40～60mm/h，甚至90mm/h，关节疼痛难忍，选用一些常用穴位治疗，病人关节疼痛有时可减轻些，但疗效不巩固，化验血沉始终不降，经我重点选用血海一穴，并配合常用穴进行针治，在1～2个月内，很多病人的血沉都有明显的下降，或降至正常，所以对血海穴有降血沉这一作用，有比较深刻的体会。又血海穴处肌肉较为丰满，故也经常在此穴处应用火针来治疗风湿性关节炎，针后患者感到关节疼痛减轻，运动灵活。

灸身柱穴主治阳虚背寒肢冷

田从豁

身柱穴的主治病证，文献记载多为腰背强痛、虚劳、喘咳、瘈疭、癫狂、小儿惊痫等，亦有记载可治身热者，惟用于治疗“阳虚背寒肢冷”者，颇为罕见。余自1982年以来，曾先后遇到5例非常明显的脊背发凉、冷彻心腹、四肢不温的患者，皆用隔姜灸身柱穴，每次10～20壮，每日灸1～2次。患者皆为数月或经年久治不愈，均经灸身柱穴1～2周而获痊愈。如患者严某，女性，50岁，科技干部。4年来脊背发凉如敷冰，心中寒战，四肢发冷，并伴有失眠、

自汗、纳呆等症，经各种方法治疗效果不佳，特从云南来京求治，于1983年11月收入院治疗。单纯用上法灸身柱穴，1次后背凉减轻，已无寒战，5次后背凉消失，共治疗10次，诸症逐渐好转，2周后痊愈出院。

身柱属督脉，位于第3胸椎与第4胸椎棘突之间。督脉为诸阳之都纲，称阳脉之海。身柱居于两心俞穴之间，心俞乃心气转输之所，身柱虽有全身支柱之意，但亦可认为是心阳出入之门户。根据中医理论“阳虚则生内寒”，灸身柱穴可以振奋心阳，以助鼓动之力。血脉充盈，肢冷可消；又能补督脉之气，则诸脉之阳气皆充盈矣。阳盛则阴消，背寒肢冷可愈也。

攒竹穴治腰痛 |高立山|

攒竹穴治腰痛，古无记载。和老师闲谈中，他曾提到点眼药可以治疗腰痛，后碰急性腰痛，试验之确有效果。想其道理，药水滴入睛明穴，无非是刺激睛明，输通足太阳膀胱经气。我想，攒竹穴在足太阳膀胱经上，是离睛明穴最近的穴位，故有近似之作用，遂选用攒竹穴试治腰痛。有一老妇70多岁，早上起床到户外上厕所，忽感浑身一阵发冷，旋即腰腿疼痛不能起立，疼痛难忍，由家属抬来就医。查询发病经过，又知平日不头晕，血压不高。现在语言清晰，两上肢活动自如，惟腰部及两下肢疼痛不能转动，脉弦，舌质淡红，舌苔薄白，纳、睡一般，二便如常。考虑再三，证系患者晨起入厕，腠理未闭，气血未充于肌表，忽感风寒，经筋收引而痛，取攒竹穴散寒通络，先直刺、提插约1分钟，活动范围扩大可以前后活动，又留针5分钟，再行提插针刺1分钟，果然痛止。自已站起行走，家属及其他患者均感惊讶，我也没有料到竟有这样快的止痛效果。此时惟觉两下肢尚觉无力，后又针秩边、足三里，隔日1次，3次后恢复正常，又给腰骶部贴狗皮膏1贴，以巩固疗效。1个月后家属告知，能步行10余里外去探亲。自此以后，常用此法治疗急性腰背痛，尤其受风寒而致之急性腰痛，均获得满意效果。

针刺治疗射精不能症 |江玉文|

李某，平素性情抑郁，结婚4年无嗣，行房时阴茎举且坚，而精瘀不泄，无快感。分居时却常有梦遗，因羞涩于陈述病情，未及时诊治，其妻求嗣心切，再三催促，方去某院泌尿科检查，阴茎、睾丸、附睾、精索等均未发现异常，而进行性知识辅导等心理治疗，但无济于事，乃改诊中医。服甲医疏肝理气、通关利窍汤药七十余剂，乙医益肾壮阳中成药二百余丸，而阳更兴，行房时间往往长达 2 小时而阴茎仍坚挺不萎，其妻更烦，时有口角，情感有日趋恶化之势，压抑日增，百般无奈，遂来邀余诊治。视之身体壮实，舌苔薄黄，脉弦有力。余思此疾，主要为肝经失调所致，因肝之经脉绕阴器，过小腹，阴器为宗筋之会，肝性喜条达，除疏泄气血之外，还可疏泄精液，如肝气郁结，在女子则可发生经闭不行，在男子则可发生精瘀不泄。此外，本病与任脉也有一定关系，因任脉也循行于阴器，总管一身之阴精，故取足厥阴肝经之足五里（双），任脉与足厥阴肝经之交会穴曲骨进行针刺，以图条达肝气，疏泄精液。针刺前令患者排净小便，所选穴位和捻针的手指均需用 75% 的酒精严格消毒，快速进针，强刺激，使下腹和外阴部感到有酸、麻、胀为止。留针 20 分钟，中间捻转运针 1 次，取针时再稍加运针，每天 1 次（星期日停针），10 次为 1 个疗程，同时给性知识辅导，1 个疗程结束后，行房果能射精，患者甚喜，1 个月后来信，言其妻已妊娠。足月后生一男婴，全家高兴至极。此后，我用此法治疗多例，亦获成功。疗效好，又经济，颇受患者欢迎。